ユーキャンの

’24~’25年版

衛生管理者

重要過去問＆予想模試

第1種

はじめに

衛生管理者試験は、総得点で60％以上、各科目で40％以上得点できれば、合格できる試験です。試験内容は、**過去問題と類似した問題が繰り返し出題される**という特徴があります。

そこで、本書は、**過去問題を徹底的に分析**したうえで、**効率的に問題演習を行いながら合格に必要な知識を身につけられる**ようさまざまな工夫をしています。

● 徹底的に過去問題を分析し、重要問題 301 問を厳選！

今後も出題されやすい過去問題を論点別に掲載。問題ごとに重要度を３段階で表示していますので、効率良く取り組めます。

● 科目別、論点別に掲載！

第一種衛生管理者試験では、５つの科目それぞれで40％以上の得点が必要です。各科目で確実に40％以上を得点できるよう、本試験で出題された問題を、科目別・論点別に厳選・整理して掲載しています。

● 充実したわかりやすい解説！

一問一問、平易な表現で詳しく解説しています。なお、必要最低限の知識で合格できるよう、同じ知識で解ける問題についてはできる限り同じ解説を採用しています。また、「チェック！ここが狙われる」「合格エッセンス」などのプラスαの解説も、知識の強化に役立ちます。

● 本試験のシミュレーションが可能！

過去問題〔令和６年４月公表試験問題〕と予想模擬試験を収載しています。学習の総仕上げとしてはもちろん、本試験のシミュレーションに最適です。

本書は、基本書による学習→問題演習→基本書による知識の再確認という流れで、姉妹書である『ユーキャンの第１種・第２種 衛生管理者 速習レッスン』と併用していただくと、さらに効率良く学習を進めることができるようになっています。

本書には『速習レッスン』の該当箇所も表示していますので、すぐに基本書に戻って復習することができます。

過去問題集は「１回解いて終わり」ではありません。

本書を繰り返しご活用になり、見事試験に合格されることを、心より応援しています。

監修　波場　久実

本書の使い方

STEP1　論点別問題で重要事項のチェック

まずは「論点別問題」を解いて、重要事項を学習しましょう。
衛生管理者試験では、同じ知識が形を変えて繰り返し出題される傾向があるので、解説の太字部分を中心に、頻出の知識を丁寧に押さえましょう。

STEP2　本試験形式にチャレンジ

論点別問題を終えたら、過去問題［令和６年４月公表試験問題］と予想模擬試験にチャレンジ。時間を計るなどして、本試験と同様の条件で行うと、シミュレーションの効果が高まります。
終了後は別冊の「解答・解説」で採点するとともに復習を行いましょう。

重要度

★★★
1
□□

★★★ 高
★★
★ 低

過去に出題された頻出論点など試験対策として重要度の高い順に★の数で示しています。★の数が多い問題について繰り返し学習し、確実に得点できるようにしましょう。

5. 局所排気装置　　速 第６章 LESSON 4

★★★
107 □□ **局所排気装置のフードの型式について、排気効果の大小関係として、正しいものは次のうちどれか。**

（1）囲い式カバー型>囲い式建築ブース型>外付け式ルーバ型
（2）囲い式建築ブース型>囲い式グローブボックス型>外付け式ルーバ型
（3）囲い式ドラフトチェンバ型>外付け式ルーバ型>囲い式カバー型
（4）外付け式ルーバ型>囲い式ドラフトチェンバ型>囲い式カバー型
（5）外付け式ルーバ型>囲い式建築ブース型>囲い式グローブボックス型

R3.4-14、H30.10-19

★★★
108 □□ **局所排気装置の基本的な構成に関する次の文中の［　］内に入れるAからCの語句の組合せとして、正しいものは　～（5）のうちどれか。**

「局所排気装置は　　物の発生源の近くにフードを設けて定常的な吸引気流をつ　　物が拡散する前に吸引除去するものであり、空気清浄装置を付　場合の基本的な構成は、発生源の側から順に次のとおりである。
フード → 吸引ダクト（枝ダクト→主ダクト）→ ［A］ → ［B］ → ［C］ → 排気口」

	A	B	C
（1）	ファン	空気清浄装置	排気ダクト
（2）	排気ダクト	空気清浄装置	ファン
（3）	排気ダクト	ファン	空気清浄装置
（4）	ファン	排気ダクト	空気清浄装置
（5）	空気清浄装置	ファン	排気ダクト

H29.4-18、H28.4-18

＊＊＊

問題表示

R5.4-14

問題には、上記のように出典を表示しています。この場合、「令和５年４月公表試験・問14」を表しています。
なお、法改正による改訂を加えた問題に関しては、末尾に「改題」を付しています。また、選択肢の順や用語のみが異なる問題については、末尾に「類」を付しています。

基本書と対応

速 第6章 LESSON 4

姉妹書の『ユーキャンの第１種・第２種衛生管理者　速習レッスン』の対応箇所を示しています。

※上に掲載しているページは本書の使い方を説明するための見本です。

おことわり

本書は、2024年6月までに施行された法令に基づき編集しております。本書の記載内容について、執筆時点以降の法改正情報などで、試験の対象となるものについては、下記「ユーキャンの本」ウェブサイト内「追補（法改正・正誤）」にて、適宜お知らせいたします。

https://www.u-can.co.jp/book/information

STEP3　繰り返し学習で弱点を克服

苦手な部分を発見したら、再び関連する論点別問題に取り組み、知識を確実なものとしてください。
総仕上げとして、再度巻末の「過去問題」と「予想模擬試験」にチャレンジすることをお勧めします。

5. 局所排気装置

107 解説

局所排気装置のフード形式は、囲い式と外付け式に分けられる。**囲い式フード**は、発散源を囲うことで有害物がフード外へ流失することを防ぐもので、発散源の外から有害物を補足する**外付け式フードより排気効果**は**大きい**。さらに、囲い式フードは、開口面積が小さいほど排気効果が大きい。排気効果は、カバー型およびグローブボックス型＞ドラフトチェンバ型＞建築ブース型の順で大きくなる。

以上から、設問の局所排気装置のフードの形式について、一般に、排気効果が大きいとされる順に並べたものは、囲い式カバー型＞囲い式建築ブース型＞外付け式ルーバ型となる。

したがって、選択肢（1）が正答となる。

正答（1）

108 解説

局所排気装置は、有害物の発生源（発散源）の近くにフードを設けて定常的な吸引気流をつくり、有害物が拡散する前に吸引除去するものであり、空気清浄装置を付設した局所排気装置の基本的な構成は、発生源（発散源）の側から順に、
フード → 吸引ダクト（枝ダクト→主ダクト）→ A　**空気清浄装置** → B　**ファン** → C　**排気ダクト** → 排気口となる。

したがって、選択肢（5）が正答となる。

正答（5）

合格エッセンス　フードの形式と図例　速 P.169～P.170

囲い式カバー型	囲い式建築ブース型	外付け式ルーバ型
発散源の周りを囲み、隙間、観察口、小作業孔が吸気口となり、最も効果が高い	作業面以外の周りが覆われたもの。フード選択の標準	整流板を入れることで一定方向の気流を吸引しやすくしたもの

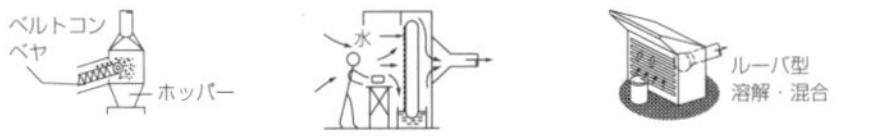

＊＊＊

労働衛生 害

有害業務表示

害　試験で「有害業務に係るもの」として出題された問題であることを示しています。

補足解説

キーワード

問題を解くために重要となる専門用語やわかりにくい語を詳しく解説しています。

チェック！ここが狙われる

試験に出題されやすいポイントをピックアップし、わかりやすく解説しています。

合格エッセンス

合格するためには確実に覚えておきたい重要事項をクローズアップして解説しています。

基本書と対応

資格について

1 衛生管理者とは

「衛生管理者」の資格取得学習を始めるにあたり、まずは「衛生管理者」とはどんな業務を行うものなのかを確認しましょう。

● ● ●

昨今の多様化する労働環境のなか、労働災害を未然に防ぎ安全で健康的な職場づくりを推進するエキスパートとして、多くの企業から求められているのが「衛生管理者」です。「衛生管理者」は国家資格である衛生管理者免許試験に合格した者、または一定の資格をもつ者（医師、歯科医師等）でなければならないと規定されています。

「衛生管理者」の設置について、具体的には、常時50人以上の労働者を使用する事業場において、衛生管理者免許を有する者のうちから労働者数に応じ一定数以上の衛生管理者を選任し、安全衛生業務のうち、衛生に係わる技術的な事項を管理させることが法律によって義務付けられています。ところが実際には、こうした「衛生管理者」の免許をもつ者の絶対数が不足していることもあり、未選任のままの企業も多く存在しています。このような状況のなかで、衛生管理者免許の取得者は、企業の総務・労務部門などから大いに期待されることは間違いないでしょう。

「衛生管理者」の免許には、第一種衛生管理者免許と第二種衛生管理者免許があります。

第一種衛生管理者免許を有する者は、工場などの危険あるいは有害な要素のある事業場を含むすべての事業場において、衛生環境を管理することができます。

第二種衛生管理者免許を有する者は、有害業務と関連のうすい情報通信業、金融・保険業、卸売・小売業など一定の業種の事業場においてのみ、衛生環境の管理が可能です。

衛生管理者免許を有する者の主な職務は、次のとおりです。

- 健康に異常のある者の発見と処置
- 労働環境の衛生に関する調査
- 衛生教育や健康相談等の実施
- 環境改善プランの立案と実行

2 衛生管理者試験について

それでは次に、衛生管理者試験がどのように行われるのかを確認しましょう。

衛生管理者試験は、厚生労働大臣指定試験機関である公益財団法人 安全衛生技術試験協会が運営している、全国８カ所にある安全衛生技術センターにて実施されています。受験に関しての概要は以下のとおりですが、詳細は、上記協会およびセンターにて頒布される免許試験受験申請書やホームページで確認してください。

受験資格

衛生管理者試験の受験資格として、学校を卒業後、労働衛生に関する一定の業務に従事した経験のあることが必要です。受験に必要な労働衛生業務の実務経験年数は、最終学歴によって異なります。

〔最終学歴と経験年数〕

- 大学（短大を含む）または高等専門学校の卒業者：労働衛生の実務経験１年以上
- 高等学校の卒業者：労働衛生の実務経験３年以上
- 中学校の卒業者：労働衛生の実務経験 10 年以上

有資格者（実務経験）

労働衛生に関する一定の業務（実務経験）については、通常、所属企業・団体などが発行する事業者証明書を提出することで認められます。実務経験は他の業務と兼任していても問題ありません。

試験スケジュール

全国８カ所にある安全衛生技術センターで月１～10 回程度実施しています。また、各センターから遠方の地域では、年に１回、出張特別試験が実施されている場合があります。

試験手数料

8,800 円

出題数と受験科目

受験科目は、第一種、第二種ともに、「労働生理」「労働衛生」「関係法令」の３科目です。

労働生理	人体組織および機能、環境条件による人体の機能の変化、労働による人体の機能の変化、疲労およびその予防、職業適性などに関する知識
労働衛生	衛生管理体制、作業環境要素、職業性疾病、作業環境管理、作業管理、健康管理、健康の保持増進対策、労働衛生教育、労働衛生管理統計、救急処置などに関する知識
関係法令	労働基準法、労働安全衛生法、作業環境測定法およびじん肺法ならびにこれらに基づく命令中の関係条項に関する知識

有害業務に関連する問題は、第一種衛生管理者試験には出題されますが、第二種衛生管理者試験には出題されません。各科目の詳細と問題数は、次表のとおりです。

〔受験科目の詳細〕

受験科目		第一種衛生管理者（44問）	第二種衛生管理者（30問）
労働生理		10問	10問
労働衛生	有害業務に係るもの	10問	──
	有害業務に係るもの以外のもの	7問	10問
関係法令	有害業務に係るもの	10問	──
	有害業務に係るもの以外のもの	7問	10問

注：　　部分は、第一種、第二種共通出題分野です。

科目免除

第二種衛生管理者免許をすでにもっている者が第一種衛生管理者試験を受験するときは、「労働生理」の科目および「労働衛生」「関係法令」の２科目のうち有害業務に係るもの以外の問題が免除されます（特例第一種衛生管理者）。また、船員法による衛生管理者適任証書の交付を受けた者でその後１年以上労働衛生の実務に従事した経験を有するものは、「労働生理」の科目が免除されます。

出題形式

試験の出題形式は、すべて５肢択一式で、解答用紙はマークシート記入方式の筆記試験です。

試験時間

各センターでの試験時間は、第一種衛生管理者試験、第二種衛生管理者試験ともに、3時間（13：30～16：30）です。ただし、特例第一種衛生管理者試験については、13：30～15：30の2時間。船員法による科目免除者については、13：30～15：45の2時間15分が試験時間となります。

合格基準

衛生管理者免許試験は、合格人数に制限はありません。基準点以上取れれば、順位にかかわらず誰でも合格できます。試験科目（「有害業務に係るもの」と「有害業務に係るもの以外のもの」に範囲が分かれている科目はそれぞれの範囲を1科目とする）ごとに40％以上得点でき、かつ、すべての科目の合計得点が60％以上の場合に合格となります。

〔過去3年間の試験実施状況〕

	第一種衛生管理者			第二種衛生管理者		
年度	受験者数	合格者数	合格率	受験者数	合格者数	合格率
2021年度	68,210人	29,113人	42.7%	36,057人	17,922人	49.7%
2022年度	68,066人	31,207人	45.8%	35,199人	18,089人	51.4%
2023年度	67,572人	31,108人	46.0%	37,061人	18,374人	49.6%

受験手続

①オンライン＋郵送

受験申し込みと試験手数料の支払いをオンライン上で行い、別途、提出書類と印刷した申請書を郵送する方法です。詳しくは下記HPを確認してください。

受験申請システム：https://www.exam.or.jp/m/index.html

②書面

公益財団法人 安全衛生技術試験協会および全国8カ所にある安全技術センター、免許試験受験申請書取扱機関一覧に示す団体にて頒布されている免許試験受験申請書を入手のうえ、受験を希望する安全衛生技術センターへ提出します。詳しくは下記HPを確認してください。

公益財団法人 安全衛生技術試験協会 HP：https://www.exam.or.jp

試験に関する問い合わせ先

公益財団法人 安全衛生技術試験協会	〒101-0065　東京都千代田区西神田３-８-１ 千代田ファーストビル東館９階	03-5275-1088
北海道安全衛生技術センター	〒061-1407　北海道恵庭市黄金北３-13	0123-34-1171
東北安全衛生技術センター	〒989-2427　宮城県岩沼市里の杜１-１-15	0223-23-3181
関東安全衛生技術センター	〒290-0011　千葉県市原市能満 2089	0436-75-1141
関東安全衛生技術センター 東京試験場	〒105-0022　東京都港区海岸１-11-１ ニューピア竹芝ノースタワー 21 階	03-6432-0461
中部安全衛生技術センター	〒477-0032　愛知県東海市加木屋町丑寅海戸 51-５	0562-33-1161
近畿安全衛生技術センター	〒675-0007　兵庫県加古川市神野町西之山字 迎野	079-438-8481
中国四国安全衛生技術センター	〒721-0955　広島県福山市新涯町２-29-36	084-954-4661
九州安全衛生技術センター	〒839-0809　福岡県久留米市東合川５-９-３	0942-43-3381

出題傾向分析＆対策

第一種衛生管理者の試験科目は「労働生理」「労働衛生」「関係法令」の３科目に分かれています。うち、「労働衛生」と「関係法令」の２科目は、〈有害業務に係るもの〉と〈有害業務に係るもの以外のもの〉に分かれています。

試験は各科目（有害、非有害は別科目となるので、５科目）で40％以上、合計得点60％以上で合格となります。つまり、合計得点が60％以上であったとしても、５科目のうち40％未満の得点の科目が１科目でもあれば合格できないのです。広範な学習分野を効率良く学習し、苦手分野でも確実に得点するために、各科目ごとの概要と試験対策を紹介します。

労働生理

1. 科目概要

人体の組織やそのメカニズム、環境条件や労働による人体への影響などについて学習します。

2. 試験対策

労働生理は、中学校の理科で学ぶような内容です。人体に関する分野のため、なじみのある単語も多く、学習しやすく、得点源となる科目です。

科目範囲からまんべんなく出題される傾向にありますが、特に頻出の問題については重要度の★が３つとなっていますので、それらの問題から確実に解けるよう、優先的に繰り返し学習しましょう。

労働衛生〈有害業務に係るもの〉

1．科目概要

人体に悪影響を及ぼす危険で有害な環境と、それらがもたらす疾病などについて学習します。

2．試験対策

「**職業性疾病**」に関しては、必ずといっていいほど複数問出題されます。有害物質の名称など、なじみのない単語が多く出てくるため学習しにくいと感じる科目です。10問中4問は確実に得点できるよう「守り」の学習をしましょう。

「合格エッセンス」などのプラスαの解説を上手に使い、覚えるべき知識を確実なものにしていくことが合格への近道です。

労働衛生〈有害業務に係るもの以外のもの〉

1．科目概要

一般的な作業環境にある事業場について、気温や空気、照明などが与える人体への影響と、救急処置の方法について学習します。

2．試験対策

この分野は、かなり広範囲にわたって出題されるのが特徴です。ただし、繰り返し出題される比較的解きやすい問題も少なくないので、丁寧な学習を心がけ、確実に40%以上得点できるように知識を身につけましょう。

関係法令〈有害業務に係るもの〉

1．科目概要

労働安全衛生法および有害物質に関する厚生労働省令を中心に、有害な労働環境から労働者を保護するための法知識を学びます。

2．試験対策

関係法令の出題はかなり広範囲になりますが、出題の中心は「労働安全衛生法」です。細かい知識が出題されることもありますが、頻出知識を確実に身につけておけば、正解を導くことはできます。まずは本書に掲載されている問題が確実に解けるようになることを目標にしましょう。

関係法令〈有害業務に係るもの以外のもの〉

1. 科目概要

労働基準法、労働安全衛生法、事務所衛生基準規則など、労働者を取り巻く環境に関する法令に関する知識を学びます。

2. 試験対策

試験では、法令の条文そのものが出題されることはほとんどありません。しかし、条文の内容をきちんと把握していれば解ける問題が多いので、基本書等で身につけた知識をどのように使って正解を導くのか、問題演習を通して学習しましょう。

解説は、問題を解くための思考の過程をできるだけ詳しく記載しています。繰り返し学習するうちに徐々に理解が深まりますので、焦らずじっくり取り組みましょう。

● ● ●

衛生管理者試験は毎月1～10回実施される非常に回数の多い試験です。そのため試験問題は、ある程度のパターンに絞られるといっても過言ではありません。基本的な知識を押さえ、そのうえで、過去に出題された問題を選択肢ごとに吟味するという地道な繰り返しが、なによりの攻略法となります。まずは姉妹書の『ユーキャンの第1種・第2種衛生管理者 速習レッスン』で基礎的な知識を身につけ、本書『ユーキャンの第1種衛生管理者 重要過去問&予想模試』で復習を兼ねた問題演習を行うことをおすすめします。

CONTENTS

ユーキャンの第１種衛生管理者

「重要過去問＆予想模試」

論点別問題

労働生理

労働衛生

＜有害業務＞

＜非有害業務＞

関係法令

＜有害業務＞

＜非有害業務＞

過去問題

予想模擬試験

＜別冊＞

過去問題　予想模擬試験

解答・解説編

解答用紙

本書における科目の順番について

論点別問題の科目の順番は『学びやすさ』という観点から、実際の試験の科目順とは異なっています。

略語一覧

本書では、必要に応じて略称を使用しています。下記以外の略称も、以下の基準に準じて略しています。

法令名	略語
労働安全衛生法	安衛法
労働安全衛生法施行令	安衛令
労働安全衛生規則	安衛則
有機溶剤中毒予防規則	有機則
鉛中毒予防規則	鉛則
特定化学物質障害予防規則	特化則
高気圧作業安全衛生規則	高圧則
電離放射線障害防止規則	電離則
酸素欠乏症等防止規則	酸欠則
事務所衛生基準規則	事務所則
粉じん障害防止規則	粉じん則
作業環境測定法	測定法
じん肺法施行規則	じん肺則
石綿障害予防規則	石綿則
労働基準法	労基法
労働基準法施行規則	労基則
女性労働基準規則	女性則
年少者労働基準規則	年少者則

ユーキャンの第１種衛生管理者「重要過去問＆予想模試」

論点別問題

この「論点別問題」には、**301問の過去問題を論点別に収録**しています。今勉強している論点の問題にチャレンジし、実際の試験ではどういった問われ方をするのかを確かめながら、正確な知識を効率良く習得してください。

なお、問題を解いた後は、誤りの選択肢だけでなく、**すべての選択肢の解説を必ず読む**ようにし、その論点に関する知識を強化しましょう。

労働生理

労働生理では、人体のしくみなど、主に医学的な分野について出題されます。すでに中学校の理科の授業などで一度学んだことのある部分も多く、得点源にしやすい科目ですので、ここで確実に点を稼ぐことが、合格のカギといえるでしょう。
試験では10問出題されます。

1. 血液・循環器系

速 第1章 LESSON 1

★★★

1 **血液に関する次の記述のうち、誤っているものはどれか。**

□□

（1）赤血球は、骨髄で産生され、寿命は約120日であり、全血液の体積の約60%を占めている。

（2）血液中に占める赤血球の容積の割合をヘマトクリットといい、貧血になるとその値は低くなる。

（3）好中球は、偽足を出してアメーバ様運動を行い、体内に侵入してきた細菌などを貪食する。

（4）リンパ球は、白血球の約30%を占め、Ｔリンパ球やＢリンパ球などの種類があり、免疫反応に関与している。

（5）ABO式血液型は、赤血球による血液型分類の一つで、Ａ型血液の血清は抗Ｂ抗体をもつ。

H30.4-35

★★★

2 **血液に関する次の記述のうち、正しいものはどれか。**

□□

（1）血漿《しょう》中の蛋《たん》白質のうち、アルブミンは血液の浸透圧の維持に関与している。

（2）血漿中の水溶性蛋白質であるフィブリンがフィブリノーゲンに変化する現象が、血液の凝集反応である。

（3）赤血球は、損傷部位から血管外に出ると、血液凝固を促進させる物質を放出する。

（4）血液中に占める白血球の容積の割合をヘマトクリットといい、感染や炎症があると増加する。

（5）血小板は、体内に侵入してきた細菌やウイルスを貪食する働きがある。

R3.4-40、R1.10-40、H30.10-40、H29.10-35

1 解説

（1）**誤り。**赤血球は、全血液の体積の約**40%**を占めており、血球の中で最も多い。約60%ではない。なお、赤血球は、骨髄で産生され、寿命が約120日であるという点は、正しい。

（2）**正しい。**血液中に占める**赤血球の容積の割合**を**ヘマトクリット**という。この値は貧血になると**低く**なる。

（3）**正しい。**好中球は、偽足を出してアメーバ様運動を行い、体内に侵入してきた**細菌やウイルスなどを貪食《どんしょく》**する。なお、好中球は、白血球の約60%を占めている。

（4）**正しい。**リンパ球は、白血球の約30%を占めている。リンパ球には、Tリンパ球やBリンパ球などの種類があり、**免疫反応**に関与している。なお、Bリンパ球は、抗体を産生し、その抗体によって抗原を攻撃する。また、Tリンパ球は、細菌や異物を認識し、直接、抗原を攻撃する。

（5）**正しい。**ABO式血液型は、**赤血球による血液型分類**の一つで、**A型血液の血清**は**抗B抗体**をもつ。なお、血液が凝固したあとしばらくすると出てくる少量の液体成分を、血清という。

正答（1）

2 解説

（1）**正しい。**血漿中の蛋白質のうち、**アルブミン**は**血液の浸透圧の維持**に関与している。なお、血液は、血漿と有形成分からなり、血漿中には、アルブミン、グロブリンなどの蛋白質が含まれている。

（2）**誤り。**血漿中の水溶性蛋白質である**フィブリノーゲン**が**フィブリン**に変化する現象が、**血液の凝固**である。血漿中の水溶性蛋白質は、フィブリノーゲンである。また、そのフィブリノーゲンがフィブリンに変化する現象を、血液の凝固という。凝集反応ではない。

（3）**誤り。血小板**は、損傷部位から血管外に出ると、**血液凝固を促進**させる物質を放出する。赤血球ではない。なお、血小板は、核をもたない直径2～3 μmの不定形の細胞である。

（4）**誤り。**血液中に占める**赤血球の容積の割合**を**ヘマトクリット**という。白血球の容積の割合ではない。なお、一般的に、白血球は、感染や炎症があると増加する。

（5）**誤り。**白血球のうちの**好中球**は、体内に侵入してきた**細菌やウイルスなどを貪食する働き**がある。血小板ではない。

正答（1）

★★★
3 **血液に関する次の記述のうち、誤っているものはどれか。**

□□

（1）血液は、血漿《しょう》と有形成分から成り、有形成分は赤血球、白血球及び血小板から成る。

（2）血漿《しょう》中の蛋《たん》白質のうち、グロブリンは血液浸透圧の維持に関与し、アルブミンは免疫物質の抗体を含む。

（3）血液中に占める血球（主に赤血球）の容積の割合をヘマトクリットといい、男性で約45%、女性で約40%である。

（4）血液の凝固は、血漿《しょう》中のフィブリノーゲンがフィブリンに変化し、赤血球などが絡みついて固まる現象である。

（5）ＡＢＯ式血液型は、赤血球の血液型分類の一つで、Ａ型の血清は抗Ｂ抗体を持つ。

R5.4-40

★★★
4 **血液に関する次の記述のうち、誤っているものはどれか。**

□□

（1）血液は、血漿《しょう》成分と有形成分から成り、血漿《しょう》成分は血液容積の約55%を占める。

（2）血漿《しょう》中の蛋《たん》白質のうち、アルブミンは血液の浸透圧の維持に関与している。

（3）白血球のうち、好中球には、体内に侵入してきた細菌や異物を貪食する働きがある。

（4）血小板のうち、リンパ球には、Ｂリンパ球、Ｔリンパ球などがあり、これらは免疫反応に関与している。

（5）血液の凝固は、血漿《しょう》中のフィブリノーゲンがフィブリンに変化し、赤血球などが絡みついて固まる現象である。

R5.10-35、R4.10-42

3 解説

（1）**正しい。**血液は、**血漿**と**有形成分**からなり、有形成分は赤血球、白血球および血小板からなる。

（2）**誤り。**血漿中には、アルブミン、グロブリンなどの蛋白質が含まれている。**グロブリン**は**免疫物質の抗体**を含み、**アルブミン**は**血液の浸透圧の維持**に関与している。

（3）**正しい。**血液中に占める**血球（主に赤血球）の容積の割合**を**ヘマトクリット**という。男性で約45%、女性で約40%であり、正常値に男女による差がある。

（4）**正しい。**血液の凝固は、血漿中の水溶性蛋白質である**フィブリノーゲン**が**フィブリン**に変化し、赤血球などが絡みついて固まる現象である。

（5）**正しい。**ABO式血液型は、赤血球による血液型分類の一つで、**A型血液の血清**は**抗B抗体**をもつ。なお、血液が凝固したあとしばらくすると出てくる少量の液体成分を、血清という。

正答（2）

4 解説

（1）**正しい。**血液は、血漿と有形成分からなり、血液の容積の55%程度を占める。

（2）**正しい。**血漿中の蛋白質のうち、**アルブミン**は**血液浸透圧の維持**に関与している。

（3）**正しい。**白血球のうちの**好中球**は、体内に侵入してきた**細菌やウイルスなどを貪食**する働きがある。

（4）**誤り。白血球**の一種であるリンパ球には、Bリンパ球やTリンパ球などがあり、**免疫反応**に関与している。血小板ではない。

（5）**正しい。**血液の凝固は、血漿中の**フィブリノーゲンがフィブリンに変化**し、赤血球などが絡みついて固まる現象である。

正答（4）

合格エッセンス　血液の有形成分の機能

速 P.25

有形性分		機　能	数の男女差
赤血球		酸素を組織に供給し、二酸化炭素を搬出する	あり
白血球	Tリンパ球	細菌や異物を認識し、**直接、抗原を攻撃**する	なし
	Bリンパ球	**抗体を産生し**、その**抗体によって抗原を攻撃**する	
	好中球	細菌やウイルス、異物などを貪食	
血小板		血液凝固作用を促進し止血	なし

★★
5 次のうち、正常値に男女による差がないとされているものはどれか。

□□

（1）赤血球数
（2）ヘモグロビン量
（3）血小板数
（4）基礎代謝量
（5）ヘマトクリット値

H31.4-40

★★★
6 次のうち、正常値に男女による差がないとされているものはどれか。

□□

（1）赤血球数
（2）ヘモグロビン濃度
（3）ヘマトクリット値
（4）白血球数
（5）基礎代謝量

R4.4-39、R2.10-35 類

★★★
7 心臓の働きと血液の循環に関する次の記述のうち、誤っているものはどれか。

□□

（1）心臓の中にある洞結節（洞房結節）で発生した刺激が、刺激伝導系を介して心筋に伝わることにより、心臓は規則正しく収縮と拡張を繰り返す。
（2）体循環は、左心室から大動脈に入り、毛細血管を経て静脈血となり右心房に戻ってくる血液の循環である。
（3）肺循環は、右心室から肺静脈を経て肺の毛細血管に入り、肺動脈を通って左心房に戻る血液の循環である。
（4）心臓の拍動は、自律神経の支配を受けている。
（5）大動脈及び肺静脈を流れる血液は、酸素に富む動脈血である。

R2.10-36、R1.10-36 類、H31.4-36、H30.10-36

5 解説

血小板数（15 ～ 35 万個 / 1 μL）は、正常値に**男女による差がない**とされている。

したがって、選択肢（3）が正答となる。

正答（3）

6 解説

白血球数（4,000 ～ 8,500 個 / 1 μL）は、正常値に**男女による差がない**とされている。

したがって、選択肢（4）が正答となる。

正答（4）

7 解説

（1）**正しい。**心臓（右心房）の中にある**洞結節（洞房結節）**で発生した刺激が、刺激伝導系を介して心筋に伝わることにより、心臓は規則正しく収縮と拡張を繰り返す。このような心臓の動きを拍動という。

（2）**正しい。体循環**は、**左心室**から**大動脈**に入り、毛細血管を経て**静脈血**となり**右心房**に戻ってくる血液の循環である。なお、心臓から**拍出**された血液を送る血管を**動脈**といい、心臓に**戻る**血液を送る血管を**静脈**という。

（3）**誤り。肺循環**は、**右心室**から**肺動脈**を経て肺の毛細血管に入り、**肺静脈**を通って**左心房**に戻る血液の循環である。設問は、肺動脈と肺静脈の記述が逆である。

（4）**正しい。**心臓の拍動は、**自律神経の支配**を受けている。なお、自律神経は、交感神経と副交感神経に分類されるが、**交感神経**は**心臓の動き**を**促進**し、**副交感神経**は**心臓の動き**を**抑制**する。

（5）**正しい。大動脈**および**肺静脈**を流れる血液は、**酸素に富む動脈血**である。

正答（3）

合格エッセンス　血液と血管

速 P.28

血管	動脈	心臓から送り出される血液が流れる血管
	静脈	心臓へ戻ってくる血液が流れる血管
血液	動脈血	酸素を多く含む血液
	静脈血	二酸化炭素を多く含む血液

★★
8 **心臓の働きと血液の循環に関する次の記述のうち、正しいものはどれか。**

□□

（1）肺循環は、右心室から肺静脈を経て肺の毛細血管に入り、肺動脈を通って左心房に戻る血液の循環である。

（2）心臓は、自律神経の中枢で発生した刺激が刺激伝導系を介して心筋に伝わることにより、規則正しく収縮と拡張を繰り返す。

（3）心臓から拍出された血液を送る血管を動脈といい、心臓に戻る血液を送る血管を静脈という。

（4）大動脈や肺動脈には、動脈血が流れる。

（5）血圧は、血液が血管の側面を押し広げる力であり、高血圧の状態が続くと、血管壁の厚さは減少していく。

H30.4-37

★★★
9 **心臓及び血液循環に関する次の記述のうち、誤っているものはどれか。**

□□

（1）心拍数は、左心房に存在する洞結節からの電気刺激によってコントロールされている。

（2）心臓の拍動による動脈圧の変動を末梢《しょう》の動脈で触知したものを脈拍といい、一般に、手首の橈《とう》骨動脈で触知する。

（3）心臓自体は、大動脈の起始部から出る冠動脈によって酸素や栄養分の供給を受けている。

（4）肺循環により左心房に戻ってきた血液は、左心室を経て大動脈に入る。

（5）大動脈を流れる血液は動脈血であるが、肺動脈を流れる血液は静脈血である。

R5.10-36

8 解説

（1）**誤り。肺循環**は、右心室から**肺動脈**を経て肺の毛細血管に入り、**肺静脈**を通って**左心房**に戻る血液の循環である。設問は、肺動脈と肺静脈の記述が逆である。

（2）**誤り。**心臓は、**洞結節（洞房結節）**で発生した刺激が、刺激伝導系を介して心筋に伝わることにより、規則正しく収縮と拡張を繰り返す。自律神経の中枢で発生した刺激ではない。

（3）**正しい。心臓から拍出**された血液を送る血管を**動脈**といい、**心臓に戻る**血液を送る血管を**静脈**という。

（4）**誤り。**肺動脈には、**静脈血**が流れる。動脈血ではない。なお、大動脈には動脈血が流れるという点は、正しい。

（5）**誤り。**高血圧の状態が続くと、血液の圧力に耐えるため、血管壁の**厚さは増す**。なお、血圧は、血液が血管の側面を押し広げる力であるとする点は、正しい。また、高血圧の状態が続き、血管壁の厚さが増すと、動脈硬化を引き起こす原因となる。

正答（3）

9 解説

（1）**誤り。**心臓は、**右心房に存在**する洞結節（洞房結節）で発生した刺激が、刺激伝導系を介して心筋に伝わることにより、規則正しく収縮と拡張を繰り返す。洞結節は左心房に存在するのではない。

（2）**正しい。**心臓の拍動による動脈圧の変動を末梢の動脈で触知したものを**脈拍**という。一般に、手首の**橈骨動脈**（手首の母指側）で**触知**する。

（3）**正しい。**心臓自体は、大動脈の起始部から出る**冠状動脈（冠動脈）**によって酸素や栄養分の供給を受けている。なお、冠状動脈（冠動脈）は、心臓から出た大動脈の起始部から左右２本が分岐し、左の冠動脈はさらに２本に分岐して心臓を取り巻いている。

（4）**正しい。**肺循環により**左心房**に戻ってきた血液は、**左心室**を経て大動脈に入る。

（5）**正しい。**大動脈を流れる血液は動脈血であるが、肺動脈を流れる血液は静脈血である。なお、動脈血は酸素を多く含む血液であり、静脈血は二酸化炭素を多く含む血液である。

正答（1）

★★
10 下図は、血液循環の経路を模式的に表したものであるが、図中の血管ア～カを
□□ 流れる血液に関する（1）～（5）の記述のうち、誤っているものはどれか。

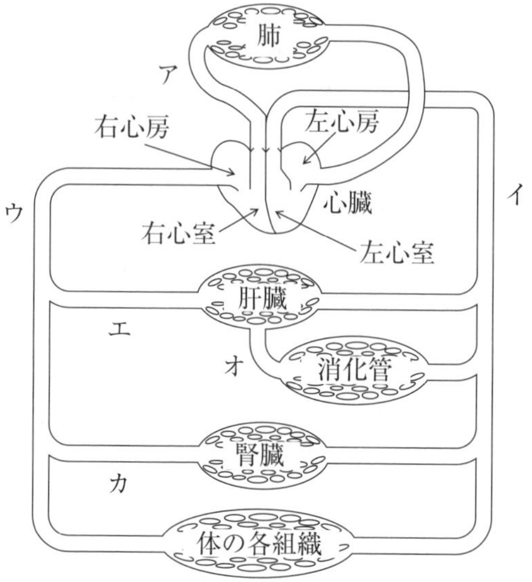

（1）血管ア及び血管イはいずれも動脈であるが、血管アには静脈血が流れる。

（2）血管ア～カを流れる血液のうち、酸素が最も多く含まれる血液は、血管イを流れる血液である。

（3）血管ウを流れる血液には、血管イを流れる血液に比べて二酸化炭素が多く含まれる。

（4）血管カを流れる血液には、血管エを流れる血液に比べて尿素が多く含まれる。

（5）血管ア～カを流れる血液のうち、食後、ブドウ糖が最も多く含まれる血液は、血管オを流れる血液である。

H28.4-36、H27.4-37

10 解説

（1）**正しい。**血管ア（**肺動脈**）および血管イ（**大動脈**）はいずれも**動脈**であるが、**血管ア**は、肺でガス交換を行う前の二酸化炭素を多く含む**静脈血**が流れる。

（2）**正しい。**血管ア～カを流れる血液のうち酸素が最も多く含まれる血液は、肺でガス交換を行った後の血液であり、血管イ（大動脈）を流れる血液である。

（3）**正しい。**血管ウ（大静脈）を流れる血液は、肺でガス交換を行う前の血液で、血管イ（大動脈）を流れる血液に比べて二酸化炭素が多く含まれる。

（4）**誤り。**血管エ（**肝静脈**）を流れる血液には、肝臓で合成された**尿素が多く含まれている**。この尿素は、腎臓に運ばれ腎臓から尿として体外に排出される。したがって、血管エを流れる血液には、血管カ（腎静脈）を流れる血液に比べて尿素が多く含まれている。

（5）**正しい。**食物に含まれる炭水化物は消化管で分解されブドウ糖（グルコース）となり、血管オ（**門脈**）を通って肝臓に運ばれる。そのため、血管ア～カを流れる血液のうち血管オを流れる血液には、食後、**ブドウ糖が最も多く含まれる**。

正答（4）

合格エッセンス　血液の循環

速 P.28

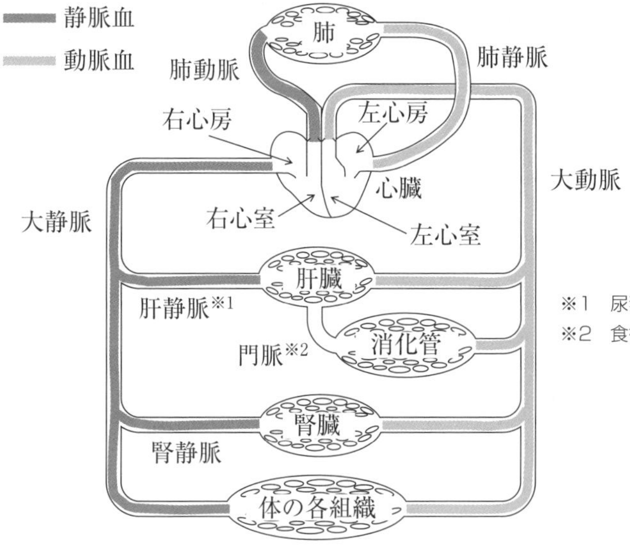

※1　尿素が多く含まれる

※2　食後、ブドウ糖が多く含まれる

★★★

11 **心臓及び血液循環に関する次の記述のうち、誤っているものはどれか。**

□□

（1）心臓は、自律神経の中枢で発生した刺激が刺激伝導系を介して心筋に伝わることにより、規則正しく収縮と拡張を繰り返す。

（2）肺循環により左心房に戻ってきた血液は、左心室を経て大動脈に入る。

（3）大動脈を流れる血液は動脈血であるが、肺動脈を流れる血液は静脈血である。

（4）心臓の拍動による動脈圧の変動を末梢《しょう》の動脈で触知したものを脈拍といい、一般に、手首の橈《とう》骨動脈で触知する。

（5）動脈硬化とは、コレステロールの蓄積などにより、動脈壁が肥厚・硬化して弾力性を失った状態であり、進行すると血管の狭窄《さく》や閉塞を招き、臓器への酸素や栄養分の供給が妨げられる。

R3.10-36、H28.10-36

★★★

12 **心臓の働きと血液の循環に関する次の記述のうち、誤っているものはどれか。**

□□

（1）心筋は、意志と無関係に動く不随意筋である平滑筋から成り、自動的に収縮と拡張を繰り返す。

（2）体循環では、血液は左心室から大動脈に入り、静脈血となって右心房に戻ってくる。

（3）肺循環では、血液は右心室から肺動脈を経て肺の毛細血管に入り、肺静脈を通って左心房に戻ってくる。

（4）肺を除く各組織の毛細血管を通過する血液の流れは、体循環の一部である。

（5）大動脈を流れる血液は動脈血であるが、肺動脈を流れる血液は静脈血である。

H27.10-36

11 解説

（1）**誤り。**心臓は、**洞結節（洞房結節）**で発生した刺激が、刺激伝導系を介して心筋に伝わることにより、規則正しく収縮と拡張を繰り返す。自律神経の中枢で発生した刺激ではない。

（2）**正しい。**肺循環により左心房に戻ってきた血液は、左心室を経て大動脈に入る。なお、心臓から拍出された血液を送る血管を動脈といい、心臓に戻る血液を送る血管を静脈という。

（3）**正しい。大動脈**を流れる血液は**動脈血**であるが、**肺動脈**を流れる血液は**静脈血**である。なお、動脈血は酸素を多く含む血液であり、静脈血は二酸化炭素を多く含む血液である。

（4）**正しい。**心臓の拍動による動脈圧の変動を末梢の動脈で触知したものを脈拍という。一般に、手首の橈骨動脈（手首の母指側）で触知する。

（5）**正しい。**動脈硬化とは、コレステロールの蓄積などにより、**動脈壁が肥厚・硬化して弾力性を失った状態**をいう。進行すると血液が通る血管の狭窄や閉塞を招き、臓器への酸素や栄養分の供給が妨げられる。このように、血液の供給が滞ることで組織の一部が死ぬことを、梗塞という。

正答（1）

12 解説

（1）**誤り。心筋**は、筋肉の構造的には**横紋筋**である。平滑筋からなるのではない。なお、心筋は意志と無関係に自動的に収縮と拡張を繰り返す**不随意筋**であるとする点は、正しい。

（2）**正しい。体循環**では、血液は**左心室**から**大動脈**に入り、毛細血管を経て**静脈血**となり**右心房**に戻ってくる。なお、心臓から拍出された血液を送る血管を動脈といい、心臓に戻る血液を送る血管を静脈という。

（3）**正しい。肺循環**では、血液は**右心室**から**肺動脈**を経て肺の毛細血管に入り、**肺静脈**を通って**左心房**に戻ってくる。

（4）**正しい。**肺を除く各組織の毛細血管を通過する血液の流れは、体循環の一部である。

（5）**正しい。大動脈**を流れる血液は**動脈血**であるが、**肺動脈**を流れる血液は**静脈血**である。なお、動脈血は酸素を多く含む血液であり、静脈血は二酸化炭素を多く含む血液である。

正答（1）

★★★

13 **心臓の働きと血液の循環に関する次の記述のうち、誤っているものはどれか。**

□□

（1）心筋は、不随意筋に分類されるが、横紋筋である。

（2）体循環とは、左心室から大動脈に入り、静脈血となって右心房に戻ってくる血液の循環をいう。

（3）肺を除く各組織の毛細血管を通過する血液の流れは、体循環の一部である。

（4）大動脈及び肺動脈を流れる血液は、酸素に富む動脈血である。

（5）心臓自体は、大動脈の起始部から出る冠状動脈によって酸素や栄養分の供給を受けている。

H24.4-36

★★★

14 **心臓及び血液循環に関する次の記述のうち、誤っているものはどれか。**

□□

（1）大動脈及び肺動脈を流れる血液は、酸素に富む動脈血である。

（2）体循環では、血液は左心室から大動脈に入り、静脈血となって右心房に戻ってくる。

（3）心筋は人間の意思によって動かすことができない不随意筋であるが、随意筋である骨格筋と同じ横紋筋に分類される。

（4）心臓の中にある洞結節（洞房結節）で発生した刺激が、刺激伝導系を介して心筋に伝わることにより、心臓は規則正しく収縮と拡張を繰り返す。

（5）動脈硬化とは、コレステロールの蓄積などにより、動脈壁が肥厚・硬化して弾力性を失った状態であり、進行すると血管の狭窄《さく》や閉塞を招き、臓器への酸素や栄養分の供給が妨げられる。

R4.4-36

13 解説

（1）**正しい。**心筋は、意志と無関係に自動的に収縮と拡張を繰り返す**不随意筋**に分類される。しかし、筋肉の構造的には、随意筋である骨格筋と同じ**横紋筋**である。

（2）**正しい。体循環**とは、**左心室**から**大動脈**に入り、毛細血管を経て**静脈血**となって**右心房**に戻ってくる血液の循環をいう。

（3）**正しい。**肺を除く各組織の毛細血管を通過する血液の流れは、体循環の一部である。

（4）**誤り。肺動脈**には、**静脈血**が流れる。動脈血ではない。なお、大動脈には酸素に富む動脈血が流れるという点は、正しい。

（5）**正しい。**心臓自体は、大動脈の起始部から出る**冠状動脈（冠動脈）**によって酸素や栄養分の供給を受けている。

正答（4）

14 解説

（1）**誤り。肺動脈**を流れる血液は、二酸化炭素に富む**静脈血**である。酸素に富む動脈血が流れるのではない。

（2）**正しい。**体循環は、**左心室**から**大動脈**に入り、**毛細血管を経て**静脈血となり**右心房**に戻ってくる血液の循環である。

（3）**正しい。**心筋は人間の意思によって動かすことができない**不随意筋**である。しかし、筋肉の構造的には、随意筋である骨格筋と同じ**横紋筋に分類**される。

（4）**正しい。**心臓（右心房）の中にある**洞結節（洞房結節）**で発生した刺激が、刺激伝導系を介して心筋に伝わることにより、心臓は規則正しく収縮と拡張を繰り返す。このような心臓の動きを拍動という。

（5）**正しい。**コレステロールの蓄積などにより、動脈壁が肥厚・硬化して弾力性を失った状態を動脈硬化という。進行すると血管の狭窄や閉塞を招き、臓器への酸素や栄養分の供給が妨げられる。

正答（1）

キーワード **冠状動脈（冠動脈）**

速 P.28

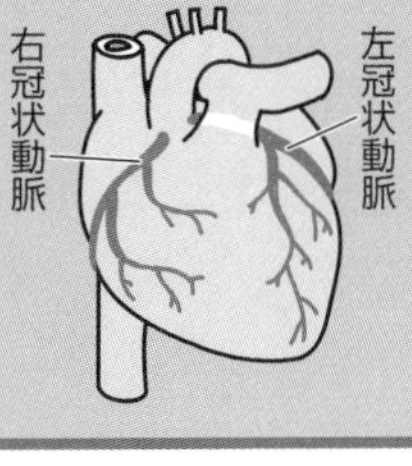

心臓自体に血液を提供している動脈を、冠状動脈（冠動脈）という。冠状動脈（冠動脈）は、心臓から出た大動脈の起始部から左右2本が分岐し、左の冠動脈はさらに2本に分岐して心臓を取り巻いている。この動脈の硬化が原因となり、心臓に十分な血液が行かない状態になると、虚血性心疾患（狭心症や心筋梗塞など）が現れる。

2. 呼吸器系　速 第1章 LESSON 2

★★★
15 呼吸に関する次の記述のうち、誤っているものはどれか。

□□

（1）呼吸運動は、横隔膜、肋《ろっ》間筋などの呼吸筋が収縮と弛《し》緩をすることにより行われる。

（2）胸郭内容積が増し、その内圧が低くなるにつれ、鼻腔《くう》、気管などの気道を経て肺内へ流れ込む空気が吸気である。

（3）肺胞内の空気と肺胞を取り巻く毛細血管中の血液との間で行われるガス交換は、外呼吸である。

（4）血液中の二酸化炭素濃度が増加すると、呼吸中枢が刺激され、呼吸が速く深くなる。

（5）呼吸のリズムをコントロールしているのは、間脳の視床下部である。

R5.10-37

★★★
16 呼吸に関する次の記述のうち、誤っているものはどれか。

□□

（1）呼吸運動は、横隔膜、肋《ろっ》間筋などの呼吸筋が収縮と弛《し》緩をすることで胸腔《くう》内の圧力を変化させ、肺を受動的に伸縮させることにより行われる。

（2）横隔膜が下がり、胸腔の内圧が低くなるにつれ、鼻腔、気管などの気道を経て肺内へ流れ込む空気が吸気である。

（3）肺胞内の空気と肺胞を取り巻く毛細血管中の血液との間で行われるガス交換を行う呼吸を外呼吸という。

（4）呼吸に関与する筋肉は、延髄にある呼吸中枢によって支配されている。

（5）呼吸中枢がその興奮性を維持するためには、常に一定量以上の一酸化炭素が血液中に含まれていることが必要である。

H29.10-38

15 解説

（1）**正しい。**呼吸運動は、**横隔膜、肋間筋などの呼吸筋**が収縮と弛緩をすることで胸腔内の圧力を変化させ、肺を**受動的に伸縮**させることにより行われる。

（2）**正しい。**横隔膜が下がり、**胸郭内容積が増し、胸腔の内圧が低く**なるにつれ、鼻腔、気管などの気道を経て**肺内へ流れ込む空気**が吸気である。

（3）**正しい。肺胞内**の空気と肺胞を取り巻く**毛細血管中の血液**との間で行われるガス交換を**外呼吸**という。

（4）**正しい。**血液中の**二酸化炭素濃度**（分圧）が**増加**（上昇）すると、呼吸中枢が刺激され、呼吸が**速く深く**なる。

（5）**誤り。**呼吸のリズムをコントロールしているのは、**延髄にある呼吸中枢**である。間脳の視床下部ではない。なお、間脳の視床下部には、体温調節中枢などがある。

正答（5）

16 解説

（1）**正しい。**呼吸運動は、**横隔膜、肋間筋**などの**呼吸筋**が収縮と弛緩をすることで胸腔内の圧力を変化させ、肺を**受動的に伸縮**させることにより行われる。

（2）**正しい。**横隔膜が下がり、**胸郭内容積が増し、胸腔の内圧が低く**なるにつれ、鼻腔、気管などの気道を経て**肺内へ流れ込む空気**が**吸気**である。

（3）**正しい。肺胞内の空気**と肺胞を取り巻く**毛細血管中の血液**との間で行われるガス交換を**外呼吸**という。なお、一般にはこれを呼吸と呼ぶことが多い。

（4）**正しい。**呼吸に関与する筋肉は、**延髄**にある**呼吸中枢**によって支配されている。

（5）**誤り。**呼吸中枢がその興奮性を維持するためには、常に一定量以上の**二酸化炭素**が血液中に含まれていることが必要である。一酸化炭素ではない。

正答（5）

キーワード 外呼吸と内呼吸

速 P.33

外呼吸	**肺胞内の空気**と肺胞を取り巻く**毛細血管中の血液**との間で行われるガス交換
内呼吸	血液と組織細胞との間で行われるガス交換

★★★
17 **呼吸に関する次の記述のうち、正しいものはどれか。**

□□

（1）呼吸運動は、主として肋《ろっ》間筋と横隔膜の協調運動によって胸郭内容積を周期的に増減し、それに伴って肺を収縮させることにより行われる。

（2）肺胞内の空気と肺胞を取り巻く毛細血管中の血液との間で行われるガス交換は、内呼吸である。

（3）成人の呼吸数は、通常、１分間に16～20回であるが、食事、入浴及び発熱によって減少する。

（4）呼吸に関与する筋肉は、間脳の視床下部にある呼吸中枢によって支配されている。

（5）身体活動時には、血液中の窒素分圧の上昇により呼吸中枢が刺激され、１回換気量及び呼吸数が増加する。

H31.4-35、H28.10-35 類

★★★
18 **呼吸に関する次の記述のうち、正しいものはどれか。**

□□

（1）呼吸は、胸膜が運動することで胸腔《くう》内の圧力を変化させ、肺を受動的に伸縮させることにより行われる。

（2）肺胞内の空気と肺胞を取り巻く毛細血管中の血液との間で行われるガス交換は、内呼吸である。

（3）成人の呼吸数は、通常、１分間に16～20回であるが、食事、入浴、発熱などによって増加する。

（4）チェーンストークス呼吸とは、肺機能の低下により呼吸数が増加した状態をいい、喫煙が原因となることが多い。

（5）身体活動時には、血液中の窒素分圧の上昇により呼吸中枢が刺激され、１回換気量及び呼吸数が増加する。

R5.4-35、R4.10-35

17 解説

（1）**正しい。**呼吸運動は、主として**肋間筋**と**横隔膜**の**協調運動**によって胸郭内容積を周期的に増減し、それに伴って肺を**受動的**に**収縮（伸縮）**させることにより行われる。

（2）**誤り。肺胞内の空気**と肺胞を取り巻く**毛細血管中の血液**との間で行われるガス交換を**外呼吸**という。内呼吸ではない。

（3）**誤り。**成人の呼吸数は、通常、1分間に16～20回で、食事、入浴、発熱、運動などによって**増加**する。減少するのではない。

（4）**誤り。**呼吸に関与する筋肉は、**延髄**にある**呼吸中枢**によって支配されている。間脳の視床下部ではない。なお、間脳の視床下部には、体温調節中枢などがある。

（5）**誤り。**身体活動時には、血液中の**二酸化炭素分圧（濃度）**の上昇により呼吸中枢が刺激され、1回換気量および呼吸数が増加する。窒素分圧ではない。

正答（1）

18 解説

（1）**誤り。**呼吸運動は、横隔膜、肋間筋などの**呼吸筋**が収縮と弛緩をすることによって胸郭内容積を周期的に増減し、それに伴って肺を受動的に伸縮させることにより行われる。胸膜が運動することで行われるのではない。なお、呼吸に関与する筋肉は、延髄にある呼吸中枢によって支配されている。

（2）**誤り。肺胞内の空気**と肺胞を取り巻く**毛細血管中の血液**との間で行われるガス交換を**外呼吸**という。内呼吸ではない。なお、一般にはこれを呼吸と呼ぶことが多い。

（3）**正しい。**成人の呼吸数は、通常、1分間に16～20回で、食事、入浴、発熱、運動などによって**増加**する。

（4）**誤り。**呼吸をしていない状態から次第に呼吸が深まり、再び浅くなって呼吸が止まる状態を交互に繰り返すパターンの呼吸をチェーンストークス呼吸という。**延髄の呼吸中枢の機能が衰える**ことが原因で生じる。心不全や脳卒中などが重症化して、脳への酸素の供給が不十分になっていることを示すことが多い。肺機能の低下により呼吸数が増加した状態をいうのではない。また、喫煙が原因ではない。

（5）**誤り。**身体活動時には、血液中の**二酸化炭素分圧（濃度）**の上昇により呼吸中枢が刺激され、1回換気量および呼吸数が増加する。窒素分圧ではない。

正答（3）

3. 消化器系　速 第1章 LESSON 3

★★★
19 **消化器系に関する次の記述のうち、誤っているものはどれか。**
□□

（1）三大栄養素のうち糖質はブドウ糖などに、蛋《たん》白質はアミノ酸に、脂肪は脂肪酸とモノグリセリドに、酵素により分解されて吸収される。

（2）無機塩及びビタミン類は、酵素による分解を受けないでそのまま吸収される。

（3）膵《すい》臓から十二指腸に分泌される膵液には、消化酵素は含まれていないが、血糖値を調節するホルモンが含まれている。

（4）ペプシノーゲンは、胃酸によってペプシンという消化酵素になり、蛋白質を分解する。

（5）小腸の表面は、ビロード状の絨《じゅう》毛という小突起で覆われており、栄養素の吸収の効率を上げるために役立っている。

R3.10-37 改題、R1.10-38 類、H31.4-39 類

★★★
20 **次のAからDまでの消化酵素について、蛋《たん》白質の消化に関与しているものの組合せは（1）～（5）のうちどれか。**
□□

A　リパーゼ
B　ペプシン
C　アミラーゼ
D　トリプシン

（1）A，B
（2）A，C
（3）B，C
（4）B，D
（5）C，D

R2.4-38 類、H30.10-38、H29.4-38、H25.10-39 類

19 解説

（1）**正しい。**三大栄養素のうち**糖質（炭水化物）**は**ブドウ糖**（グルコース）などに、**蛋白質**は**アミノ酸**に、**脂肪**は**脂肪酸**と**モノグリセリド**に、酵素により分解されて吸収される。なお、糖質、蛋白質、脂質をまとめて三大栄養素と呼ぶ。

（2）**正しい。無機塩**や**ビタミン類**は、酵素による**分解を受けない**でそのまま吸収される。なお、無機塩（ミネラル）の代表的なものに血液に含まれるナトリウムがある。

（3）**誤り。**膵臓から分泌される**膵液**は、三大栄養素のすべての**消化酵素を含む**。なお、膵臓は、消化酵素を含む膵液を十二指腸に分泌するとともに、**血糖値を調節するホルモン**を血液中に**分泌**する。

（4）**正しい。ペプシノーゲン**は、胃酸によって**ペプシン**という消化酵素になり、**蛋白質**を**分解**（消化）する。なお、蛋白質は、ペプシンによりペプトンに分解される。

（5）**正しい。**小腸の表面は、ビロード状の絨毛という小突起で覆われており、栄養素の吸収の効率を上げるために役立っている。なお、小腸は、胃に続く全長６～７ｍの管状の器官で、十二指腸、空腸および回腸に分けられる。

正答（3）

20 解説

蛋白質の消化に関与している消化酵素は、**ペプシン**（B）と**トリプシン**（D）である。したがって、選択肢（4）が正答となる。

なお、蛋白質は、胃液中の消化酵素ペプシンによりペプトンに分解される。その後、十二指腸へ送られ膵液中の消化酵素トリプシンなどにより分解され、最終的にアミノ酸となり、小腸の絨毛から吸収されて毛細血管に入る。　**正答**（4）

合格エッセンス　三大栄養素の消化吸収

速 P.37

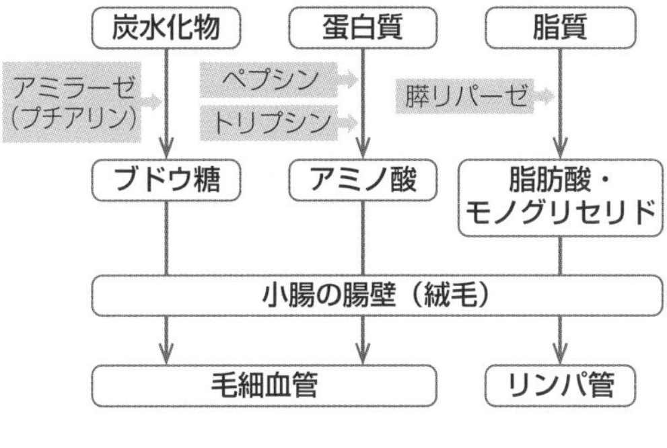

★★

21 □□ **摂取した食物中の炭水化物（糖質）は消化管において主にブドウ糖に、同じく脂肪は脂肪酸とモノグリセリドに、同じく蛋《たん》白質はアミノ酸に分解されるが、これらの分解されたものの小腸における吸収に関する次の文中の［　　］内に入れるAからDの語句の組合せとして、正しいものは（1）～（5）のうちどれか。**

「・［ A ］及び［ B ］は、絨《じゅう》毛から吸収されて毛細血管に入る。

・［ C ］は、絨毛から吸収された後、大部分は［ D ］となってリンパ管に入る。」

	A	B	C	D
（1）	ブドウ糖	脂肪酸とモノグリセリド	アミノ酸	脂肪
（2）	ブドウ糖	脂肪酸とモノグリセリド	アミノ酸	蛋白質
（3）	ブドウ糖	アミノ酸	脂肪酸とモノグリセリド	脂肪
（4）	脂肪酸とモノグリセリド	アミノ酸	ブドウ糖	蛋白質
（5）	脂肪酸とモノグリセリド	アミノ酸	ブドウ糖	脂肪

H28.10-38 改題

★

22 □□ **脂肪の分解・吸収及び脂質の代謝に関する次の記述のうち、誤っているものはどれか。**

（1）胆汁は、アルカリ性で、消化酵素は含まないが、食物中の脂肪を乳化させ、脂肪分解の働きを助ける。

（2）脂肪は、膵《すい》臓から分泌される消化酵素である膵《すい》アミラーゼにより脂肪酸とモノグリセリドに分解され、小腸の絨《じゅう》毛から吸収される。

（3）肝臓は、過剰な蛋《たん》白質及び糖質を中性脂肪に変換する。

（4）コレステロールやリン脂質は、神経組織の構成成分となる。

（5）脂質は、糖質や蛋《たん》白質に比べて多くのＡＴＰを産生することができるので、エネルギー源として優れている。

R4.10-44 改題

21 解説

消化管で分解された

「・A　**ブドウ糖** 及び B　**アミノ酸** は、（小腸の）絨毛から吸収されて毛細血管に入る。」

その後、門脈を通って肝臓に運ばれる。

「・C　**脂肪酸とモノグリセリド** は、絨毛から吸収された後、大部分は D　**脂肪** となってリンパ管に入る。」

その後、血管を通って肝臓に運ばれる。

したがって、選択肢（3）が正答となる。

正答（3）

22 解説

（1）**正しい。**胆汁は、**アルカリ性**で、**消化酵素は含まない。**しかし、食物中の脂肪を乳化させ、脂肪分解の働きを助ける。なお、食物中の脂肪を乳化させるのは、胆汁酸である。

（2）**誤り。脂肪**は、膵臓から分泌される膵液中の消化酵素である**リパーゼ（膵リパーゼ）**により脂肪酸とモノグリセリドに分解され、小腸の絨毛から吸収される。膵アミラーゼにより分解されるのではない。なお、膵アミラーゼは、糖質（炭水化物）を分解する。

（3）**正しい。**肝臓は、過剰（余分）な蛋白質と糖質（炭水化物）を中性脂肪に変える。また、コレステロールやリン脂質を合成する。

（4）**正しい。**コレステロールやリン脂質は、神経組織の構成成分となる。また、細胞膜の成分となる。

（5）**正しい。脂質（脂肪）**は、糖質（炭水化物）や蛋白質に比べて**多くのATP（アデノシン三リン酸）を産生**することができるので、エネルギー源として優れている。ただし、摂取量が多すぎると肥満の原因となる。なおATPの分解により、筋肉の収縮に使用されるエネルギーが得られる。

正答（2）

★★★
23 蛋《たん》白質並びにその分解、吸収及び代謝に関する次の記述のうち、誤っているものはどれか。

□□

（1）蛋《たん》白質は、約20種類のアミノ酸が結合してできており、内臓、筋肉、皮膚など人体の臓器等を構成する主成分である。

（2）蛋《たん》白質は、膵《すい》臓から分泌される消化酵素である膵《すい》リパーゼなどによりアミノ酸に分解され、小腸から吸収される。

（3）血液循環に入ったアミノ酸は、体内の各組織において蛋《たん》白質に再合成される。

（4）肝臓では、アミノ酸から多くの血漿蛋《しょうたん》白質が合成される。

（5）飢餓時には、肝臓などでアミノ酸などからブドウ糖を生成する糖新生が行われる。

R4.4-40、H27.10-40、H26.4-38

★★★
24 摂取した食物中の炭水化物（糖質）、脂質及び蛋《たん》白質を分解する消化酵素の組合せとして、正しいものは次のうちどれか。

□□

	炭水化物（糖質）	脂質	蛋《たん》白質
（1）	マルターゼ	リパーゼ	トリプシン
（2）	トリプシン	アミラーゼ	ペプシン
（3）	ペプシン	マルターゼ	トリプシン
（4）	ペプシン	リパーゼ	マルターゼ
（5）	アミラーゼ	トリプシン	リパーゼ

R5.10-38、R5.4-38

★★★
25 肝臓の機能として、誤っているものは次のうちどれか。

□□

（1）血液中の身体に有害な物質を分解する。

（2）ブドウ糖をグリコーゲンに変えて蓄える。

（3）ビリルビンを分解する。

（4）血液凝固物質を合成する。

（5）血液凝固阻止物質を合成する。

R4.4-38

23 解説

（1）**正しい。**蛋白質は、約 20 種類のアミノ酸が結合してできており、内臓、筋肉、皮膚、血液、酵素、免疫物質など人体を構成する主成分である。

（2）**誤り。蛋白質**は、膵臓から分泌される消化酵素である**トリプシン**などによりアミノ酸に分解され、小腸の腸壁から吸収される。膵リパーゼは、蛋白質を分解する消化酵素ではない。なお、**膵リパーゼ**は膵液中に含まれ**脂肪**を**分解**する。

（3）**正しい。**小腸の腸壁から吸収され、血液循環に入ったアミノ酸は、体内の各組織において蛋白質に再合成される。

（4）**正しい。**肝臓では、アミノ酸から多くの**血漿蛋白質**（アルブミン、フィブリノーゲンなど）**が合成**される。

（5）**正しい。**飢餓時には、肝臓でアミノ酸からブドウ糖を生成する糖新生が行われる。なお、飢餓時には、筋肉組織の蛋白質を分解して、アミノ酸から血糖を補給することもある。

正答（2）

24 解説

炭水化物（糖質）の消化に関与している消化酵素はアミラーゼと**マルターゼ**、脂質の消化に関与している消化酵素は**リパーゼ**（膵リパーゼ）、蛋白質の消化に関与している消化酵素はペプシンと**トリプシン**である。

したがって、選択肢（1）が正答となる。

正答（1）

25 解説

（1）**正しい。**肝臓は、血液中の身体に**有害な物質**（有機溶剤などの化学物質、アルコールなど）を**分解**する。

（2）**正しい。**肝臓は、血糖値が上昇すると、ブドウ糖を**グリコーゲンに変えて蓄える**。

（3）**誤り。**肝臓は、赤血球の分解物から**ビリルビン**を**合成**して胆汁に排泄する。ビルビリンを分解するのではない。

（4）**正しい。**肝臓は、血液凝固物質（フィブリノーゲンなど）を合成（生成）する。

（5）**正しい。**肝臓は、血液凝固阻止物質（ヘパリンなど）を合成（生成）する。

正答（3）

★★★
26 **成人の肝臓の機能として、誤っているものは次のうちどれか。**

□□

（1）脂肪酸の分解及びコレステロールの合成

（2）胆汁の生成

（3）赤血球の産生及び分解

（4）アルコールなどの身体に有害な物質の分解

（5）グリコーゲンの合成及び分解

H27.10-38

26 解説

（1）**正しい**。肝臓は、**脂肪酸の分解**および**コレステロールの合成**をする。

（2）**正しい**。肝臓は、**胆汁の生成**し、脂肪の消化吸収を助ける。

（3）**誤り**。肝臓には、赤血球の産生をする機能はない。 赤血球は骨髄で産生される。なお、肝臓は、赤血球の分解物からビリルビンを合成して胆汁に排泄する。

（4）**正しい**。肝臓は、アルコールなどの身体に**有害な物質を分解**する。代謝物は胆汁中に排泄されたり、血中に放出される。

（5）**正しい**。肝臓は、**グリコーゲンの合成**および**分解**をする。血糖値が上昇するとグリコーゲンを合成・貯蔵し、血糖値が低下すると、グリコーゲンを分解し、血中に放出する。

正答（3）

合格エッセンス　試験によく出る肝臓の機能

速 P.39

各栄養素の貯蔵・代謝	糖質（炭水化物）	グリコーゲンの合成・貯蔵・分解
	蛋白質	血液凝固物質や血液凝固阻止物質の合成
	脂質	コレステロール・リン脂質の合成、脂肪酸の分解
胆汁の生成	（脂肪の消化吸収を助ける）	
その他物質の代謝	ビリルビンを合成し、胆汁に排泄	
解毒作用	有害な物質（アルコール・薬剤など）の分解	

4. 代謝・内分泌系

速 第1章 LESSON 4

★★
27 **代謝に関する次の記述のうち、正しいものはどれか。**

□□

（1）代謝において、細胞に取り入れられた体脂肪、グリコーゲンなどが分解されてエネルギーを発生し、ATP が合成されることを同化という。

（2）代謝において、体内に摂取された栄養素が、種々の化学反応によって、ATP に蓄えられたエネルギーを用いて、細胞を構成する蛋《たん》白質などの生体に必要な物質に合成されることを異化という。

（3）基礎代謝は、心臓の拍動、呼吸運動、体温保持などに必要な代謝で、基礎代謝量は、覚醒、横臥《が》、安静時の測定値で表される。

（4）エネルギー代謝率は、一定時間中に体内で消費された酸素と排出された二酸化炭素の容積比で表される。

（5）エネルギー代謝率は、生理的負担だけでなく、精神的及び感覚的な側面をも考慮した作業強度を表す指標としても用いられる。

R5.10-40 類、R3.4-43、R1.10-43 類

★★
28 **体温調節に関する次の記述のうち、正しいものはどれか。**

□□

（1）体温調節中枢は、脳幹の延髄にある。

（2）暑熱な環境においては、内臓の血流量が増加し体内の代謝活動が亢《こう》進することにより、人体からの熱の放散が促進される。

（3）体温調節のように、外部環境が変化しても身体内部の状態を一定に保つ生体の仕組みを同調性といい、筋肉と神経系により調整されている。

（4）計算上、体重 70kg の人の体表面から 10 g の汗が蒸発すると、体温が約 1℃下がる。

（5）発汗のほかに、皮膚及び呼気から水分を蒸発させている現象を不感蒸泄《せつ》という。

R4.10-37

27 解説

（1）**誤り。**細胞に取り入れられた体脂肪やグリコーゲンなどが**分解**されて**エネルギーを発生**し、**ATP（アデノシン三リン酸）が生産（合成）**されることを**異化**という。同化ではない。

（2）**誤り。**体内に摂取された栄養素が、種々の化学反応によって、ATPに蓄えられたエネルギーを用いて、細胞を構成する蛋白質などの**生体に必要な物質に合成されること**を**同化**という。異化ではない。

（3）**正しい。**基礎代謝は、心臓の拍動、呼吸運動、体温保持などに必要な代謝で、基礎代謝量は、**覚醒**、**横臥**、**安静時**の測定値で表される。

（4）**誤り。**エネルギー代謝率は、**作業中の総消費エネルギー量から安静時消費エネルギー量を引き、基礎代謝量で割った値**である。

（5）**誤り。**エネルギー代謝率は、動的筋作業の強度を表すことができるが、作業に要するエネルギーが少ない精神的および感覚的な側面をも考慮した作業の強度を表す指標としては適用できない。

正答（3）

28 解説

（1）**誤り。**体温調節中枢は、**間脳の視床下部**にある。脳幹の延髄にあるのではない。なお、体温調節中枢は、産熱と放熱とのバランスを維持し体温を一定に保つよう機能している。

（2）**誤り。**暑熱な環境においては、**内臓の血流量は減少**し体内の**代謝は抑制**される。

（3）**誤り。**体温調節のように、外部環境が変化しても身体内部の状態を一定に保つ生体の仕組みを**恒常性（ホメオスタシス）**という。同調性ではない。また、**恒常性（ホメオスタシス）**は、おもに**内分泌系**と**神経系（自律神経系）**により調整されている。筋肉と神経系により調整されているのではない。

（4）**誤り。**計算上、発汗によって体重70kgの人の体表面から**100g**の汗が蒸発すると、気化熱が奪われ、体温が約1℃下がる。10gではない。

（5）**正しい。**発汗のほかに皮膚および呼気から水分が失われる現象を不感蒸泄という。

正答（5）

★★
29 BMIは肥満度の評価に用いられる指標で、身長と体重から算出されるが、身長170cm、体重66kgの人のBMIに最も近い値は次のうちどれか。

□□

（1）23
（2）26
（3）29
（4）33
（5）39

H26.10-44

★★★
30 ホルモンとその働きに関する次の記述のうち、正しいものはどれか。

□□

（1）副腎皮質から分泌されるコルチゾールは、血糖値を上昇させる。
（2）副腎髄質から分泌されるアドレナリンは、血糖値を低下させる。
（3）副甲状腺から分泌されるパラソルモンは、睡眠と覚醒のリズムの調節を行う。
（4）松果体から分泌されるメラトニンは、体内のカルシウムバランスの調整を行う。
（5）胃粘膜から分泌されるガストリンは、胃酸の分泌を抑制する。

H30.4-44

29 解説

BMIの値は、次の計算式から算出される。

BMI＝体重（kg）÷（身長（m））^{2}

本問では、170（cm）を1.7（m）に変換し、計算式に当てはめる。

BMI ＝ 66 ÷（1.7 × 1.7）＝ 66 ÷ 2.89 ＝ 22.83…

以上から、計算したBMIに最も近い値は、23となる。

したがって、選択肢（1）が正答となる。

正答（1）

30 解説

（1）**正しい。**副腎皮質から分泌されるコルチゾールは、**血糖値を上昇**させる。

（2）**誤り。**副腎髄質から分泌されるアドレナリンは、**血糖値を上昇**させる。血糖値を低下させるのではない。

（3）**誤り。**副甲状腺から分泌されるパラソルモンは、**血中（体液中）のカルシウムバランスを調整**する。睡眠と覚醒のリズムの調節を行うのではない。

（4）**誤り。**脳の松果体から分泌されるメラトニンは、**睡眠と覚醒のリズム（サーカディアンリズム、概日リズム）の調節**に関係している。体内のカルシウムバランスの調整を行うのではない。

（5）**誤り。**胃粘膜から分泌されるガストリンは、**胃酸の分泌を刺激（促進）**する。胃酸の分泌を抑制するのではない。

正答（1）

合格エッセンス　試験によく出るホルモンの働き 速 P.46

ホルモン	はたらき	内分泌器官
グルカゴン	血糖量の増加（血糖上昇）	膵臓
インスリン	血糖量の**減少（血糖低下）**	
アドレナリン	血糖量の増加（血糖上昇）	副腎髄質
コルチゾール	血糖量の増加（血糖上昇）	**副腎皮質**
アルドステロン	**塩類バランスの調節**	
パラソルモン	**カルシウムバランスの調節**	副甲状腺
ガストリン	胃酸の分泌を**促進**	胃粘膜
セクレチン	消化液の分泌を促進	十二指腸
メラトニン	サーカディアンリズム（概日リズム）の調節	脳の松果体
副腎皮質刺激ホルモン	副腎皮質の活性化	下垂体

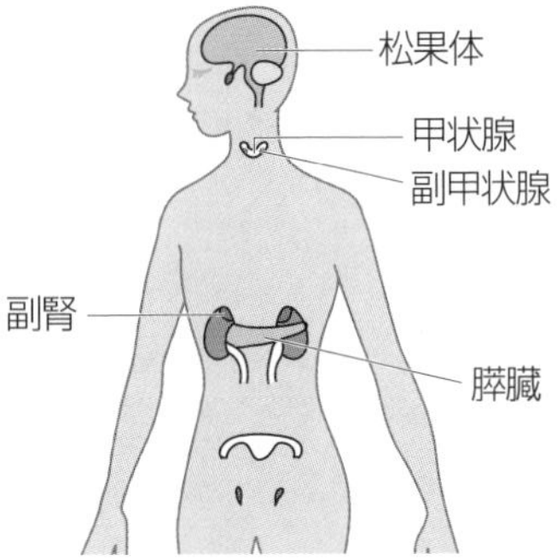

★★★

31 ホルモン、その内分泌器官及びそのはたらきの組合せとして、誤っているものは次のうちどれか。

□□

	ホルモン	内分泌器官	はたらき
(1)	セクレチン	十二指腸	消化液分泌促進
(2)	アルドステロン	副腎皮質	血中の塩類バランスの調節
(3)	パラソルモン	副甲状腺	血中のカルシウムバランスの調節
(4)	インスリン	膵《すい》臓	血糖量の増加
(5)	ガストリン	胃	胃酸分泌刺激

H31.4-42

★★★

32 ホルモン、その内分泌器官及びそのはたらきの組合せとして、誤っているものは次のうちどれか。

□□

	ホルモン	内分泌器官	はたらき
(1)	コルチゾール	副腎皮質	血糖量の増加
(2)	メラトニン	副腎髄質	体液中の塩類バランスの調節
(3)	パラソルモン	副甲状腺	体液中のカルシウムバランスの調節
(4)	インスリン	膵《すい》臓	血糖量の減少
(5)	グルカゴン	膵臓	血糖量の増加

H30.10-42

31 解説

（1）**正しい。**セクレチンは、十二指腸から分泌されるホルモンで、消化液分泌促進の働きがある。

（2）**正しい。**アルドステロンは、副腎皮質から分泌されるホルモンで、血中の**塩類バランスの調節**の働きがある。

（3）**正しい。**パラソルモンは、副甲状腺から分泌されるホルモンで、**血中（体液中）のカルシウムバランスの調節**の働きがある。

（4）**誤り。**インスリンは、膵臓から分泌されるホルモンで、**血糖量の減少**の働きがある。血糖量の増加ではない。

（5）**正しい。**ガストリンは、胃から分泌されるホルモンで、胃酸分泌刺激の働きがある。

正答（4）

32 解説

（1）**正しい。**コルチゾールは、副腎皮質から分泌されるホルモンで、**血糖量を増加**させる働きがある。

（2）**誤り。**メラトニンは、**脳の松果体から分泌**されるホルモンで、**サーカディアンリズム（概日リズム）の調節**をする働きがある。なお、塩類バランスの調節をする働きがあるのは、副腎皮質から分泌されるアルドステロンである。

（3）**正しい。**パラソルモンは、副甲状腺から分泌されるホルモンで、**血中（体液中）のカルシウムバランスの調節**をする働きがある。

（4）**正しい。**インスリンは、膵臓から分泌されるホルモンで、**血糖量を減少**させる働きがある。

（5）**正しい。**グルカゴンは、膵臓から分泌されるホルモンで、**血糖量を増加**させる働きがある。

正答（2）

★★★

33 ヒトのホルモン、その内分泌器官及びそのはたらきの組合せとして、誤っているものは次のうちどれか。

□□

	ホルモン	内分泌器官	はたらき
(1)	ガストリン	胃	胃酸分泌刺激
(2)	アルドステロン	副腎皮質	体液中の塩類バランスの調節
(3)	パラソルモン	副甲状腺	血中のカルシウム量の調節
(4)	コルチゾール	膵《すい》臓	血糖量の増加
(5)	副腎皮質刺激ホルモン	下垂体	副腎皮質の活性化

R5.10-44、R4.10-38

★★

34 免疫に関する次の記述のうち、誤っているものはどれか。

□□

(1) 抗原とは、免疫に関係する細胞によって異物として認識される物質のことである。

(2) 抗原となる物質には、蛋《たん》白質、糖質などがある。

(3) 抗原に対する免疫が、逆に、人体の組織や細胞に傷害を与えてしまうことをアレルギーといい、主なアレルギー性疾患としては、気管支ぜんそく、アトピー性皮膚炎などがある。

(4) 免疫の機能が失われたり低下したりすることを免疫不全といい、免疫不全になると、感染症にかかりやすくなったり、がんに罹《り》患しやすくなったりする。

(5) 免疫には、リンパ球が産生する抗体によって病原体を攻撃する細胞性免疫と、リンパ球などが直接に病原体などを取り込んで排除する体液性免疫の二つがある。

R5.4-42

★★

35 抗体に関する次の文中の［　　］内に入れるAからCの語句の組合せとして、適切なものは（1）～（5）のうちどれか。

□□

「抗体とは、体内に入ってきた［ A ］に対して［ B ］免疫において作られる［ C ］と呼ばれる蛋《たん》白質のことで、［ A ］に特異的に結合し、［ A ］の働きを抑える働きがある。」

	A	B	C
(1)	化学物質	体液性	アルブミン
(2)	化学物質	細胞性	免疫グロブリン
(3)	抗原	体液性	アルブミン
(4)	抗原	体液性	免疫グロブリン
(5)	抗原	細胞性	アルブミン

R3.10-42、R3.4-42、R1.10-42 類

33 解説

（1）**正しい。**ガストリンは、胃から分泌されるホルモンで、**胃酸分泌刺激**の働きがある。

（2）**正しい。**アルドステロンは、副腎皮質から分泌されるホルモンで、血中の**塩類バランスの調節**の働きがある。

（3）**正しい。**パラソルモンは、副甲状腺から分泌されるホルモンで、血中の**カルシウム量（バランス）の調節**の働きがある。

（4）**誤り。**コルチゾールは、**副腎皮質**から分泌されるホルモンで、**血糖量を増加**させる働きがある。内分泌器官は膵臓ではない。

（5）**正しい。**副腎皮質刺激ホルモンは、下垂体から分泌されるホルモンで、**副腎皮質の活性化**の働きがある。

正答（4）

34 解説

（1）**正しい。**抗原とは、免疫に関係する細胞によって**異物として認識される物質**のことである。

（2）**正しい。**抗原となる物質には、細菌やウィルスに存在する**蛋白質**、**糖質**などがある。

（3）**正しい。**抗原に対する**免疫**が、逆に、**人体の組織や細胞に傷害を与えてしまうこと**をアレルギーという。主なアレルギー性疾患としては、気管支ぜんそく、アトピー性皮膚炎、アレルギー性結膜炎などがある。

（4）**正しい。**免疫の機能が失われたり、低下することを免疫不全という。免疫不全になると、感染症や、がんに罹患しやすくなる。

（5）**誤り。**免疫には、リンパ球が産生する抗体によって病原体を攻撃する**体液性免疫**と、リンパ球などが直接に病原体などを取り込んで排除する**細胞性免疫**の二つがある。

正答（5）

35 解説

「抗体とは、体内に入ってきた A **抗原** に対して B **体液性** 免疫において作られる C **免疫グロブリン** と呼ばれる蛋白質のことで、A **抗原** に特異的に結合し、A **抗原** の働きを抑える働きがある。」

したがって、選択肢（4）が正答となる。

正答（4）

5. 泌尿器系　速 第1章 LESSON 5

★★★
36 **腎臓又は尿に関する次のAからDの記述について、誤っているものの組合せは（1）～（5）のうちどれか。**

□□

A　腎機能が正常な場合、糖はボウマン嚢《のう》中に濾《こ》し出されないので尿中には排出されない。

B　腎機能が正常な場合、大部分の蛋《たん》白質はボウマン嚢中に濾し出されるが、尿細管でほぼ100％再吸収されるので尿中にはほとんど排出されない。

C　尿は淡黄色の液体で、固有の臭気を有し、通常、弱酸性である。

D　尿素窒素（BUN）は、腎臓から排泄《せつ》される老廃物の一種で、腎臓の働きが低下すると尿中に排泄されず、血液中の値が高くなる。

（1）A，B
（2）A，C
（3）A，D
（4）B，C
（5）C，D

H30.10-39

★★★
37 **腎臓・泌尿器系に関する次の記述のうち、誤っているものはどれか。**

□□

（1）糸球体では、血液中の蛋《たん》白質以外の血漿《しょう》成分がボウマン嚢《のう》に濾《こ》し出され、原尿が生成される。
（2）尿細管では、原尿に含まれる大部分の水分、電解質、栄養分などが血液中に再吸収される。
（3）尿の生成・排出により、体内の水分の量やナトリウムなどの電解質の濃度を調節するとともに、生命活動によって生じた不要な物質を排出する。
（4）尿の約95％は水分で、約５％が固形物であるが、その成分は全身の健康状態をよく反映するので、尿検査は健康診断などで広く行われている。
（5）血液中の尿素窒素（BUN）の値が低くなる場合は、腎臓の機能の低下が考えられる。

R5.4-39

36 解説

A　**誤り**。腎機能が正常な場合、**糖（グルコース）**は**ボウマン嚢中に濾し出され**、原尿となる。

B　**誤り**。腎機能が正常な場合、**蛋白質**は、糸球体からボウマン嚢中に濾し出されることなく**血液中に残る**。

C　**正しい**。尿は淡黄色の液体で、固有の臭気を有し、通常、**弱酸性**である。

D　**正しい**。**尿素窒素（BUN）**は、腎臓から排泄される老廃物の一種で、**腎臓の働きが低下**すると尿中に排泄されず、**血液中の値が高くなる**。

以上から、誤っているものの組合せは、A、Bとなる。したがって、選択肢（1）が正答となる。

正答（1）

37 解説

（1）**正しい**。腎臓の皮質にある腎小体中の糸球体では、血液中の**血球**および**蛋白質以外**の血漿成分が**ボウマン嚢に濾し出され**、原尿が生成される。なお、原尿中には糖（グルコース）やナトリウムなどの電解質が含まれる。

（2）**正しい**。**尿細管**では、原尿に含まれる**大部分の水分**、**電解質**、**栄養分**（糖）などが血液中に**再吸収**される。

（3）**正しい**。尿の生成・排出により、体内の**水分の量**や**ナトリウムなどの電解質の濃度**を**調節**する。また、生命活動によって生じた不要な物質を排出する。

（4）**正しい**。尿の約95％は水分で、約５％が固形物であるが、その成分は全身の健康状態をよく反映するので、尿検査は健康診断などで広く行われている。

（5）**誤り**。**尿素窒素（BUN）**は、腎臓から排泄される老廃物の一種で、**腎臓の働きが低下**すると尿中に排泄されず、**血液中の値が高くなる**。

正答（5）

合格エッセンス　泌尿器系の構造

速 P.49

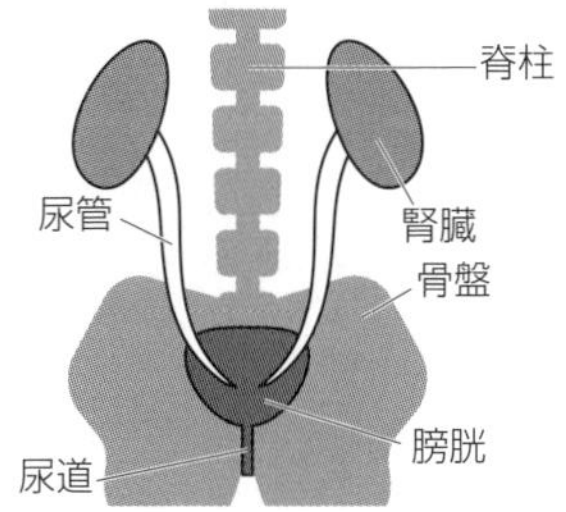

★★★
38 腎臓での尿の生成に関する次の文中の［　　］内に入れるAからDの語句の組合せとして、正しいものは（1）～（5）のうちどれか。

□□

「腎小体を通る血液中の血球及び［ A ］以外の成分は、糸球体から［ B ］に濾《ろ》過されて原尿になる。原尿中の水分、電解質、［ C ］などの成分が［ D ］において血液中に再吸収され、残った成分で生成された尿は膀胱《ぼうこう》にたまり体外に排泄《せつ》される。」

	A	B	C	D
（1）	蛋《たん》白質	尿細管	糖	ボウマン嚢《のう》
（2）	糖	ボウマン嚢	蛋白質	尿細管
（3）	糖	ボウマン嚢	アミノ酸	尿細管
（4）	糖	尿細管	蛋白質	ボウマン嚢
（5）	蛋白質	ボウマン嚢	糖	尿細管

H26.10-39、H25.10-38

★★★
39 腎臓又は尿に関する次の記述のうち、正しいものはどれか。

□□

（1）血中の老廃物は、尿細管からボウマン嚢《のう》に濾《こ》し出される。

（2）血中の蛋《たん》白質は、糸球体からボウマン嚢《のう》に濾《こ》し出される。

（3）血中のグルコースは、糸球体からボウマン嚢《のう》に濾《こ》し出される。

（4）原尿中に濾《こ》し出された電解質の多くは、ボウマン嚢《のう》から血中に再吸収される。

（5）原尿中に濾《こ》し出された水分の大部分は、そのまま尿として排出される。

R4.10-39、R2.4-39、R1.10-39、H28.10-39、H28.4-39、H27.4-39

38 解説

腎小体を通る血液中の血球および A **蛋白質** 以外の成分は、糸球体から B **ボウマン嚢** にろ過されて原尿になる。原尿中の水分、電解質、 C **糖** などの成分が D **尿細管** において血液中に再吸収され、残った成分で生成された尿は膀胱に溜まり体外に排泄される。

したがって、選択肢（5）が正答となる。

正答（5）

39 解説

（1）**誤り**。血中の老廃物は、**糸球体**からボウマン嚢に濾し出され尿細管に送られる。尿細管からボウマン嚢に濾し出されるのではない。

（2）**誤り**。血中の**蛋白質**は、糸球体からボウマン嚢に濾し出されることなく**血液中に残る**。

（3）**正しい**。血中の**グルコース（糖）**は、糸球体からボウマン嚢に**濾し出される**。

（4）**誤り**。原尿中に濾し出された**電解質**の多くは、**尿細管**から血液中に**再吸収**される。ボウマン嚢から再吸収されるのではない。

（5）**誤り**。原尿中に濾し出された**水分**の多くは、**尿細管**から血液中に**再吸収**される。そのまま尿として排出されるのではない。

正答（3）

合格エッセンス 尿の生成

速 P.50

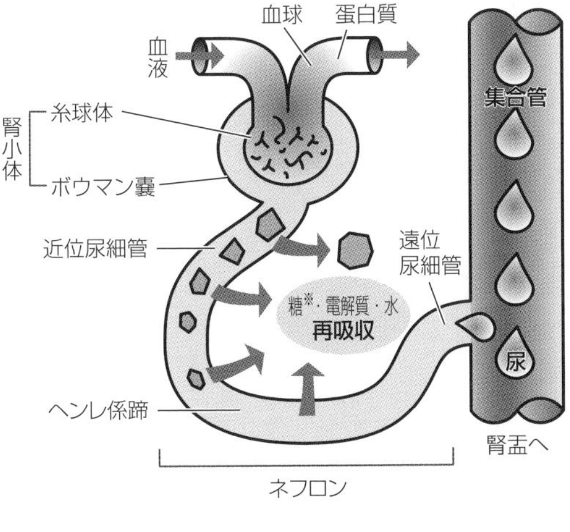

※本試験では「グルコース」と表現されることもある

6. 感覚器系　速 第1章 LESSON 6

★★
40 視覚に関する次の記述のうち、誤っているものはどれか 。

□□

（1）眼は、周りの明るさによって瞳孔の大きさが変化して眼に入る光量が調節され、暗い場合には瞳孔が広がる。

（2）眼軸が短すぎることなどにより、平行光線が網膜の後方で像を結ぶものを遠視という。

（3）角膜が歪《ゆが》んでいたり、表面に凹凸があるために、眼軸などに異常がなくても、物体の像が網膜上に正しく結ばれないものを乱視という。

（4）網膜には、明るい所で働き色を感じる錐《すい》状体と、暗い所で働き弱い光を感じる杆《かん》状体の２種類の視細胞がある。

（5）明るいところから急に暗いところに入ると、初めは見えにくいが徐々に見えやすくなることを明順応という。

R4.4-41

★★
41 視覚に関する次の記述のうち、誤っているものはどれか。

□□

（1）遠距離視力検査は、一般に、５m の距離で実施する。

（2）ヒトの眼は、硝子体の厚さを変えることにより焦点距離を調節して網膜の上に像を結ぶようにしている。

（3）角膜が歪《ゆが》んでいたり、表面に凹凸があるために、眼軸などに異常がなくても、物体の像が網膜上に正しく結ばないものを乱視という。

（4）網膜には、錐《すい》状体と杆《かん》状体の２種類の視細胞がある。

（5）視作業の継続により、前額部の圧迫感、頭痛、複視、吐き気、嘔《おう》吐などの眼精疲労を生じ、作業の継続が困難になることがある。

H30.4-42

40 解説

（1）**正しい。**眼は、周りの明るさによって瞳孔の大きさが変化して眼に入る光量が調節される。明るい所では瞳孔がせまくなり、**暗い所**では**広がる。**

（2）**正しい。**眼軸が**短すぎる**ために、平行光線が**網膜の後方で像を結ぶ**状態を遠視（遠視眼）という。

（3）**正しい。角膜が歪んでいたり、表面に凹凸**があるために、物体の像が網膜上に正しく結ばないものを**乱視**という。

（4）**正しい。**網膜には、錐状体と杆状体の２種類の視細胞がある。**錐状体は、**明るい所で働き**色を感じ、杆状体は、**暗い所で働き**弱い光を感じる。**

（5）**誤り。**明るい所から急に暗い所に入ると、初めは見えにくいが徐々に見えるようになる。これを**暗順応**という。明順応ではない。なお、急に明るい所に出る場合も、最初はまぶしく感じるがすぐに目が慣れてものが見えるようになる。これを明順応という。

正答（5）

41 解説

（1）**正しい。**視力検査（遠距離視力検査）は、一般に、５ｍの距離で実施する。なお、近年では、労働者の高齢化による老視（老眼）の影響や近距離の視力が必要な情報機器作業の増加により、30cm または 50cm の距離での検査（近見視力）も併せて行われることがある。

（2）**誤り。**眼は、**水晶体**の厚さを変えることにより、焦点距離を調節して網膜の上に正しく像を結ぶようにしている。硝子体ではない。

（3）**正しい。角膜が歪んでいたり、表面に凹凸**があるために、物体の像が網膜上に正しく結ばないものを**乱視**という。

（4）**正しい。**網膜には、**錐状体**と**杆状体**の２種類の視細胞がある。なお、**錐状体は、**明るい所で働き**色を感じ、杆状体は、**暗い所で働き**弱い光を感じる。**

（5）**正しい。**視作業の継続により、前額部の圧迫感、頭痛、複視（ものが二重に見えること）、吐き気、嘔吐などの症状が現れ、作業の継続が困難になることがある。

正答（2）

★★

42 下の図は眼球の水平断面図であるが、図中に ▒▒ 又は ⬚ で示すAからEの部位に関する次の記述のうち、誤っているものはどれか。

□□

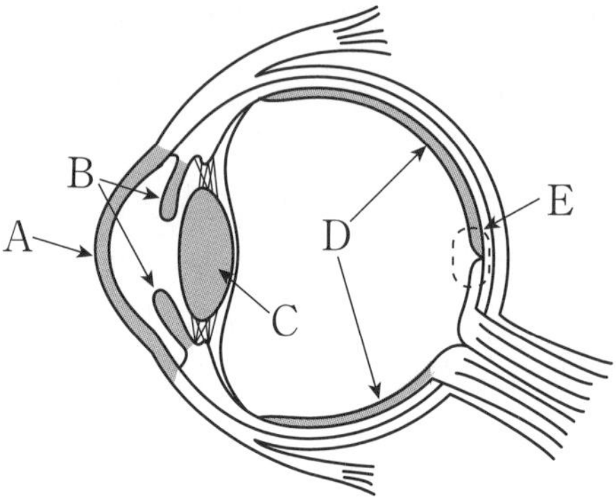

（1）Aの ▒▒ 部分は角膜で、これが歪《ゆが》んでいたり、表面に凹凸があるために、見た物体の像が網膜上に正しく結ばないものを乱視という。

（2）Bの ▒▒ 部分は虹《こう》彩で、光量に応じて瞳孔の径を変える。

（3）Cの ▒▒ 部分は硝子体で、これの厚さを変えることにより焦点距離を調節して網膜上に像を結ぶようにしている。

（4）Dの ▒▒ 部分は網膜で、ここには、明るい所で働き色を感じる錐《すい》状体と、暗い所で働き弱い光を感じる杆《かん》状体の２種類の視細胞がある。

（5）Eの ⬚ 部分は中心窩《か》で、視力の鋭敏な部位である。

H29.10-42

★★

43 感覚又は感覚器に関する次の記述のうち、誤っているものはどれか。

□□

（1）眼軸が短過ぎるために、平行光線が網膜の後方で像を結ぶものを遠視という。

（2）嗅覚と味覚は化学感覚ともいわれ、物質の化学的性質を認知する感覚である。

（3）温度感覚は、皮膚のほか口腔《くう》などの粘膜にも存在し、一般に温覚の方が冷覚よりも鋭敏である。

（4）深部感覚は、筋肉や腱にある受容器から得られる身体各部の位置、運動などを認識する感覚である。

（5）中耳にある鼓室は、耳管によって咽頭に通じており、その内圧は外気圧と等しく保たれている。

R5.4-41、R3.4-41 類

42 解説

（1）**正しい。** Aの部分は**角膜**である。**角膜が歪んでいたり、表面に凹凸**があるために、見た物体の像が網膜上に正しく結ばないものを**乱視**という。

（2）**正しい。** Bの部分は**虹彩**である。虹彩は、光量に応じて瞳孔の径を変える。カメラに例えると、しぼりの働きをする。

（3）**誤り。** Cの部分は**水晶体**である。硝子体ではない。水晶体の厚さを変えることにより平行光線を屈折させ、焦点距離を調節して網膜の上に正しく像を結ぶようにしている。

（4）**正しい。** Dの部分は**網膜**である。網膜には、明るい所で働き**色を感じる錐状体**と、暗い所で働き**弱い光を感じる杆状体**の２種類の視細胞がある。

（5）**正しい。** Eの部分は中心窩である。錐状体が集まっていて、視力の鋭敏な部位である。

正答（3）

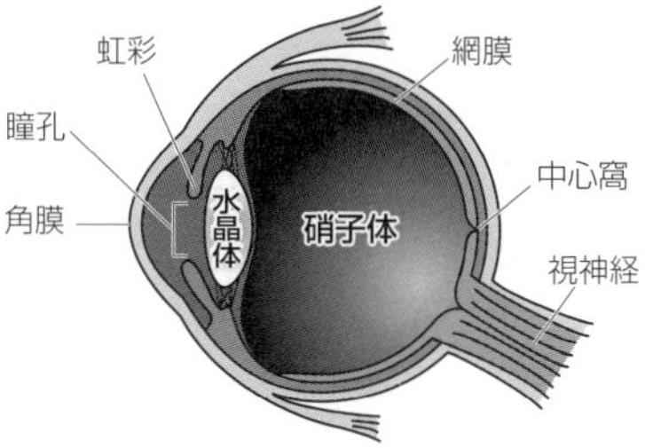

43 解説

（1）**正しい。** 眼軸が**短すぎる**ために、平行光線が**網膜の後方で像を結ぶ**状態を遠視（遠視眼）という。

（2）**正しい。** 嗅覚と味覚は化学感覚ともいわれ、物質の化学的性質（刺激）を認知する感覚である。

（3）**誤り。** 温度感覚は、一般に**冷覚**の方が温覚よりも**鋭敏**である。なお、皮膚のほか口腔などの粘膜にも存在するという点は、正しい。

（4）**正しい。** 深部感覚は、筋肉や腱にある受容器から得られる**身体各部の位置、運動などを認識**する感覚である。

（5）**正しい。** 中耳にある鼓室は、耳管によって咽頭に通じており、その**内圧**は**外気圧と等しく保たれている**。

正答（3）

★★
44 耳とその機能に関する次の記述のうち、誤っているものはどれか 。

□□

（1）騒音性難聴は、音を神経に伝達する内耳の聴覚器官の有毛細胞の変性によって起こる。

（2）耳介で集められた音は、鼓膜を振動させ、その振動は耳小骨によって増幅され、内耳に伝えられる。

（3）内耳は、前庭、半規管及び蝸《か》牛（うずまき管）の三つの部位からなり、前庭と半規管が平衡感覚、蝸《か》牛が聴覚をそれぞれ分担している。

（4）前庭は、体の回転の方向や速度を感じ、半規管は、体の傾きの方向や大きさを感じる。

（5）鼓室は、耳管によって咽頭に通じており、その内圧は外気圧と等しく保たれている。

R5.10-42

★★
45 下図は、ヒトの右耳の構造を示したものであるが、耳の中を音の振動が伝わり、音の刺激を受け取るまでの経路を正しく示したものは（1）～（5）のうちどれか。

□□

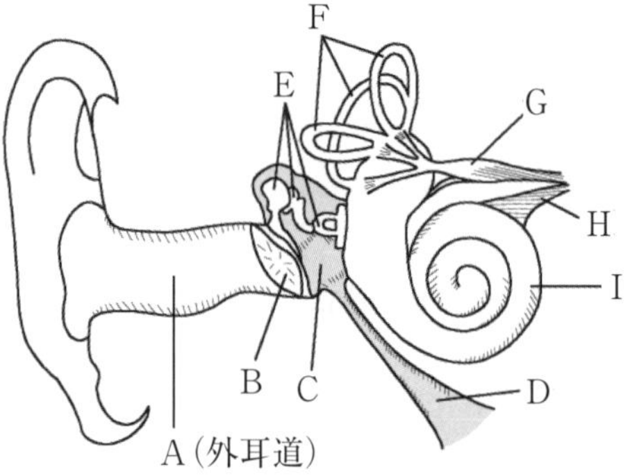

（1）A → B → C → F → G

（2）A → B → C → I → H

（3）A → B → E → F → G

（4）A → B → E → I → H

（5）A → B → C → I → D

H25.4-43

44 解説

（1）**正しい。**耳は、聴覚と平衡感覚などをつかさどる器官で、外耳、中耳と内耳の三つの部位に分けられる。そして、騒音性難聴は、**音を神経に伝達する内耳**の聴覚器官の有毛細胞の変性によって起こる。

（2）**正しい。外耳の耳介**で集められた音は、**中耳の鼓膜**を振動させ、その振動は**耳小骨**によって**増幅**され、**内耳に伝えられる。**

（3）**正しい。**内耳は、前庭、半規管および蝸牛からなり、**前庭**と**半規管**が**平衡感覚**を、**蝸牛**が**聴覚**をつかさどっている。

（4）**誤り。前庭**は、体の**傾きの方向**や**大きさ**を感じ、**半規管**は、体の**回転の方向**や**速度**を感じる。

（5）**正しい。**中耳にある鼓室は、耳管によって咽頭に通じており、その**内圧**は**外気圧と等しく保たれている。**

正答（4）

45 解説

音の振動は、A（外耳道）を通り、B（鼓膜）を振動させ、この振動がE（**耳小骨**）からI（**蝸牛**）に伝わり、H（蝸牛神経）が大脳へ音の振動を伝える。

したがって、選択肢（4）が正答となる。

正答（4）

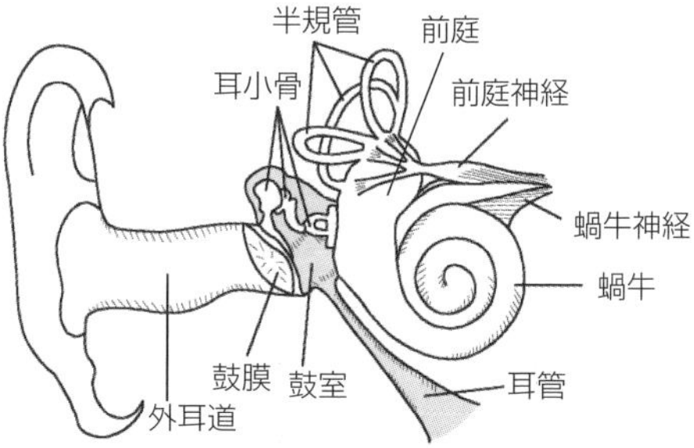

合格エッセンス 内耳の器官とその機能

速 P.57

<table>
<tr><th>器　官</th><th colspan="2">機　能</th></tr>
<tr><td>前庭</td><td rowspan="2">平衡感覚</td><td>傾き</td></tr>
<tr><td>半規管</td><td>回転</td></tr>
<tr><td>蝸牛</td><td colspan="2">聴覚</td></tr>
</table>

★★★
46 神経系に関する次の記述のうち、誤っているものはどれか。

□□

（1）神経系は、中枢神経系と末梢《しょう》神経系に大別され、中枢神経系は脳と脊髄から成る。

（2）大脳の内側の髄質は神経細胞の細胞体が集合した灰白質で、感覚、運動、思考などの作用を支配する中枢として機能する。

（3）神経系を構成する基本的な単位である神経細胞は、通常、１個の細胞体、１本の軸索及び複数の樹状突起から成り、ニューロンともいわれる。

（4）神経系は、機能的には、体性神経と自律神経に分類され、自律神経は更に交感神経と副交感神経に分類される。

（5）体性神経には、感覚器官からの情報を中枢神経に伝える感覚神経と、中枢神経からの命令を運動器官に伝える運動神経がある。

R1.10-37

★★★
47 神経系に関する次の記述のうち、誤っているものはどれか。

□□

（1）神経系を構成する基本的な単位である神経細胞は、通常、１個の細胞体、１本の軸索及び複数の樹状突起から成り、ニューロンともいわれる。

（2）体性神経は、運動及び感覚に関与し、自律神経は、呼吸、循環などに関与する。

（3）大脳の皮質は、神経細胞の細胞体が集まっている灰白質で、感覚、思考などの作用を支配する中枢として機能する。

（4）交感神経系と副交感神経系は、各種臓器において双方の神経線維が分布し、相反する作用を有している。

（5）交感神経系は、身体の機能をより活動的に調節する働きがあり、心拍数を増加させたり、消化管の運動を亢《こう》進する。

R3.10-35 類、R3.4-35

46 解説

（1）**正しい。**神経系は、肉眼的には**中枢神経系**と**末梢神経系**に大別され、**中枢神経系**は**脳**と**脊髄**からなる。

（2）**誤り。**大脳の**内側**の**髄質**は**神経線維の多い白質**である。設問は、大脳の**外側**の**皮質**の説明である。

（3）**正しい。**神経系を構成する基本的な単位である神経細胞は、**ニューロン**ともいわれる。通常、1個の細胞体、**1本の軸索**および**複数の樹状突起**からなる。

（4）**正しい。**神経系は機能的には、**体性神経**と**自律神経**に分類される。また、**自律神経**は更に**交感神経**と**副交感神経**に分類される。

（5）**正しい。体性神経**には、感覚器官からの情報を中枢に伝える**感覚神経**と、中枢からの命令を運動器官に伝える**運動神経**がある。

正答（2）

47 解説

（1）**正しい。**神経系を構成する基本的な単位である神経細胞は、**ニューロン**ともいわれる。通常、1個の細胞体、1本の軸索および複数の樹状突起からなる。

（2）**正しい。体性**神経は、**運動および感覚**に関与し、**自律**神経は、**呼吸、循環**などに関与する。なお、神経を機能面で分類すると、体性神経（感覚神経・運動神経）と自律神経（交感神経・副交感神経）となる。

（3）**正しい。**大脳の**外側の皮質**は、神経細胞の細胞体が集合した**灰白質**であり、**感覚、思考などの作用を支配する中枢**として機能する。なお、大脳の内側の髄質は神経線維の多い白質である。

（4）**正しい。**自律神経である交感神経と副交感神経は、各種臓器において双方の神経線維が分布し、ほぼ相反する作用をする。

（5）**誤り。交感神経系**は、身体の機能をより活動的に調節する働きがある。たとえば、**心拍数を増加**し、**消化管の運動を抑制**する。消化管の運動を亢進するのではない。

正答（5）

合格エッセンス　自律神経の作用

速 P.66

	心臓（心拍数）	消化管の活動
交感神経系	増加	抑制
副交感神経系	減少	促進

★★★
48 自律神経系に関する次の記述のうち、誤っているものはどれか。

□□

（1）自律神経系は、内臓、血管などの不随意筋に分布している。

（2）自律神経である交感神経と副交感神経は、同一器官に分布していても、その作用はほぼ正反対である。

（3）自律神経系の中枢は、脳幹及び脊髄にある。

（4）消化管に対しては、交感神経の亢《こう》進は運動を促進させ、副交感神経の亢進は運動を抑制させる。

（5）心臓に対しては、交感神経の亢進は心拍数を増加させ、副交感神経の亢進は心拍数を減少させる。

R2.4-44

★★★
49 神経系に関する次の記述のうち、誤っているものはどれか。

□□

（1）神経細胞（ニューロン）は、神経系を構成する基本的な単位で、通常、1個の細胞体、1本の軸索及び複数の樹状突起から成る。

（2）脊髄では、中心部が灰白質であり、その外側が白質である。

（3）大脳では、内側の髄質が白質であり、外側の皮質が灰白質である。

（4）体性神経には感覚器官からの情報を中枢に伝える感覚神経と、中枢からの命令を運動器官に伝える運動神経がある。

（5）交感神経系は、心拍数を増加し、消化管の運動を亢《こう》進する。

R4.10-41

48 解説

（1）**正しい。**自律神経系は、内臓、血管などの**不随意筋に分布**している。なお、自律神経系は、各種臓器の機能を調節している。

（2）**正しい。**自律神経である交感神経と副交感神経は、同一器官に分布していても、その**作用はほぼ正反対**である。**交感神経系**は、身体の機能をより**活動的に調節**し、**副交感神経系**は、身体の機能を**回復**に向けて働く。

（3）**正しい。**自律神経系の中枢は、脳幹および脊髄にある。

（4）**誤り。消化管**に対しては、**交感神経の亢進**は**運動を抑制**させるように作用し、**副交感神経の亢進**は**運動を促進**させるように作用する。

（5）**正しい。心臓**に対しては、**交感神経の亢進**は**心拍数を増加**させ、**副交感神経の亢進**は**心拍数を減少**させる。

正答（4）

49 解説

（1）**正しい。**神経系を構成する基本的な単位である神経細胞は、**ニューロン**ともいわれる。通常、1個の細胞体、**1本の軸索**および**複数の樹状突起**からなる。

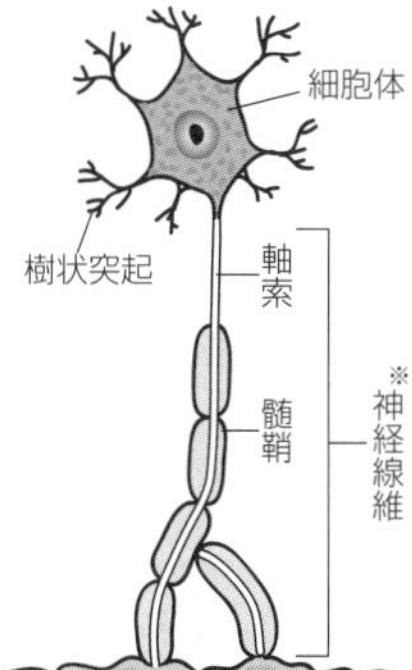

※神経線維には、絶縁体の役割のある髄《ずい》鞘《しょう》を持つ有髄神経線維と、髄鞘を持たない無髄神経線維とがある。

（2）**正しい。脊髄**では、**中心部**が**灰白質**であり、その外側が白質である。なお、灰白質の部分には細胞体が多数集まっており、白質の部分には神経線維が多くなっている。

（3）**正しい。大脳**では、**内側の髄質**が**白質**であり、外側の皮質が灰白質である。

（4）**正しい。体性神経**には、感覚器官からの情報を中枢に伝える**感覚神経**と、中枢からの命令を運動器官に伝える**運動神経**がある。

（5）**誤り。**交感神経系は、身体の機能をより活動的に調節する働きがあり、**心拍数を増加**し、**消化管の運動を抑制**する。消化管の運動を亢進するのではない。

正答（5）

★★★
50 **神経系に関する次の記述のうち、誤っているものはどれか。**

□□

（1）神経系を構成する基本的な単位である神経細胞は、通常、1個の細胞体、1本の軸索及び複数の樹状突起から成り、シナプスともいわれる。

（2）中枢神経系には脳と脊髄が、末梢《しょう》神経系には体性神経と自律神経がある。

（3）体性神経は、運動及び感覚に関与し、自律神経は、呼吸、循環などに関与する。

（4）大脳の皮質は、神経細胞の細胞体が集まっている灰白質で、感覚、思考などの作用を支配する中枢として機能する。

（5）交感神経及び副交感神経は、同一器官に分布していても、その作用はほぼ正反対である。

H28.4-37

★★★
51 **神経系に関する次の記述のうち、誤っているものはどれか。**

□□

（1）神経系を構成する基本的な単位である神経細胞は、通常、1個の細胞体、1本の軸索、複数の樹状突起から成り、ニューロンともいわれる。

（2）有髄神経線維は、無髄神経線維より神経伝達速度が速い。

（3）大脳の内側の髄質は神経細胞の細胞体が集合した灰白質で、感覚、運動、思考などの作用を支配する中枢として機能する。

（4）末梢《しょう》神経系において神経細胞の細胞体が集合している部分を神経節という。

（5）交感神経と副交感神経は、同一器官に分布していても、ほぼ相反する作用をする。

H29.4-37

50 解説

（1）**誤り。**神経系を構成する基本的な単位である神経細胞は、**ニューロン**ともいわれる。シナプスではない。なお、神経細胞は通常、1個の細胞体、**1本の軸索**および**複数の樹状突起**からなるとする点は、正しい。

（2）**正しい。**中枢神経系には脳と脊髄が、末梢神経系には体性神経と自律神経がある。

（3）**正しい。体性神経**は、**運動**および**感覚**に関与し、**自律神経**は、**呼吸**、**循環**などに関与する。なお、神経を機能面で分類すると、体性神経（感覚神経・運動神経）と自律神経（交感神経・副交感神経）となる。

（4）**正しい。**大脳の外側の**皮質**は、神経細胞の**細胞体が集合した灰白質**であり、感覚、思考などの作用を支配する中枢として機能する。なお、大脳の内側の**髄質**は**神経線維の多い白質**である。

（5）**正しい。**自律神経である交感神経と副交感神経は、同一器官に分布していても、その**作用はほぼ正反対**である。

正答（1）

51 解説

（1）**正しい。**神経系を構成する基本的な単位である神経細胞は、**ニューロン**ともいわれる。

（2）**正しい。**神経伝導速度は有髄神経線維の方が無髄神経線維よりも速い。

（3）**誤り。**大脳の**内側**の**髄質**は**神経線維の多い白質**である。なお、神経細胞の細胞体が集合した灰白質で、感覚、運動、思考などの作用を支配する中枢として機能するのは、大脳の外側の皮質である。

（4）**正しい。**末梢神経系において神経細胞の細胞体が集合している部分を、神経節という。なお、中枢神経系においては神経核という。

（5）**正しい。**自律神経である交感神経と副交感神経は、同一器官に分布していても、**ほぼ相反する作用**をする。

正答（3）

合格エッセンス　脳の構造

速 P.63

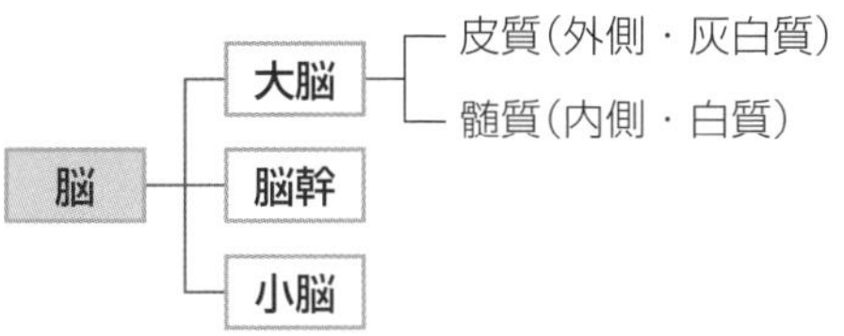

★★
52 □□ **下の図は、脳などの正中縦断面であるが、図中に［　　］で示すAからEの部位に関する次の記述のうち、誤っているものはどれか。**

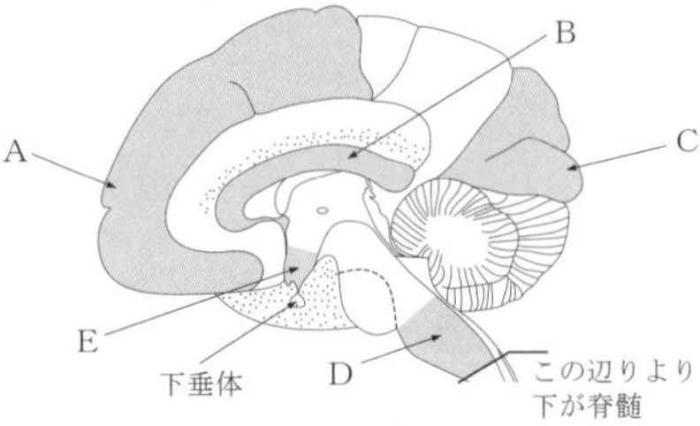

（1）Aは、大脳皮質の前頭葉で、運動機能中枢、運動性言語中枢及び精神機能中枢がある。

（2）Bは、小脳で、体の平衡を保つ中枢がある。

（3）Cは、大脳皮質の後頭葉で、視覚中枢がある。

（4）Dは、延髄で、呼吸運動、循環器官・消化器官の働きなど、生命維持に重要な機能の中枢がある。

（5）Eは、間脳の視床下部で、自律神経系の中枢がある。

R5.4-37

★★
53 □□ **神経系に関する次の文及び図中の［　　］内に入れるAからCの語句の組合せとして、正しいものは（1）～（5）のうちどれか。**
なお、図は、ヒトの体が刺激を受けて反応する時の、信号が伝わる経路を模式的に表したものである。

「神経系は中枢神経系と末梢《しょう》神経系に大別されるが、末梢神経系のうち［　A　］神経系は［　B　］神経と［　C　］神経から成り、図のような経路で刺激が伝えられ反応が引き起こされる。」

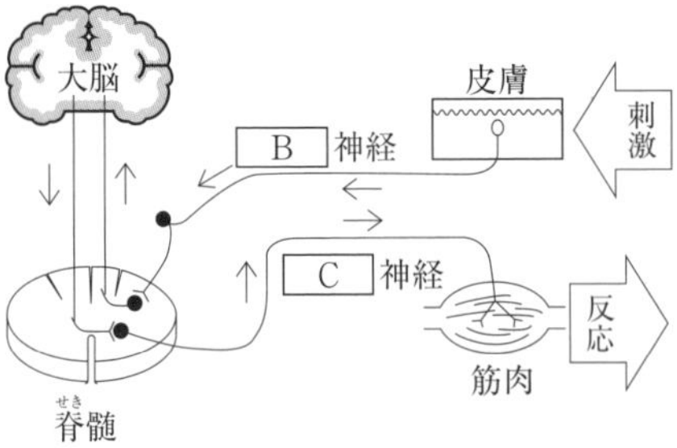

	A	B	C
（1）	自律	副交感	交感
（2）	体性	運動	感覚
（3）	自律	交感	副交感
（4）	自律	感覚	運動
（5）	体性	感覚	運動

H23.4-37

52 解説

（1）**正しい。**Aの部分は、大脳皮質の**前頭葉**である。運動機能中枢、運動性言語中枢および精神機能中枢がある。

（2）**誤り。**Bの部分は、脳梁である。左右の脳をつなぐ働きをしている。小脳ではない。

（3）**正しい。**Cの部分は、大脳皮質の**後頭葉**である。視覚中枢がある。

（4）**正しい。**Dの部分は、**延髄**である。呼吸運動、循環器官・消化器官の働きなど、生命維持に重要な機能の中枢がある。

（5）**正しい。**Eの部分は、間脳の視床下部である。自律神経系の中枢がある。

正答（2）

53 解説

「神経系は中枢神経系と末梢神経系に大別されるが、末梢神経系のうち［A　**体性**］神経系は［B　**感覚**］神経と［C　**運動**］神経から成り、図のような経路で刺激が伝えられ反応が引き起こされる。」

したがって、選択肢（5）が正答となる。

正答（5）

★★★
54 筋肉に関する次の記述のうち、誤っているものはどれか。

□□

（1）筋肉は、神経から送られてくる刺激によって収縮するが、神経に比べて疲労しやすい。

（2）強い力を必要とする運動を続けていても、筋肉を構成する個々の筋線維の太さは変わらないが、その数が増えることによって筋肉が太くなり筋力が増強する。

（3）筋肉中のグリコーゲンは、筋肉の収縮時に酸素が不足していると、水と二酸化炭素にまで分解されず乳酸になる。

（4）筋肉が収縮して出す最大筋力は、筋肉の単位断面積当たりの平均値をとると、性差又は年齢差がほとんどない。

（5）荷物を持ち上げたり屈伸運動をするとき、関節運動に関与する筋肉には、等張性収縮が生じている。

H31.4-43

★★★
55 筋肉に関する次の記述のうち、正しいものはどれか。

□□

（1）横紋筋は、骨に付着して身体の運動の原動力となる筋肉で意志によって動かすことができるが、平滑筋は、心筋などの内臓に存在する筋肉で意志によって動かすことができない。

（2）筋肉の縮む速さが速ければ速いほど、仕事の効率は大きい。

（3）荷物を持ち上げたり、屈伸運動を行うときは、筋肉が長さを変えずに外力に抵抗して筋力を発生させる等尺性収縮が生じている。

（4）強い力を必要とする運動を続けていても、筋肉を構成する個々の筋線維の太さは変わらないが、その数が増えることによって筋肉が太くなり筋力が増強する。

（5）筋肉は、収縮しようとする瞬間に最も大きい力を出す。

H30.4-41

54 解説

（1）**正しい**。筋肉は神経からの刺激によって収縮する。また、筋肉は神経より疲労しやすい。

（2）**誤り**。強い力を必要とする運動を続けていると、筋肉を構成する**個々の筋線維が太くなり筋力が増強**する。筋線維の数が増えるのではない。

（3）**正しい**。筋肉中のグリコーゲンは、**酸素が不足**していると、完全に分解されず**乳酸**になる。なお、筋肉中のグリコーゲンは、**酸素が十分**にあると、**完全に分解**され**水**と**二酸化炭素**になり、多量のATP（アデノシン三リン酸）が得られる。

（4）**正しい**。筋肉が収縮して出す最大筋力は、筋肉の単位断面積当たりの平均値をとると、性差または年齢差がほとんどない。

（5）**正しい**。荷物を持ち上げたり、屈伸運動を行うときは、筋肉が**長さを変えて筋力を発生**させる**等張性収縮**が生じている。

正答（2）

55 解説

（1）**誤り**。**心筋**は筋肉の構造的には**横紋筋**である。なお、**横紋筋**は、骨に付着して身体の運動の原動力となる**筋肉で意志によって動かすことができる**とする点と、平滑筋は主に内臓に存在する筋肉で意志によって動かすことができないとする点は、正しい。

（2）**誤り**。筋肉の**縮む速さが適当**なときに、**仕事の効率**がいちばん大きくなる。筋肉の縮む速さが速ければ速いほど、仕事の効率が大きくなるのではない。

（3）**誤り**。荷物を持ち上げたり、屈伸運動を行うときは、筋肉が**長さを変えて筋力を発生**させる**等張性収縮**が生じている。等尺性収縮ではない。なお、長い時間同じ姿勢を保持する情報機器作業では、筋肉が長さを変えずに外力に抵抗して筋力を発生させる等尺性収縮が生じている。

（4）**誤り**。強い力を必要とする運動を続けていると、筋肉を構成する**個々の筋線維が太くなり筋力が増強**する。筋繊維の数が増えるのではない。

（5）**正しい**。筋肉は、**収縮しようとする瞬間に最も大きい力を出す**。

正答（5）

★★★

56 **筋肉に関する次の記述のうち、正しいものはどれか。**

□□

（1）横紋筋は、骨に付着して身体の運動の原動力となる筋肉で意志によって動かすことができるが、平滑筋は、心筋などの内臓に存在する筋肉で意志によって動かすことができない。

（2）筋肉は神経からの刺激によって収縮するが、神経より疲労しにくい。

（3）荷物を持ち上げたり、屈伸運動を行うときは、筋肉が長さを変えずに外力に抵抗して筋力を発生させる等尺性収縮が生じている。

（4）強い力を必要とする運動を続けていると、筋肉を構成する個々の筋線維の太さは変わらないが、その数が増えることによって筋肉が太くなり筋力が増強する。

（5）刺激に対して意識とは無関係に起こる定型的な反応を反射といい、四肢の皮膚に熱いものが触れたときなどに、その肢を体幹に近づけるような反射は屈曲反射と呼ばれる。

R5.10-41

56 解説

（1）**誤り。心筋**は筋肉の構造的には**横紋筋**である。なお、**横紋筋**は、骨に付着して身体の運動の原動力となる**筋肉で意志によって動かすことができる**とする点と、平滑筋は主に内臓に存在する筋肉で意志によって動かすことができないとする点は、正しい。

（2）**誤り。**筋肉は神経より疲労しやすい。なお、筋肉は神経からの刺激によって収縮するとする点は、正しい。

（3）**誤り。**荷物を持ち上げたり、屈伸運動を行うときは、筋肉が**長さを変えて筋力を発生**させる**等張性収縮**が生じている。等尺性収縮ではない。

（4）**誤り。**強い力を必要とする運動を続けていると、筋肉を構成する**個々の筋線維が太くなり筋力が増強**する。筋繊維の数が増えるのではない。

（5）**正しい。**刺激に対して**意識とは無関係**に起こる反応を**反射**という。四肢の皮膚に熱いものが触れたときなどに、その肢を体幹に近づけるような反射は屈曲反射と呼ばれる。なお、最も単純な反射は、膝蓋腱反射などの伸張反射で、膝の下の腱（膝蓋腱）をたたくと足が前にけり出される。

正答（5）

合格エッセンス　筋肉の種類と筋収縮の仕組み

速 P.68

〔筋肉の種類〕

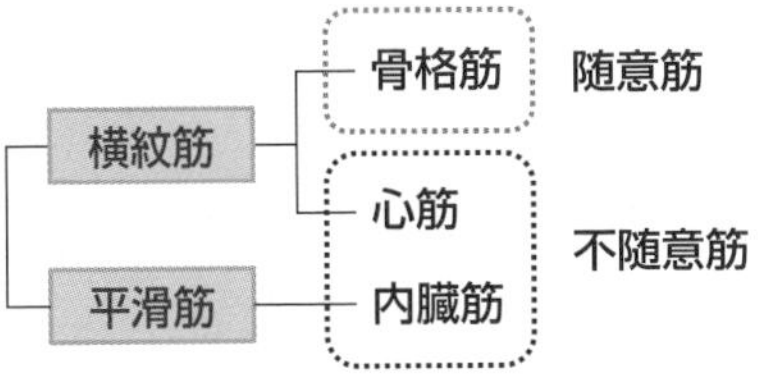

〔筋収縮の仕組み〕

収縮の仕方	仕組み	具体例
等張性収縮	筋肉が長さを変えて一定の張力で筋力を発生	荷物を持ち上げる、屈伸運動など
等尺性収縮	筋肉の長さを変えずに外力に抵抗して筋力を発生	直立姿勢、情報機器作業など

★★★
57 **筋肉に関する次の記述のうち、誤っているものはどれか。**
□□

（1）筋肉は、神経から送られてくる刺激によって収縮するが、神経に比べて疲労しやすい。

（2）筋収縮には、グリコーゲン、りん酸化合物などのエネルギー源が必要で、特に、直接のエネルギーはATPの加水分解によってまかなわれる。

（3）筋肉中のグリコーゲンは、筋肉の収縮時に酸素が不足していると、水と二酸化炭素にまで分解されず乳酸になる。

（4）荷物を持ち上げたり、屈伸運動を行うときは、筋肉が長さを変えずに外力に抵抗して筋力を発生させる等尺性収縮が生じている。

（5）運動することによって筋肉が太くなることを筋肉の活動性肥大という。

H28.10-43、H26.10-43 類

★★★
58 **筋肉に関する次の記述のうち、正しいものはどれか。**
□□

（1）横紋筋は、骨に付着して身体の運動の原動力となる筋肉で意志によって動かすことができるが、平滑筋は、心筋などの内臓に存在する筋肉で意志によって動かすことができない。

（2）筋肉は神経からの刺激によって収縮するが、神経より疲労しにくい。

（3）荷物を持ち上げたり、屈伸運動を行うときは、筋肉が長さを変えずに外力に抵抗して筋力を発生させる等尺性収縮が生じている。

（4）強い力を必要とする運動を続けていると、筋肉を構成する個々の筋線維の太さは変わらないが、その数が増えることによって筋肉が太くなり筋力が増強する。

（5）筋肉自体が収縮して出す最大筋力は、筋肉の断面積1 cm^2当たりの平均値をとると、性差、年齢差がほとんどない。

R5.4-43、R3.4-44、R2.4-40 類

57 解説

（1）**正しい。**筋肉は神経より疲労しやすい。また、筋肉は神経からの刺激によって収縮する。

（2）**正しい。**筋収縮の**直接のエネルギー**は**ATP**（アデノシン三リン酸）の加水分解によってまかなわれる。また、グリコーゲン、りん酸化合物などもエネルギー源として必要である。

（3）**正しい。**筋肉中のグリコーゲンは、**酸素が不足**していると、完全に分解されず**乳酸**になる。なお、筋肉中のグリコーゲンは、**酸素が十分**にあると、**完全に分解**され**水**と**二酸化炭素**になり、多量のATPが得られる。

（4）**誤り。**荷物を持ち上げたり、屈伸運動を行うときは、筋肉が**長さを変えて筋力を発生**させる**等張性収縮**が生じている。等尺性収縮ではない。

（5）**正しい。**運動することによって**筋肉**（筋肉を構成する**個々の筋線維**）**が太くなる**ことを筋肉の活動性肥大という。

正答（4）

58 解説

（1）**誤り。心筋**は筋肉の構造的には**横紋筋**である。なお、**横紋筋**は、骨に付着して身体の運動の原動力となる筋肉で**意志によって動かすことができる**とする点と、平滑筋は主に内臓に存在する筋肉で意志によって動かすことができないとする点は、正しい。

（2）**誤り。**筋肉は神経より疲労しやすい。なお、筋肉は神経からの刺激によって収縮するとする点は、正しい。

（3）**誤り。**荷物を持ち上げたり、屈伸運動を行うときは、筋肉が**長さを変えて筋力を発生**させる**等張性収縮**が生じている。等尺性収縮ではない。

（4）**誤り。**強い力を必要とする運動を続けていると、筋肉を構成する**個々の筋線維が太くなり筋力が増強**する。筋線維の数が増えるのではない。

（5）**正しい。**筋肉が収縮して出す最大筋力は、筋肉の単位断面積当たりの平均値をとると、**性差**または**年齢差がほとんどない**。

正答（5）

★★★
59 ストレスに関する次の記述のうち、誤っているものはどれか。
□□

（1）外部からの刺激であるストレッサーは、その形態や程度にかかわらず、自律神経系と内分泌系を介して、心身の活動を抑圧する。
（2）ストレスに伴う心身の反応には、ノルアドレナリン、アドレナリンなどのカテコールアミンや副腎皮質ホルモンが深く関与している。
（3）昇進、転勤、配置替えなどがストレスの原因となることがある。
（4）職場環境における騒音、気温、湿度、悪臭などがストレスの原因となることがある。
（5）ストレスにより、高血圧症、狭心症、十二指腸潰瘍などの疾患が生じることがある。

R5.10-43、H29.10-43 類

★★★
60 ストレスに関する次のAからDまでの記述について、誤っているものの組合せは（1）～（5）のうちどれか。
□□

A　外部環境からの刺激すなわちストレッサーは、その形態や程度にかかわらず、自律神経系と内分泌系を介して、心身の活動を抑圧する。
B　ストレス反応には、ノルアドレナリン、アドレナリンなどのカテコールアミンや副腎皮質ホルモンが深く関与している。
C　ストレスにより、自律神経系と内分泌系のバランスが崩れ、精神神経科的疾患、内科的疾患などを招く場合がある。
D　ストレス反応には、個人差がほとんどない。

（1）A，B
（2）A，D
（3）B，C
（4）B，D
（5）C，D

H30.10-44、H29.4-43、H27.10-44 類

59 解説

（1）**誤り。**ストレッサーとは、外部環境からの刺激のことをいい、ストレッサーにより生じる変化をストレスという。ストレッサーは、その**強弱や質に応じて、自律神経系**と**内分泌系**を介して、**心身の活動を亢進したり抑圧**したりする。個人の能力や感性に適合しないストレッサーは、心理的には不安、焦燥感、抑うつ感などを、身体的には疲労を生じることがある。

（2）**正しい。**ストレス反応には、ノルアドレナリン、アドレナリンなどのカテコールアミンや副腎皮質ホルモンが深く関与している。典型的なストレス反応として、副腎皮質ホルモンの分泌の**増加（亢進）**がある。

（3）**正しい。**昇進、転勤、配置替えなどがストレスの原因となることがある。

（4）**正しい。**職場環境における騒音、気温、湿度、悪臭などがストレスの原因となることがある。

（5）**正しい。**ストレスにより、**内科的疾患**（**高血圧症**、**狭心症**、胃・**十二指腸潰瘍**など）が生じることがある。また、自律神経系の障害（発汗、手足の震えなど）が生じることがある。

正答（1）

60 解説

A　**誤り。**ストレッサーは、その**強弱や質に応じて、自律神経系**と**内分泌系**を介して、心身の活動を亢《こう》進したり抑圧したりする。

B　**正しい。**ストレス反応には、ノルアドレナリン、アドレナリンなどのカテコールアミンや副腎皮質ホルモンが深く関与している。ストレッサーの強弱や質に応じて分泌が亢進する。

C　**正しい。**ストレスにより、**自律神経系**と**内分泌系**のバランスが崩れ、精神神経科的疾患、内科的疾患（高血圧症、狭心症、胃・十二指腸潰瘍など）などを招く場合がある。

D　**誤り。**ストレス反応には個人差がある。同じようなストレス状況下でも、影響を受ける人と受けない人がいる。

以上から、誤っているものの組合せはA、Dとなる。したがって、選択肢（2）が正答となる。

正答（2）

★
61 疲労などに関する次の記述のうち、誤っているものはどれか。

□□

（1）産業疲労は、疲労徴候の現れ方により、急性疲労、慢性疲労、日周性疲労などに分類することができる。

（2）産業疲労は、生体に対する労働負荷が大きすぎることによって引き起こされるが、その回復や蓄積は日常生活ともかかわっている。

（3）作業の各局面で生じる疲労を後へ持ち越さないようにすることは、産業疲労の対策として大切なことである。

（4）近年の職場では、全身疲労のみならず、体の一部の筋肉を使う情報機器作業などによる局所疲労が問題となっている。

（5）身体活動強度（メッツ）は、身体活動の強さが軽作業時の何倍に相当するかを表す単位である。

H29.4-42 改題

★★★
62 睡眠などに関する次の記述のうち、誤っているものはどれか。

□□

（1）夜間に働いた後の昼間に睡眠する場合は、一般に、就寝から入眠までの時間が長くなり、睡眠時間が短縮し、睡眠の質も低下する。

（2）睡眠と食事は深く関係しているため、就寝直前の過食は、肥満のほか不眠を招くことになる。

（3）松果体から分泌されるメラトニンは、夜間に分泌が上昇するホルモンで、睡眠と覚醒のリズムの調節に関与している。

（4）体内時計の周期は、一般に、約25時間であり、外界の24時間周期に同調して、約1時間のずれが修正される。

（5）基礎代謝量は、生命活動を維持するために必要な最小限のエネルギー量で、睡眠中の測定値で表される。

H28.10-44

61 解説

（1）**正しい。**産業疲労は、疲労徴候の現れ方により、**急性**疲労、**慢性**疲労、**日周性**疲労などに分類することができる。なお、作業を行ったことによって生じる疲労のことを、産業疲労という。

（2）**正しい。**産業疲労は、生体に対する労働負荷が大きすぎることにより引き起こされ、その回復や蓄積は日常生活ともかかわっている。なお、産業疲労の要因としては、仕事だけでなく日常生活や心理的要因もある。

（3）**正しい。**産業疲労の対策としては、作業の各局面で生じる疲労を後へ持ち越さないようにすることが大切である。

（4）**正しい。**近年の職場では、全身疲労のみならず、**局所疲労**が問題となっている。

（5）**誤り。**身体活動強度（METs：メッツ）は、身体活動の強さを**安静時**の何倍に相当するかを表す単位である。軽作業時との比較ではない。なお、座って安静にしている状態が1メッツ、普通に歩行している状態が3メッツである。

正答（5）

62 解説

（1）**正しい。**一般に、夜間に働いた後の昼間に眠る場合は、就寝から入眠までの時間が長くなるため、睡眠時間が短くなり、質も低下する。昼間は、外因性リズム（音や明るさなど）による妨害が多く、夜間と同じ睡眠環境を整えられないことや、夜間に働いた後の昼間に眠るという行動が**サーカディアン（概日）リズム**に反することが一因となっている。

（2）**正しい。**睡眠と食事は深く関係しているため、就寝直前の過食は、肥満のほか不眠を招くことになる。また、極度の空腹も不眠の原因となる。

（3）**正しい。**松果体から分泌される**メラトニン**は、夜間に分泌が上昇するホルモンで、**睡眠と覚醒のリズムの調節**に関与している。

（4）**正しい。**一般に、体内時計の周期は24～25時間だが、外界は24時間周期であるため約1時間のずれが生じる。このずれは、体内時計の周期が外界の周期に同調することによって修正される。なお、このずれを適切に同調させることができないために生じる睡眠障害を概日リズム睡眠障害という。

（5）**誤り。**基礎代謝量は、心臓の拍動や呼吸、体温保持などの生命活動を維持するために必要な最小限のエネルギー量で、**覚醒・横臥・安静時の測定値**で表される。睡眠中の測定値ではない。

正答（5）

★★★
63 **睡眠に関する次の記述のうち、誤っているものはどれか。**

□□

（1）入眠の直後にはノンレム睡眠が生じ、これが不十分な時には、日中に眠気を催しやすい。

（2）副交感神経系は、身体の機能を回復に向けて働く神経系で、休息や睡眠状態で活動が高まり、心拍数を減少し、消化管の運動を亢《こう》進する。

（3）睡眠と覚醒のリズムは、体内時計により約1日の周期に調節されており、体内時計の周期を外界の24時間周期に適切に同調させることができないために生じる睡眠の障害を、概日リズム睡眠障害という。

（4）睡眠と食事は深く関係しているため、就寝直前の過食は、肥満のほか不眠を招くことになる。

（5）脳下垂体から分泌されるセクレチンは、夜間に分泌が上昇するホルモンで、睡眠と覚醒のリズムの調節に関与している。

R5.4-44

★★★
64 **睡眠に関する次の記述のうち、誤っているものはどれか。**

□□

（1）睡眠と覚醒のリズムのように、約1日の周期で繰り返される生物学的リズムをサーカディアンリズムといい、このリズムの乱れは、疲労や睡眠障害の原因となる。

（2）睡眠は、睡眠中の目の動きなどによって、レム睡眠とノンレム睡眠に分類される。

（3）コルチゾールは、血糖値の調節などの働きをするホルモンで、通常、その分泌量は明け方から増加し始め、起床前後で最大となる。

（4）レム睡眠は、安らかな眠りで、この間に脳は休んだ状態になっている。

（5）メラトニンは、睡眠に関与しているホルモンである。

R3.10-44、R1.10-44、H31.4-44

63 解説

（1）**正しい。**入眠の直後には**ノンレム睡眠**（急速眼球運動を伴わない）が生じる。ノンレム睡眠は、安らかな眠りで、脳は休んだ状態になっている。これが不十分な時には、日中に眠気を催しやすい。

（2）**正しい。**副交感神経系は、**休息や睡眠状態で活動が高まる**。副交感神経系は、身体の機能を回復に向けて働く神経系で、**心拍数を減少**し、**消化管の運動を亢進**する。

（3）**正しい。**睡眠と覚醒のリズムは、体内時計により約1日の周期に調節されており、この生物学的リズムをサーカディアン（概日）リズムという。この体内時計の周期を外界の24時間周期に適切に同調させることができないために生じる睡眠の障害を、概日リズム睡眠障害という。

（4）**正しい。**睡眠と食事は深く関係しているため、就寝直前の過食は、肥満のほか不眠を招くことになる。また、極度の空腹も不眠の原因となる。

（5）**誤り。松果体**から分泌される**メラトニン**は、通常夜間に分泌が上昇するホルモンで、睡眠と覚醒のリズムの調節に関与している。なお、セクレチンは、十二指腸から分泌されるホルモンで、消化液分泌促進の働きがある。

正答（5）

64 解説

（1）**正しい。**約1日の周期で繰り返される生物学的リズムを**サーカディアン（概日）リズム**という。このリズムの乱れは、疲労や睡眠障害の原因となる。

（2）**正しい。**睡眠は、睡眠中の目の動きなどによって、**レム睡眠**（急速眼球運動を伴う）と**ノンレム睡眠**（急速眼球運動を伴わない）に分類される。

（3）**正しい。**副腎皮質から分泌されるコルチゾールは、血糖値の調節などに関与しているホルモンである。通常、その分泌量は**明け方から増加**し始め、**起床前後で最大**となる。

（4）**誤り。レム睡眠**は、眠っていても眼球が動いている（**急速眼球運動を伴う**）、眠りの浅い状態である。安らかな眠りで、脳は休んだ状態になっているのは、**ノンレム睡眠**である。

（5）**正しい。**松果体から分泌される**メラトニン**は、**睡眠と覚醒のリズムの調節**に関与しているホルモンである。通常、夜間に分泌が上昇する。

正答（4）

労働衛生

労働衛生では、環境が人体にもたらす悪影響や管理の方法等について出題されます。最初からすべてを覚えようとするのではなく、細かい部分はあとから覚えることにして、まずは太字部分を中心に学習しましょう。
試験では有害業務関連が10問、非有害業務関連が７問出題されます。
本書では有害業務関連の問題と非有害業務関連の問題を分けて掲載しています。

- ・問 65～128　有害業務関連の問題
- ・問129～176　非有害業務関連の問題

★★★
65 □□

化学物質とその常温・常圧 (25℃、１気圧) の空気中における状態との組合せとして、誤っているものは次のうちどれか。

ただし、「ガス」とは、常温・常圧で気体のものをいい、「蒸気」とは、常温・常圧で液体又は固体の物質が蒸気圧に応じて揮発又は昇華して気体となっているものをいうものとする。

（1）ホルムアルデヒド……………… ガス
（2）塩化ビニル……………………… ガス
（3）二硫化炭素……………………… 蒸気
（4）二酸化硫黄……………………… 蒸気
（5）アクリロニトリル……………… 蒸気

R2.10-13

★★★
66 □□

次の化学物質のうち、常温・常圧（25℃、１気圧）の空気中で蒸気として存在するものはどれか。

ただし、蒸気とは、常温・常圧で液体又は固体の物質が蒸気圧に応じて揮発又は昇華して気体となっているものをいうものとする。

（1）塩化ビニル
（2）ジクロロベンジジン
（3）アクリロニトリル
（4）エチレンオキシド
（5）二酸化マンガン

R5.4-12

65 解説

二酸化硫黄は、常温・常圧の空気中で**ガス**として存在する。

したがって、選択肢（4）が正答となる。

なお、（1）ホルムアルデヒド、（2）塩化ビニルは、常温・常圧の空気中で**ガス**として、（3）二硫化炭素、（5）アクリロニトリルは、常温・常圧の空気中で**蒸気**として存在する。

正答（4）

66 解説

アクリロニトリルは、常温・常圧の空気中で**蒸気**として存在する。

したがって、選択肢（3）が正答となる。

なお、（1）塩化ビニル、（4）エチレンオキシドは、常温・常圧の空気中で**ガス**として、（2）ジクロロベンジジン、（5）二酸化マンガンは、常温・常圧の空気中で**粉じん**として存在する。

正答（3）

キーワード 化学物質の分類

速 P.97

状態		性状
気体物質	ガス	常温・常圧で気体のもの
	蒸気	常温・常圧で液体または固体である物質が、蒸気圧に応じて揮発または昇華して気体となっているもの
粒子状物質	ミスト	**液体の微細な粒子**が空気中に浮遊しているもの
	粉じん	固体に研磨、切削、粉砕等の機械的な作用を加えて発生した**固体微粒子**で空気中に浮遊しているもの
	ヒューム	気体（たとえば金属の蒸気）が空気中で凝固、化学変化を起こし、固体の微粒子となって空気中に浮遊しているもの

★★★
67 □□

化学物質とその常温・常圧 (25℃、１気圧) での空気中における状態との組合せとして、誤っているものは次のうちどれか。
ただし、ガスとは、常温・常圧で気体のものをいい、蒸気とは、常温・常圧で液体又は固体の物質が蒸気圧に応じて揮発又は昇華して気体となっているものをいうものとする。

（1）アクリロニトリル ………………………… ガス
（2）アセトン ……………………………………… 蒸気
（3）アンモニア ………………………………… ガス
（4）ホルムアルデヒド ………………………… ガス
（5）硫酸ジメチル ……………………………… 蒸気

R5.10-11

★★★
68 □□

次の化学物質のうち、常温・常圧（25℃、１気圧）の空気中で蒸気として存在するものはどれか。
ただし、蒸気とは、常温・常圧で液体又は固体の物質が蒸気圧に応じて揮発又は昇華して気体となっているものをいうものとする。

（1）塩素
（2）ジクロロベンジジン
（3）アンモニア
（4）クロム酸
（5）アセトン

R2.4-12

★★★
69 □□

次の化学物質のうち、常温・常圧（25℃、１気圧）の空気中で蒸気として存在するものはどれか。
ただし、蒸気とは、常温・常圧で液体又は固体の物質が蒸気圧に応じて揮発又は昇華して気体となっているものをいうものとする。

（1）塩化ビニル
（2）ジクロロベンジジン
（3）アクリロニトリル
（4）硫化水素
（5）アンモニア

R4.10-11

67 解説

アクリロニトリルは、常温・常圧の空気中で**蒸気**として存在する。

したがって、選択肢（1）が正答となる。

なお、（2）アセトン、（5）硫酸ジメチルは、常温・常圧の空気中で**蒸気**として、（3）アンモニア、（4）ホルムアルデヒドは、常温・常圧の空気中で**ガス**として存在する。

正答（1）

68 解説

アセトンは常温・常圧の空気中で**蒸気**として存在する。

したがって、選択肢（5）が正答となる。

なお、（1）塩素、（3）アンモニアは、常温・常圧の空気中で**ガス**として、（2）ジクロロベンジジンは常温・常圧の空気中で**粉じん**として、（4）クロム酸は、常温・常圧の空気中で**ミスト**として存在する。

正答（5）

69 解説

アクリロニトリルは、常温・常圧の空気中で**蒸気**として存在する。

したがって、選択肢（3）が正答となる。

なお、（1）塩化ビニル、（4）硫化水素、（5）アンモニアは、常温・常圧の空気中で**ガス**として、（2）ジクロロベンジジンは常温・常圧の空気中で**粉じん**として存在する。

正答（3）

合格エッセンス 常温・常圧における有害物質

速 P.97

分　類	試験によく出る代表的物質
ガス	ホルムアルデヒド、塩素、**二酸化硫黄**、**アンモニア**、**塩化ビニル**、硫化水素
蒸気	二硫化炭素、水銀、硫酸ジメチル、**アセトン**、トリクロロエチレン（トリクロルエチレン）、ニッケルカルボニル、フェノール、**アクリロニトリル**
粉じん	**ジクロロベンジジン**（ジクロルベンジジン）、石綿

★★
70 **空気中の汚染物質の分類とその性状に関する次の記述のうち、誤っているものはどれか。**

□□

（1）空気中の汚染物質は、気体物質と粒子状物質に分類される。

（2）常温、常圧で液体又は固体である物質が、蒸気圧に応じて揮発又は昇華して気体となっているものを蒸気という。

（3）固体に研磨、切削、粉砕等の機械的な作用を加えて発生した固体微粒子で空気中に浮遊しているものを粉じん（ダスト）という。

（4）気体（例えば金属の蒸気）が空気中で凝固、化学変化を起こし、固体の微粒子となって空気中に浮遊しているものをヒュームという。

（5）ヒュームより微細な固体の粒子で空気中に浮遊しているものをミストという。

H24.4-11

★★★
71 **厚生労働省の「化学物質等による危険性又は有害性等の調査等に関する指針」において示されている、化学物質等による疾病に係るリスクを見積もる方法として不適切なものは次のうちどれか。**

ただし、発生可能性とは、化学物質等により労働者の健康障害を生ずるおそれの程度をいい、重篤度とは、健康障害の程度をいう。

□□

（1）発生可能性及び重篤度を相対的に尺度化し、それらを縦軸と横軸とし、あらかじめ発生可能性及び重篤度に応じてリスクが割り付けられた表を使用する方法

（2）発生可能性及び重篤度を一定の尺度によりそれぞれ数値化し、それらを加算又は乗算等する方法

（3）発生可能性及び重篤度を段階的に分岐していく方法

（4）化学物質等への労働者のばく露の程度及び当該化学物質等による有害性を相対的に尺度化し、それらを縦軸と横軸とし、あらかじめばく露の程度及び有害性の程度に応じてリスクが割り付けられた表を使用する方法

（5）化学物質等への労働者のばく露濃度を測定し、測定結果を厚生労働省の「作業環境評価基準」に示されている当該化学物質の管理濃度と比較する方法

R2.10-11 類、H30.10-11

70 解説

（1）**正しい。**空気中の汚染物質は、**気体物質**と**粒子状物質**に分類される。

（2）**正しい。**常温、常圧で**液体または固体**である物質が、**蒸気圧に応じて揮発または昇華して気体となっているもの**を**蒸気**という。なお、常温、常圧の空気中で蒸気として存在する物質にアセトンなどがある。

（3）**正しい。**固体に研磨、切削、粉砕等の機械的な作用を加えて発生した**固体微粒子で空気中に浮遊しているもの**を**粉じん（ダスト）**という。なお、常温、常圧の空気中で粉じんとして存在する物質にジクロロベンジジン（ジクロルベンジジン）などがある。

（4）**正しい。気体**（たとえば金属の蒸気）が**空気中で凝固、化学変化**を起こし、**固体の微粒子となって空気中に浮遊しているもの**を**ヒューム**という。なお、ヒュームの粒径は0.1～1 μm程度である。

（5）**誤り。液体の微細な粒子が空気中に浮遊しているもの**を**ミスト**という。固体の粒子ではない。なお、ミストの粒径は5～100 μm程度である。

正答（5）

71 解説

「化学物質等への労働者のばく露濃度を測定し、測定結果を厚生労働省の「作業環境評価基準」に示されている当該化学物質の管理濃度と比較する方法」は、「化学物質等による危険性又は有害性等の調査等に関する指針」において、化学物質等による疾病に係るリスクを見積もる方法として示されていない。

したがって、選択肢（5）が正答となる。

なお、管理濃度は、有害物質に関する**作業環境の状態**を単位作業場所の作業環境測定結果から**評価するための指標**であり、労働者のばく露濃度と比較することはできない。

正答（5）

★★★
72 □□ **厚生労働省の「化学物質等による危険性又は有害性等の調査等に関する指針」において示されている化学物質等による健康障害に係るリスクを見積もる方法として、適切でないものは次のうちどれか。**

（1）発生可能性及び重篤度を相対的に尺度化し、それらを縦軸と横軸として、あらかじめ発生可能性及び重篤度に応じてリスクが割り付けられた表を使用する方法
（2）取り扱う化学物質等の年間の取扱量及び作業時間を一定の尺度によりそれぞれ数値化し、それらを加算又は乗算等する方法
（3）発生可能性及び重篤度を段階的に分岐していく方法
（4）ILOの化学物質リスク簡易評価法（コントロール・バンディング）を用いる方法
（5）対象の化学物質等への労働者のばく露の程度及び当該化学物質等による有害性を相対的に尺度化し、それらを縦軸と横軸とし、あらかじめばく露の程度及び有害性の程度に応じてリスクが割り付けられた表を使用する方法

R4.10-12、R3.10-15 類

★★
73 □□ **化学物質等による疾病のリスクの低減措置を検討する場合、次のアからエの対策について、優先度の高い順に並べたものは（1）～（5）のうちどれか。**

ア　化学反応のプロセス等の運転条件の変更
イ　作業手順の改善
ウ　化学物質等に係る機械設備等の密閉化
エ　化学物質等の有害性に応じた有効な保護具の使用

（1）ア － ウ － イ － エ
（2）ア － エ － ウ － イ
（3）イ － ア － ウ － エ
（4）ウ － ア － イ － エ
（5）ウ － ア － エ － イ

R4.4-11

72 解説

「取り扱う化学物質等の年間の取扱量及び作業時間を一定の尺度によりそれぞれ数値化し、それらを加算又は乗算等する方法」は、「化学物質等による危険性又は有害性等の調査等に関する指針」において、化学物質等による健康障害に係るリスクを見積もる方法として示されていない。

したがって、選択肢（2）が正答となる。

正答（2）

73 解説

化学物質等による疾病のリスクの低減措置を検討する際の対策は、次の優先順位で行う。

① 危険性または有害性のより低い物質への代替等、**化学反応のプロセス等の運転条件の変更**等（ア）

② 化学物質等に係る**機械設備等の密閉化**（ウ）、局所排気装置の設置等の**衛生工学的対策**

③ **作業手順の改善**（イ）、立入禁止措置等の管理的対策

④ 化学物質等の有害性に応じた**有効な保護具の使用**（エ）

したがって、選択肢（1）が正答となる。

正答（1）

合格エッセンス　リスク低減措置の検討および実施

リスク低減措置は、以下に掲げる優先順位で検討および実施する。　速 P.100

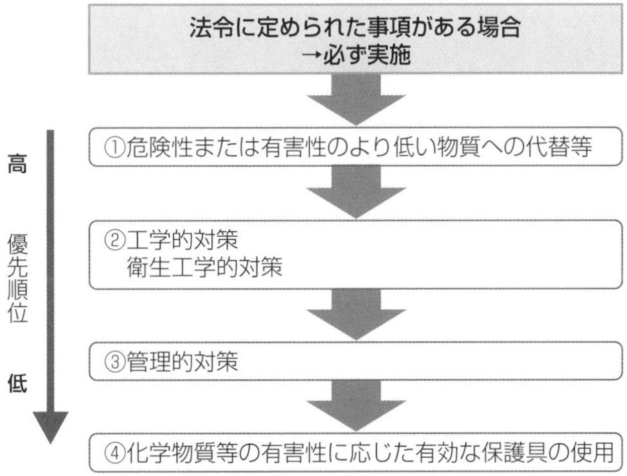

★★

74 厚生労働省の「化学物質等による危険性又は有害性等の調査等に関する指針」に関する次の記述のうち、誤っているものはどれか。

□□

（1）リスクアセスメントの基本的手順のうち最初に実施するのは、労働者の就業に係る化学物質等による危険性又は有害性を特定することである。

（2）ハザードは、労働災害発生の可能性と負傷又は疾病の重大性（重篤度）の組合せであると定義される。

（3）化学物質等による疾病のリスク低減措置の検討では、化学物質等の有害性に応じた有効な保護具の使用よりも局所排気装置の設置等の衛生工学的対策を優先する。

（4）化学物質等による疾病のリスク低減措置の検討では、法令に定められた事項を除けば、危険性又は有害性のより低い物質への代替等を最優先する。

（5）新たに化学物質等の譲渡又は提供を受ける場合には、その化学物質等を譲渡し、又は提供する者から、その化学物質等のSDS（安全データシート）を入手する。

R2.4-15、H29.4-20 類

74 解説

「化学物質等による危険性又は有害性等の調査等に関する指針」では、以下のように示されている。

（1）**正しい。**リスクアセスメントの基本的手順のうち最初に実施するのは、労働者の就業に係る**化学物質等による危険性または有害性を特定**することである。なお、リスクアセスメントは、次の手順で行う。

① 労働者の就業に係る危険性または有害性の特定
② 特定された危険性または有害性ごとのリスクの見積り
③ 見積りに基づくリスクを低減するための優先度の設定およびリスク低減措置の内容の検討
④ 優先度に対応したリスク低減措置の実施

（2）**誤り。**ハザードは、**労働者の就業に係る危険性または有害性**と定義される。労働災害発生の可能性と負傷または疾病の重大性（重篤度）の組合せではない。たとえば作業場にある引火性の物が、ハザード（危険性）である。

（3）**正しい。**化学物質等による疾病のリスク低減措置の検討では、化学物質等の有害性に応じた有効な**保護具の使用よりも**局所排気装置の設置等の**衛生工学的対策を優先**する。

（4）**正しい。**化学物質等による疾病のリスク低減措置の検討では、法令に定められた事項を除けば、**危険性または有害性のより低い物質への代替等を最優先**する。

（5）**正しい。**新たに化学物質等の譲渡または提供を受ける場合には、その化学物質等を譲渡し、または提供する者から、その化学物質等のSDS（安全データシート）を入手する。

正答（2）

2. 化学的要因と疾病　速 第3章 LESSON 3

★★
75 粉じんによる健康障害に関する次の記述のうち、誤っているものはどれか。

□□

（1）じん肺は、粉じんを吸入することによって肺に生じた線維増殖性変化を主体とする疾病である。

（2）じん肺の自覚症状は、初期にはあまりみられないが、進行すると咳《せき》、痰《たん》、呼吸困難などがみられる。

（3）じん肺の合併症には、間質性肺炎、慢性閉塞性肺疾患（COPD）などがある。

（4）石綿粉じんは、肺がん、胸膜中皮腫などの重篤な疾病を起こすおそれがある。

（5）米杉、ラワンなどの木材粉じんは、ぜんそくを起こすことがある。

R2.10-14

★★★
76 金属などによる健康障害に関する次の記述のうち、誤っているものはどれか。

□□

（1）ベリリウム中毒では、接触皮膚炎、肺炎などの症状がみられる。

（2）マンガン中毒では、歩行障害、発語障害、筋緊張亢《こう》進などの症状がみられる。

（3）クロム中毒では、低分子蛋《たん》白尿、歯への黄色の色素沈着、視野狭窄《さく》などの症状がみられる。

（4）カドミウム中毒では、上気道炎、肺炎、腎機能障害などがみられる。

（5）金属水銀中毒では、感情不安定、幻覚などの精神障害、手指の震えなどの症状がみられる。

R5.10-16

75 解説

（1）**正しい。**じん肺は、ある種の粉じんを吸入することで肺に生じる**線維増殖性変化**（肺の組織が線維化すること）を主体とする疾病である。

（2）**正しい。**じん肺の自覚症状は、初期にはあまりみられない。また、じん肺は、ある程度進行すると、粉じんへのばく露を中止しても肺に生じた病変は治らず、さらに進行することがある。

（3）**誤り。**じん肺の合併症には、**続発性気管支炎**、**肺結核**のほか、続発性気胸、**原発性肺がん**などがある。なお、間質性肺炎は、肺の間質（肺胞を除いた肺を支える役割を担っている部分）を中心に炎症を起こすもので、原因は特定されていない。また、慢性閉塞性肺疾患（COPD）は、肺の炎症性疾患で、タバコ煙を主とする有害物質を長期に吸入曝露することで生じる。

（4）**正しい。**石綿粉じんは、**肺がん**、**胸膜中皮腫**などの重篤な疾病を起こすおそれがある。中皮腫は低濃度の石綿ばく露によっても発症することがあり、腹膜にも生じることがある。

（5）**正しい。**米杉、ラワンなどの木材粉じんは、労働者の体質によっては、ぜんそくを起こすことがある。

正答（3）

76 解説

（1）**正しい。**ベリリウムによる中毒では、気管支ぜんそく、**肺炎**、**接触皮膚炎**などのほか、肺肉芽腫がみられることがある。

（2）**正しい。**マンガン中毒では、筋のこわばり、ふるえ、歩行困難（歩行障害）、発語障害、筋緊張亢進などの症状がみられる。

（3）**誤り。**クロム中毒では、**鼻中隔穿孔**、**皮膚障害**、肺がん、上気道がんなどがみられる。低分子蛋白尿、歯への黄色の色素沈着、視野狭窄などの症状はみられない。

（4）**正しい。**カドミウム中毒では、**上気道炎**、**肺炎**、**腎障害**などの症状・障害がみられる。なお、肺炎や上気道炎は急性中毒、腎障害は慢性中毒である。

（5）**正しい。**金属水銀中毒の慢性ばく露では、感情不安定、幻覚などの精神障害、手指のふるえなどの症状がみられる。

正答（3）

★★★
77 **金属などによる健康障害に関する次の記述のうち、誤っているものはどれか。**

（1）金属水銀中毒では、感情不安定、幻覚などの精神障害、手指の震えなどの症状がみられる。

（2）鉛中毒では、貧血、末梢《しょう》神経障害、腹部の疝《せん》痛などの症状がみられる。

（3）マンガン中毒では、指の骨の溶解、肝臓の血管肉腫などがみられる。

（4）カドミウム中毒では、上気道炎、肺炎、腎障害などがみられる。

（5）砒《ひ》素中毒では、角化症、黒皮症などの皮膚障害、鼻中隔穿《せん》孔などの症状がみられる。

R4.10-18、H30.4-14 類

★★
78 **一酸化炭素に関する次の記述のうち、誤っているものはどれか。**

（1）一酸化炭素は、無色・無臭の気体であるため、吸入しても気が付かないことが多い。

（2）一酸化炭素は、エンジンの排気ガス、たばこの煙などに含まれる。

（3）一酸化炭素中毒は、血液中のグロブリンと一酸化炭素が強く結合し、体内の各組織が酸素欠乏状態を起こすことにより発生する。

（4）一酸化炭素は、炭素を含有する物が不完全燃焼した際に発生する。

（5）一酸化炭素中毒の後遺症として、健忘やパーキンソン症状がみられることがある。

R4.4-13

77 解説

（1）**正しい。**金属水銀中毒の慢性ばく露では、感情不安定、幻覚などの**精神障害、手指のふるえ**などの症状がみられる。

（2）**正しい。**鉛中毒では、**貧血、末梢神経障害、腹部の疝痛**などの症状がみられる。

（3）**誤り。**マンガン中毒では、**筋のこわばり、ふるえ、歩行困難**などパーキンソン病に似た症状がみられる。指の骨の溶解、肝臓の血管肉腫などはみられない。

（4）**正しい。**カドミウム中毒では、**上気道炎、肺炎、腎障害**などの症状・障害がみられる。

（5）**正しい。**砒素中毒では、角化症（手や足の裏の肥厚）、黒皮症（皮膚が黒くなる）などの**皮膚障害、鼻中隔穿孔**などの症状がみられる。

正答（3）

78 解説

（1）**正しい。**一酸化炭素は、**無色・無臭・無刺激**の気体であるため、**吸入しても気がつかない**ことが多い。

（2）**正しい。**一酸化炭素は、エンジンの排気ガスやたばこの煙などに含まれている。

（3）**誤り。**一酸化炭素中毒は、血液中の**ヘモグロビン**と一酸化炭素が強く結合することで、酸素運搬能力を低下させ、体内の各組織が酸素欠乏状態を起こすことにより発生する。グロブリンではない。

（4）**正しい。**一酸化炭素は、炭素を含有する物が不完全燃焼することによっても発生する。

（5）**正しい。**一酸化炭素中毒の後遺症として、**健忘（物忘れ）**や**パーキンソン症状（歩行障害など）**がみられることがある。

正答（3）

合格エッセンス 試験によく出る金属による疾病まとめ

速 P.112

金 属	特 徴	主な症状
鉛	骨に蓄積	貧血・伸筋麻痺、末梢神経障害・腹部疝痛など
金属水銀	脳に障害	手指のふるえ・精神障害など
カドミウム	気道から吸収、腎臓肝臓に蓄積	急性：上気道炎・肺炎 慢性：肺気腫・腎障害など
マンガン	脳に沈着	筋のこわばり・ふるえ・歩行障害など
砒素（ヒ素）	口・気道から吸収	黒皮症・角化症・鼻中隔穿孔・皮膚がん・肺がんなど

★★★
79 化学物質による健康障害に関する次の記述のうち、誤っているものはどれか。

□□

（1）二酸化窒素による中毒では、末梢《しょう》神経障害などがみられる。

（2）シアン化水素による中毒では、細胞内での酸素利用の障害による呼吸困難、けいれんなどがみられる。

（3）硫化水素による中毒では、意識消失、呼吸麻痺《ひ》などがみられる。

（4）二酸化硫黄による慢性中毒では、慢性気管支炎、歯牙酸蝕《しょく》症などがみられる。

（5）弗《ふっ》化水素による慢性中毒では、骨の硬化、斑状歯などがみられる。

R1.10-17

★★★
80 有害化学物質に関する次の文中の［　　］内に入れるA及びBの語句の組合せとして、正しいものは（1）～（5）のうちどれか。

□□

「消毒や漂白などに用いられる次亜塩素酸塩溶液と、洗浄や水処理などに用いられる［ A ］溶液が混触すると、人体に有害な［ B ］ガスが発生し、中毒を起こすことがある。」

	A	B
（1）	アルカリ性	塩化ビニル
（2）	酸性	塩素
（3）	アルカリ性	塩化水素
（4）	酸性	塩化ビニル
（5）	アルカリ性	塩素

H28.4-13、H26.10-13 類

79 解説

（1）**誤り。**二酸化窒素による中毒では、急性中毒では、**粘膜刺激症状**が、慢性中毒では、**歯《し》牙《が》酸《さん》蝕《しょく》症《しょう》**、**慢性気管支炎**、**胃腸障害**がみられる。末梢神経障害などはみられない。

（2）**正しい。**シアン化水素による中毒では、細胞内での酸素利用の障害による**呼吸困難**、**けいれん**などがみられる。なお、シアン化水素はアーモンド臭のある無色の気体である。

（3）**正しい。**硫化水素による中毒では、**意識消失**、**呼吸麻痺**などがみられる。なお、硫化水素は、腐卵臭の気体である。

（4）**正しい。**二酸化硫黄による慢性中毒では、**慢性気管支炎**、**歯牙酸蝕症**などがみられる。なお、急性中毒では、咳、眼の痛み、呼吸困難がみられる。

（5）**正しい。**弗化水素による慢性中毒では、**骨の硬化**、**斑状歯**などがみられる。

正答（1）

80 解説

消毒や漂白などに用いられる次亜塩素酸塩溶液と、洗浄や水処理などに用いられる［A **酸性**］溶液が混触すると、人体に有害な［B **塩素**］ガスが発生し、中毒を起こすことがある。

したがって、選択肢（2）が正答となる。

正答（2）

合格エッセンス　主なガスによる疾病まとめ　速 P.113

〔窒息性ガス〕

ガス	特徴	症状
一酸化炭素	●無色・無臭の気体（気づかない） ●血液中の**ヘモグロビン**と強く結合	●酸素欠乏状態による息切れ、頭痛などから始まり、虚脱や意識混濁がみられる ●濃度や吸入時間によっては死亡に至る ●後遺症として、健忘やパーキンソン症状
シアン化水素（青酸）	●アーモンド臭のある無色の気体	●細胞内の酸素の利用の障害による呼吸困難や痙攣《けいれん》など

〔刺激性ガス〕

ガス	症状
弗化水素	慢性中毒：骨の硬化、斑状歯など
二酸化硫黄	慢性中毒：慢性気管支炎、歯牙酸蝕症など

★

81 **有機溶剤に関する次の記述のうち、正しいものはどれか。**

□□

（1）有機溶剤の多くは、揮発性が高く、その蒸気は空気より軽い。

（2）有機溶剤は、全て脂溶性を有するが、脳などの神経系には入りにくい。

（3）メタノールによる障害として顕著なものには、網膜の微細動脈瘤《りゅう》を伴う脳血管障害がある。

（4）テトラクロロエチレンのばく露の生物学的モニタリングの指標としての尿中代謝物には、トリクロロ酢酸がある。

（5）二硫化炭素による中毒では、メトヘモグロビン形成によるチアノーゼがみられる。

R4.4-14

★★★

82 **有機溶剤に関する次の記述のうち、正しいものはどれか。**

□□

（1）有機溶剤は、水溶性と脂溶性を共に有し、その蒸気は空気より軽い。

（2）有機溶剤は、揮発性が高いため呼吸器から吸収されやすいが、皮膚から吸収されることはない。

（3）ノルマルヘキサンのばく露の生物学的モニタリングの指標としての尿中代謝物は、2,5 - ヘキサンジオンである。

（4）メタノールによる健康障害として顕著なものは、網膜細動脈瘤《りゅう》を伴う脳血管障害である。

（5）二硫化炭素による中毒では、メトヘモグロビン形成によるチアノーゼがみられる。

R2.4-14

81 解説

（1）**誤り。**有機溶剤は、その蒸気は一般的に**空気より重い**。空気より軽いのではない。なお、有機溶剤の多くは、**揮発性が高い**とする点は、正しい。

（2）**誤り。**有機溶剤は、**全て脂溶性を有しており**、脂溶性が大きいほど**脂肪の多い脳などに入りやすい**。

（3）**誤り。**メタノールによる障害として顕著なものは、**視神経障害**である。網膜細動脈瘤を伴う脳血管障害ではない。

（4）**正しい。**テトラクロロエチレンのばく露の生物学的モニタリングの指標としての尿中代謝物には、トリクロロ酢酸がある。

（5）**誤り。**二硫化炭素による中毒では、**精神障害**を起こすことがある。また、微細動脈瘤を伴う脳卒中や虚血性疾患のリスクが高くなる。

正答（4）

82 解説

（1）**誤り。**有機溶剤は、水溶性と脂溶性をともに有し、その蒸気は一般的に空気より**重い**。空気より軽いのではない。

（2）**誤り。**有機溶剤は、**皮膚から吸収されることもある**。なお、揮発性が高いため呼吸器から吸収されやすいとする点は、正しい。

（3）**正しい。**ノルマルヘキサンのばく露の生物学的モニタリングの指標としての尿中代謝物は、2, 5 - ヘキサンジオンである。

（4）**誤り。**メタノールによる健康障害として顕著なものは、視力低下、視野狭窄などの**視神経障害**である。網膜細動脈瘤を伴う脳血管障害ではない。

（5）**誤り。**二硫化炭素による中毒では、**精神障害**を起こすことがある。メトヘモグロビン形成によるチアノーゼがみられるのではない。

正答（3）

チェック！ ここが狙われる 有機溶剤の一般的な特徴

速 P.114

脂溶性がある	⇒	（脂肪の多い）脳に入りやすい
引火性がある	⇒	すべての有機溶剤に引火性があるのではない。ハロゲン化炭化水素のように難燃性のものもある
揮発性がある	⇒	呼吸器や皮膚から吸収される
蒸気は空気より重い	⇒	地下室などにたまりやすい

★★★
83 有機溶剤の人体に対する影響に関する次の記述のうち、誤っているものはどれか。

□□

（1）脂溶性であり、脂肪の多い脳などに入りやすい。

（2）呼吸器の中毒の症状には、咳《せき》、上気道の炎症などがある。

（3）低濃度の繰り返しばく露による慢性中毒では、頭痛、めまい、記憶力減退、不眠などの不定愁訴がみられる。

（4）皮膚及び粘膜に対する刺激による黒皮症、鼻中隔穿《せん》孔などがみられる。

（5）肝障害や腎障害を起こすものがある。

H29.10-15

★★★
84 有機溶剤に関する次の記述のうち、誤っているものはどれか。

□□

（1）有機溶剤は、呼吸器から吸収されやすいが、皮膚から吸収されるものもある。

（2）メタノールによる障害として顕著なものは、網膜細動脈瘤《りゅう》を伴う脳血管障害である。

（3）キシレンのばく露の生物学的モニタリングの指標としての尿中代謝物は、メチル馬尿酸である。

（4）有機溶剤による皮膚又は粘膜の症状としては、皮膚の角化、結膜炎などがある。

（5）低濃度の有機溶剤の繰り返しばく露では、頭痛、めまい、物忘れ、不眠などの不定愁訴がみられる。

R3.4-13

83 解説

（1）**正しい。脂溶性**があり、脂溶性が大きいほど脂肪の多い**脳などに入りやすい**。

（2）**正しい。**呼吸器の中毒の症状には、**咳、上気道の炎症**などがある。

（3）**正しい。**低濃度の繰り返しばく露による慢性中毒では、**頭痛、めまい、記憶力減退**（物忘れ）、**不眠**などの不《ふ》定《てい》愁《しゅう》訴《そ》がみられる。なお、不定愁訴とは、原因が特定できない体の不調をいう。

（4）**誤り。**有機溶剤による人体への影響で、黒皮症や鼻中隔穿孔はみられない。なお、皮膚や粘膜の症状には、**結膜炎**や**皮膚の角化**、亀裂、湿疹などがある。

（5）**正しい。肝障害**や**腎障害**を起こすものがある。

正答（4）

84 解説

（1）**正しい。**有機溶剤の蒸気は、呼吸器から吸収されやすく、また、皮膚からも吸収される場合がある。

（2）**誤り。**メタノールによる障害として顕著なものは、**視神経障害**である。網膜細動脈瘤を伴う脳血管障害ではない。

（3）**正しい。キシレン**のばく露の生物学的モニタリングの指標としての尿中代謝物は、**メチル馬尿酸**である。

（4）**正しい。**有機溶剤による皮膚や粘膜の症状には、**皮膚の角化**、亀裂、湿疹や**結膜炎**などがある。

（5）**正しい。**低濃度の有機溶剤の繰り返しばく露では、**頭痛、めまい、記憶力減退**（物忘れ）、**不眠**などの**不定愁訴**がみられる。

正答（2）

合格エッセンス　有機溶剤による疾病まとめ

速 P.114

共通症状	●低濃度の繰り返しばく露によるめまい、物忘れ、不眠などの不定愁訴 ●皮膚の角化、亀裂、湿疹、結膜炎

有機溶剤（試験によく出る物質）	主な症状
二硫化炭素	精神障害など
メタノール、酢酸メチル	視神経障害（視力低下など）、生殖毒性
ベンゼン	**白血病、再生不良性貧血**
ノルマルヘキサン	末梢神経障害（多発性神経炎）

★★★

85 **化学物質による健康障害に関する次の記述のうち、正しいものはどれか。**

□□

（1）塩素による中毒では、再生不良性貧血、溶血などの造血機能の障害がみられる。

（2）シアン化水素による中毒では、細胞内の酸素の利用の障害による呼吸困難、けいれんなどがみられる。

（3）弗《ふっ》化水素による中毒では、脳神経細胞が侵され、幻覚、錯乱などの精神障害がみられる。

（4）酢酸メチルによる慢性中毒では、微細動脈瘤《りゅう》を伴う脳卒中などがみられる。

（5）二酸化窒素による慢性中毒では、骨の硬化、斑状歯などがみられる。

R5.4-17

★★★

86 **化学物質による健康障害に関する次の記述のうち、誤っているものはどれか。**

□□

（1）一酸化炭素は、赤血球中のヘモグロビンと強く結合し、体内組織の酸素欠乏状態を起こす。

（2）シアン化水素による中毒では、細胞内での酸素利用の障害による呼吸困難、けいれんなどがみられる。

（3）硫化水素による中毒では、意識消失、呼吸麻痺《ひ》などがみられる。

（4）塩化ビニルによる慢性中毒では、慢性気管支炎、歯牙酸蝕《しょく》症などがみられる。

（5）弗《ふっ》化水素による慢性中毒では、骨の硬化、斑状歯などがみられる。

R4.10-16

85 解説

（1）**誤り。**塩素による中毒では、粘膜や呼吸器が刺激され、**気管支炎、肺水腫**などがみられる。再生不良性貧血、溶血はみられない。なお、塩素は、漂白剤、消毒剤などに使用される。

（2）**正しい。**シアン化水素による中毒では、細胞内での酸素利用の障害による**呼吸困難**、**痙攣**などがみられる。なお、シアン化水素はアーモンド臭のある無色の気体である。

（3）**誤り。**弗化水素による慢性中毒では、**骨の硬化**、**斑状歯**などがみられる。幻覚、錯乱などの精神障害がみられるのではない。

（4）**誤り。**酢酸メチルによる中毒では、**視力低下、視野狭窄**などの視神経障害がみられる。微細動脈瘤を伴う脳卒中などがみられるのではない。

（5）**誤り。**二酸化窒素による中毒では、急性中毒では、**粘膜刺激症状**が、慢性中毒では、**歯牙酸蝕症、慢性気管支炎、胃腸障害**がみられる。骨の硬化、斑状歯などがみられるのではない。

正答（2）

86 解説

（1）**正しい。**一酸化炭素は、赤血球中の**ヘモグロビンに強く結合**し、体内組織の**酸素欠乏状態**を起こす。そのため、一酸化炭素による中毒では、息切れ、頭痛、虚脱、意識混濁などがみられる。

（2）**正しい。**シアン化水素による中毒では、細胞内での酸素利用の障害による**呼吸困難、けいれん**などがみられる。なお、シアン化水素はアーモンド臭のある無色の気体である。

（3）**正しい。**硫化水素による中毒では、**意識消失**、**呼吸麻痺**などがみられる。なお、硫化水素は、腐卵臭の気体である。

（4）**誤り。**塩化ビニルの低濃度・長時間ばく露による中毒では、**レイノー症状、指の骨の融解、皮膚の硬化、肝障害**などがみられる。慢性気管支炎、歯牙酸蝕症などがみられるのではない。

（5）**正しい。**弗化水素による慢性中毒では、**骨の硬化、斑状歯**などがみられる。

正答（4）

★★★
87 **化学物質による健康障害に関する次の記述のうち、誤っているものはどれか。**

□□

（1）無機水銀による健康障害では、腎障害などがみられる。

（2）ノルマルヘキサンによる健康障害では、末梢《しょう》神経障害などがみられる。

（3）*N*, *N*-ジメチルホルムアミドによる健康障害では、頭痛、肝機能障害などがみられる。

（4）弗《ふっ》化水素による中毒では、脳神経細胞が侵され、幻覚、錯乱などの精神障害などがみられる。

（5）ベンゼンによる健康障害では、長期間のばく露によって造血器障害が現れ、再生不良性貧血を生じる。

H31.4-17

★★★
88 **化学物質と、それにより発症するおそれのある主たるがんとの組合せとして、正しいものは次のうちどれか。**

□□

（1）塩化ビニル ……………………………… 肝血管肉腫

（2）ベンジジン ……………………………… 皮膚がん

（3）ビス（クロロメチル）エーテル ……… 膀胱《ぼうこう》がん

（4）クロム酸 ………………………………… 大腸がん

（5）石綿 ……………………………………… 胃がん

H30.10-13

87 解説

（1）**正しい。**無機水銀による健康障害では、腎障害などがみられる。腎障害により血尿、たんぱく尿などが発症する。

（2）**正しい。**ノルマルヘキサンによる健康障害では、末梢神経障害（多発性神経炎）などがみられる。

（3）**正しい。***N*, *N*-ジメチルホルムアミドによる健康障害（長期間ばく露）では、**頭痛、めまい、消化不良、肝機能障害**などがみられる。

（4）**誤り。**弗化水素による健康障害では、眼や鼻、気道が刺激され、**気管支炎**や**肺水腫**などを起こし、**慢性中毒**では、**骨の硬化、斑状歯**などがみられる。脳神経細胞が侵されるのではない。また、幻覚、錯乱などの精神障害などがみられるのではない。

（5）**正しい。**ベンゼンによる健康障害では、長期間ばく露によって造血器障害が現れ、**再生不良性貧血、白血病**などがみられる。

正答（4）

88 解説

（1）**正しい。塩化ビニル**により発症するおそれのある主たるがんは、**肝血管肉腫**である。

（2）**誤り。ベンジジン**により発症するおそれのある主たるがんは、**膀胱がん**である。

（3）**誤り。ビス（クロロメチル）エーテル**により発症するおそれのある主たるがんは、**肺がん**である。

（4）**誤り。クロム酸**により発症するおそれのある主たるがんは、**肺がん**である。

（5）**誤り。石綿**により発症するおそれのある主たるがんは、**肺がん、胸膜中皮腫**である。

正答（1）

★★★

89 化学物質と、それにより発症するおそれのある主たるがんとの組合せとして、

□□ 正しいものは次のうちどれか。

（1）塩化ビニル ……………………………… 肝血管肉腫

（2）ベンジジン ……………………………… 胃がん

（3）ベータ - ナフチルアミン …………… 肺がん

（4）コールタール ………………………… 白血病

（5）クロム酸 ………………………………… 皮膚がん

H31.4-18

★★★

90 化学物質と、それにより発症するおそれのある主たるがんとの組合せとして、

□□ 正しいものは次のうちどれか。

（1）ベンゼン ………………………………… 白血病

（2）ベンジジン ……………………………… 胃がん

（3）ベンゾトリクロリド ………………… 膀胱《ぼうこう》がん

（4）コールタール ………………………… 肝血管肉腫

（5）石綿 ……………………………………… 皮膚がん

R2.4-13

89 解説

（1）正しい。**塩化ビニル**により発症するおそれのある主たるがんは、**肝血管肉腫**である。

（2）誤り。**ベンジジン**により発症するおそれのある主たるがんは、**膀胱がん**である。

（3）誤り。**ベータ - ナフチルアミン**により発症するおそれのある主たるがんは、**膀胱がん**である。

（4）誤り。**コールタール**により発症するおそれのある主たるがんは、**肺がん、皮膚がん**である。

（5）誤り。**クロム酸**により発症するおそれのある主たるがんは、**肺がん**である。

正答（1）

90 解説

（1）正しい。**ベンゼン**により発症するおそれのある主たるがんは、**白血病**である。

（2）誤り。**ベンジジン**により発症するおそれのある主たるがんは、**膀胱がん**である。

（3）誤り。ベンゾトリクロリドにより発症するおそれのある主たるがんは、肺がん、鼻腔がんである。

（4）誤り。**コールタール**により発症するおそれのある主たるがんは、**肺がん、皮膚がん**である。

（5）誤り。**石綿**により発症するおそれのある主たるがんは、**肺がん、胸膜中皮腫**である。

正答（1）

合格エッセンス　職業がんの原因となる物質

速 P.115

原　因	主たるがん
ベンジジン	**膀胱がん**
ベンゼン	**白血病**
塩化ビニル（塩化ビニルモノマー）	**肝血管肉腫**
ビス（クロロメチル）エーテル	肺がん
クロム酸、重クロム酸	肺がん
石綿	肺がん、胸膜中皮腫
コールタール	肺がん、皮膚がん

3. 物理的要因と疾病　速 第3章 LESSON 4

★★★
91 作業環境における騒音及びそれによる健康障害に関する次の記述のうち、誤っているものはどれか。
□□

（1）騒音レベルの大きさはdBで表示する。
（2）騒音性難聴は、感音性の難聴で、耳鳴りを伴うことが多い。
（3）騒音は、自律神経系や内分泌系へも影響を与える。
（4）騒音性難聴は、騒音により中耳の有毛細胞が変性することにより生じる。
（5）等価騒音レベルは、時間的に変動する騒音レベルのエネルギー的な平均値を表す量で、変動する騒音に対する人間の生理・心理的反応とよく対応している。

H30.10-16 改題

★★★
92 作業環境における騒音及びそれによる健康障害に関する次の記述のうち、誤っているものはどれか。
□□

（1）音圧レベルは、その音圧と、通常、人間が聴くことができる最も小さな音圧（20 μPa）との比の常用対数を20倍して求められ、その単位はデシベル（dB）で表される。
（2）等価騒音レベルは、単位時間（1分間）における音圧レベルを10秒間ごとに平均化した幾何平均値で、変動する騒音レベルの平均値として表した値である。
（3）騒音レベルの測定は、通常、騒音計の周波数重み付け特性Aで行う。
（4）騒音性難聴の初期に認められる4,000Hz付近を中心とする聴力低下の型をc^5dipという。
（5）騒音は、自律神経系や内分泌系へも影響を与え、交感神経の活動の亢《こう》進や副腎皮質ホルモンの分泌の増加が認められることがある。

R3.10-16

91 解説

（1）**正しい。**騒音レベルの大きさは dB で表示する。

（2）**正しい。**騒音性難聴は、感音性の難聴で、**耳鳴りを伴う**ことが多い。**初期**には、会話音域（500Hz から 2,000Hz 程度）の聴力に影響はないため、**自覚しづらい。**

（3）**正しい。**騒音は、**自律神経系**や**内分泌系**へも影響を与える。いわゆるストレス反応（**交感神経の活動の亢進《こうしん》**や**副腎皮質ホルモンの分泌の増加**など）を起こすことがある。

（4）**誤り。**騒音性難聴は、騒音により**内耳にある蝸牛**の**有毛細胞**が変性することにより生じる。中耳ではない。

（5）**正しい。**等価騒音レベルは、時間的に変動する騒音レベルの**エネルギー的な平均値**を表す量である。変動する騒音に対する人間の生理・心理的反応とよく対応している。

正答（4）

92 解説

（1）**正しい。**音の大きさを表す音圧レベルの単位はデシベル（dB）で表される。通常、その音圧と人間が聴くことができる最も小さな音圧（20 μPa）との比の常用対数を 20 倍して求められる。

（2）**誤り。**等価騒音レベルは、時間的に変動する騒音レベルの**エネルギー的な平均値**を表す量である。単位時間（1 分間）における音圧レベルを 10 秒間ごとに平均化した幾何平均値ではない。

（3）**正しい。**騒音レベルの測定は、通常、騒音計の周波数重み付け特性 A で行う。

（4）**正しい。**騒音性難聴の初期に認められる **4,000Hz 付近**を中心とする聴力低下の型を c^5dip という。

（5）**正しい。**騒音は、**自律神経系**や**内分泌系**へも影響を与える。いわゆるストレス反応（**交感神経の活動の亢進**や**副腎皮質ホルモンの分泌の増加**など）を起こすことがある。

正答（2）

合格エッセンス　騒音による主な疾病

速 P.120

ストレス	•交感神経の活動の**亢進**、副腎皮質ホルモンの分泌の**増加**
騒音性難聴	•内耳にある聴覚器官（蝸牛）の**有毛細胞**の変性が原因 •初期には気づきにくい

★★★

93 **作業環境における騒音及びそれによる健康障害に関する次の記述のうち、誤っているものはどれか。**

□□

（1）騒音レベルの測定は、通常、騒音計の周波数重み付け特性Aで行い、その大きさはdBで表す。

（2）騒音性難聴は、初期には気付かないことが多く、また、不可逆的な難聴であるという特徴がある。

（3）騒音は、自律神経系や内分泌系へも影響を与えるため、騒音ばく露により、交感神経の活動の亢《こう》進や副腎皮質ホルモンの分泌の増加が認められることがある。

（4）騒音性難聴では、通常、会話音域より高い音域から聴力低下が始まる。

（5）等価騒音レベルは、中心周波数500Hz、1,000Hz、2,000Hz及び4,000Hzの各オクターブバンドの騒音レベルの平均値で、変動する騒音に対する人間の生理・心理的反応とよく対応する。

R5.10-15

93 解説

（1）**正しい。**騒音レベルの測定は、通常、騒音計の周波数重み付け特性Aで行い、その大きさはdBで表す。

（2）**正しい。**騒音性難聴は、初期には会話音域（500Hzから2,000Hz程度）の聴力に営業はないため、**気付かない**ことが多く、また、不可逆的な難聴であるという特徴がある。

（3）**正しい。**騒音は、**自律神経系**や**内分泌系**へも影響を与える。騒音ばく露により、**交感神経の活動の亢進**や**副腎皮質ホルモンの分泌の増加**といったストレス反応が認められることがある。

（4）**正しい。**騒音性難聴では、通常の会話音域より**高い音域**から聴力低下が始まる。

（5）**誤り。**等価騒音レベルは、時間的に変動する騒音レベルのエネルギー的な平均値を表す量である。中心周波数500Hz、1,000Hz、2,000Hzおよび4,000Hzの各オクターブバンドの騒音レベルの平均値ではない。なお、等価騒音レベルは、変動する騒音に対する人間の生理・心理的反応とよく対応しているという点は、正しい。

正答（5）

チェック! ここが狙われる 聴覚のメカニズム

速 P.57

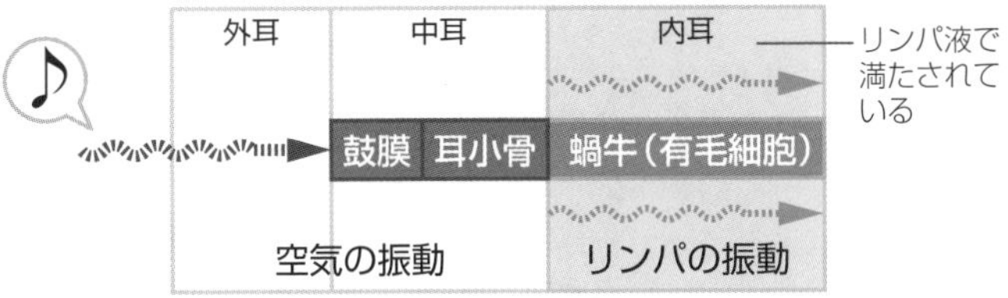

空気の振動として中耳の**鼓膜**から**耳小骨**に伝わり、増幅され
そこから内耳の**蝸牛**に伝わる。
振動数が多いほど高い音に感じる。

★★★
94 作業環境における騒音及びそれによる健康障害に関する次の記述のうち、誤っているものはどれか。

□□

（1）人が聴くことができる音の周波数は、およそ20～20,000Hzである。
（2）音圧レベルは、通常、その音圧と人間が聴くことができる最も小さな音圧（20μPa）との比の常用対数を20倍して求められ、その単位はデシベル（dB）で表される。
（3）等価騒音レベルは、単位時間（1時間）について10分間ごとのピーク値の騒音レベルを平均化した評価値で、変動する騒音に対して適用される。
（4）騒音性難聴では、通常、会話音域より高い音域から聴力低下が始まる。
（5）騒音性難聴は、音を神経に伝達する内耳の聴覚器官の有毛細胞の変性によって起こる。

R5.4-15

★★
95 潜水作業、高圧室内作業などの作業における高圧の影響又は高圧環境下から常圧に戻る際の減圧の影響により、直接には発症しない健康障害は次のうちどれか。

□□

（1）酸素中毒
（2）一酸化炭素中毒
（3）炭酸ガス（二酸化炭素）中毒
（4）窒素酔い
（5）減圧症

R5.4-13

94 解説

（1）**正しい。**人が聴くことのできる音の周波数はおよそ **20Hz から 20,000Hz 程度**までである。

（2）**正しい。**音の大きさを表す音圧レベルの単位はデシベル（dB）で表される。通常、その音圧と人間が聴くことができる最も小さな音圧（20 μPa）との比の常用対数を 20 倍して求められる。

（3）**誤り。**等価騒音レベルは、時間的に変動する騒音レベルの**エネルギー的な平均値**を表す量である。単位時間（1 時間）について 10 分間ごとのピーク値の騒音レベルを平均化した評価値ではない。

（4）**正しい。**騒音性難聴では、通常、会話音域より**高い音域**から聴力低下が始まる。なお、会話音域は 500Hz から 2,000Hz 程度までである。

（5）**正しい。**騒音性難聴は、**内耳**にある蝸牛の中の**有毛細胞が変性**することにより起こる。

正答（3）

95 解説

潜水作業、高圧室内作業などの作業における高圧の影響により、**酸素中毒、窒素酔い、炭酸ガス（二酸化炭素）中毒**を発症することがある。また、高圧環境下から常圧に戻る際の減圧の影響により、**減圧症**を発症することがある。

したがって、高圧または低圧といった気圧変化により直接には発症しない健康障害は、（2）一酸化炭素中毒となる。

正答（2）

★★
96 電離放射線に関する次の記述のうち、誤っているものはどれか。

□□

（1）電離放射線の被ばくによる生体への影響には、身体的影響と遺伝的影響がある。

（2）電離放射線の被ばくによる身体的影響のうち、白内障は晩発障害に分類される。

（3）電離放射線の被ばくによる発がんと遺伝的影響は、確定的影響に分類され、その発生には、しきい値があり、しきい値を超えると発生率及び症状の程度は線量に依存する。

（4）電離放射線に被ばく後、数週間程度までに現れる造血器系障害は、急性障害に分類される。

（5）造血器、消化管粘膜など細胞分裂の頻度の高い細胞が多い組織・臓器は、一般に、電離放射線の影響を受けやすい。

R1.10-14

★★
97 電離放射線などに関する次の記述のうち、誤っているものはどれか。

□□

（1）電離放射線には、電磁波と粒子線がある。

（2）エックス線は、通常、エックス線装置を用いて発生させる人工の電離放射線であるが、放射性物質から放出されるガンマ線と同様に電磁波である。

（3）エックス線は、紫外線より波長の長い電磁波である。

（4）電離放射線の被ばくによる白内障は、晩発障害に分類され、被ばく後、半年～30年後に現れることが多い。

（5）電離放射線を放出してほかの元素に変わる元素を放射性同位元素（ラジオアイソトープ）という。

R4.10-14、R3.10-17

96 解説

（1）**正しい。**電離放射線の被ばくによる影響には、**身体的影響**と**遺伝的影響**（遺伝子突然変異などによる健康影響）がある。

（2）**正しい。**電離放射線の被ばくによる身体的影響のうち、**白内障**は**晩発障害**に分類される。

（3）**誤り。**電離放射線の被ばくによる**発がん**と**遺伝的影響**は、**確率的影響**に分類される。確定的影響ではない。なお、しきい値がなく、被ばく線量が多いほど発生率が高まる身体的影響を確率的影響という。

（4）**正しい。**電離放射線の被ばく後、数週間程度までに現れる**造血器系障害**は、**急性障害**に分類される。

（5）**正しい。**造血器、生殖腺、消化管粘膜、皮膚などの組織・臓器は、一般的に電離放射線の影響を受けやすい。

正答（3）

97 解説

（1）**正しい。**電離放射線には、**電磁波**（エックス線、ガンマ線など）と**粒子線**（アルファ線など）がある。

（2）**正しい。**エックス線は、通常、エックス線装置を用いて発生させる人工の電離放射線であり、医療上の診療などに広く使われている。また、ガンマ線と同様に**電磁波**である。

（3）**誤り。**エックス線は、紫外線より波長の**短い**電磁波である。

（4）**正しい。**電離放射線の被ばくによる身体的影響のうち、**白内障**は、**晩発障害**に分類される。被ばく後、半年～30年後に現れることが多い。

（5）**正しい。**物質を構成する元素のうち、ほかの元素に変わろうとするときに**放射線を放出**するものを**放射性同位元素**（ラジオアイソトープ）という。

正答（3）

合格エッセンス　放射線被ばくによる影響

速 P.125

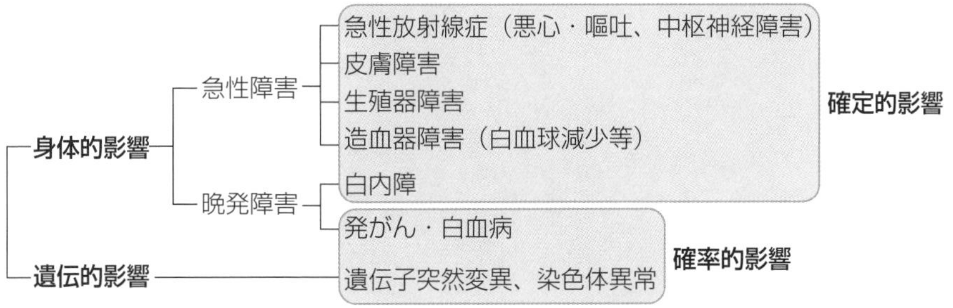

★
98 **レーザー光線に関する次の記述のうち、誤っているものはどれか。**

□□

（1）レーザー光線は、おおむね1 nmから180nmまでの波長域にある。

（2）レーザー光線は、単一波長で位相のそろった人工光線である。

（3）レーザー光線の強い指向性や集束性を利用し、高密度のエネルギーを発生させることができる。

（4）出力パワーが最も弱いクラス１又はクラス２のレーザー光線は、可視光のレーザーポインタとして使用されている。

（5）レーザー光線にさらされるおそれのある業務は、レーザー機器の出力パワーなどに基づくクラス分けに応じた労働衛生上の対策を講じる必要がある。

R5.10-17

★
99 **有害光線等による障害に関する次の記述のうち、誤っているものはどれか。**

□□

（1）赤外線は、可視光線より波長の長い電磁波で、白内障を起こすことがある。

（2）紫外線は、可視光線より波長の短い電磁波で、電光性眼炎を起こすことがある。

（3）マイクロ波は、紫外線より波長の短い電磁波で、網膜剥離を起こすことがある。

（4）レーザー光線は、誘導放出による光の増幅によって人工的に作られた電磁波で、網膜の損傷を起こすことがある。

（5）ガンマ線は、コバルト60、イリジウム192などの放射性同位元素から放射される電磁波で、電離作用があり、白内障を起こすおそれがある。

H24.4-16

98 解説

（1）**誤り。**レーザー光線は、**180nm（ナノメートル）から1mm**までの波長域にある。1nmから180nmまでの波長域にあるのではない。

（2）**正しい。**レーザー光線は、単一スペクトル（**単一波長**）の人工光線である。

（3）**正しい。**レーザー光線は、**指向性や集束性が強い**という特徴を持つ。この強い指向性や集束性を利用し、**高密度のエネルギーを発生**させることができる。

（4）**正しい。**出力パワーが最も弱いクラス1またはクラス2のレーザー光線は、可視光のレーザーポインタとして使用されている。

（5）**正しい。**レーザー光線にさらされるおそれのある業務は、レーザー機器の出力パワーなどに基づくクラス分けに応じた労働衛生上の対策を講ずる必要がある。なお、「レーザー光線による障害の防止対策について（平成17年3月25日基発第0325002号）」では、レーザー光線による障害を防止するための措置として、労働衛生管理体制の整備、レーザー機器のクラス別措置基準が定められている。

正答（1）

99 解説

（1）**正しい。**赤外線は、**可視光線より**波長の**長い**電磁波である。眼に照射されると、**白内障**を起こすことがある。

（2）**正しい。**紫外線は、**可視光線より**波長の**短い**電磁波である。眼に照射されると、**電光性眼炎**を起こすことがある。

（3）**誤り。**マイクロ波は、**赤外線より**波長の**長い**電磁波である。紫外線より波長が短いのではない。また、照射部位の組織を加熱する作用があるため、ばく露組織に熱傷や**組織壊死**を起こすことがある。網膜剥離を起こすのではない。

（4）**正しい。**レーザー光線は、人工的に作られた電磁波である。眼に照射されると、**網膜の損傷**（網膜やけど、網膜剥離）を起こすことがある。

（5）**正しい。**ガンマ線は、コバルト60、イリジウム192などの放射性同位元素から放射される電磁波で、電離作用がある。眼に照射されると、白内障を起こすおそれがある。

正答（3）

合格エッセンス 非電離放射線のまとめ

速 P.126

種　類	波　長	特　徴	主な疾病
紫外線	可視光線より波長が短い	皮膚や粘膜で吸収	電光性眼炎
赤外線	可視光線より波長が長い	組織の深部まで到達	白内障
マイクロ波	赤外線よりも波長が長い	照射部位の組織を加熱する	組織壊死、白内障
レーザー光線	単一波長の人工光線	指向性・集束性が強い	網膜火傷、網膜剥離

★★★

100 **作業環境における有害要因による健康障害に関する次の記述のうち、正しいものはどれか。**

□□

（1）潜水業務における減圧症は、浮上による減圧に伴い、血液中に溶け込んでいた酸素が気泡となり、血管を閉塞したり組織を圧迫することにより発生する。

（2）熱けいれんは、高温環境下での労働において、皮膚の血管に血液がたまり、脳への血液の流れが少なくなることにより発生し、めまい、失神などの症状がみられる。

（3）全身振動障害では、レイノー現象などの末梢《しょう》循環障害や手指のしびれ感などの末梢《しょう》神経障害がみられ、局所振動障害では、関節痛などの筋骨格系障害がみられる。

（4）低体温症は、低温下の作業で全身が冷やされ、体の中心部の温度が35℃程度以下に低下した状態をいう。

（5）マイクロ波は、赤外線より波長が短い電磁波で、照射部位の組織を加熱する作用がある。

R5.10-18

100 解説

（1）**誤り。**減圧症は、血液中に溶け込んでいた**窒素**が、減圧により気泡化し、発生する。酸素ではない。

（2）**誤り。**熱けいれんは、高温環境下で多量に発汗したとき、**水分だけが補給**され、体内の**塩分濃度が低下**することにより、**筋肉痙攣**を起こすものである。なお、脳への血液の流れが少なくなることにより発生し、めまい、失神などの症状がみられるのは、熱失神である。

（3）**誤り。**全身振動障害では、**脊柱障害（腰痛や頸部痛など）**を起こす可能性がある。また、**局所振動障害**では、**レイノー現象などの末梢循環障害**や**手指のしびれ感などの末梢神経障害**や関節痛などの筋骨格系障害（関節、筋障害）がみられる。

（4）**正しい。**低体温症は、低温下の作業で全身が冷やされ、体の中心部の温度が**35℃程度以下に低下**した状態をいう。

（5）**誤り。**マイクロ波は、赤外線より波長の**長い**電磁波である。波長が短いのではない。なお、照射部位の組織を加熱する作用があるとする点は、正しい。

正答（4）

合格エッセンス　寒冷（低温）環境による疾病

速 P.119

疾病名	原因と主な症状
凍瘡（しもやけ）	軽度な寒冷により発症
凍傷	0℃以下の寒冷による組織の**凍結壊死**
低体温症	体内温度が 35℃程度以下で発症

★★★
101 作業環境における有害要因による健康障害に関する次の記述のうち、正しいものはどれか。

□□

（1）低温の環境下では、手や足の指などの末梢部において組織の凍結を伴わない凍瘡《そう》を起こすことがある。

（2）電離放射線による造血器障害は、確率的影響に分類され、被ばく線量がしきい値を超えると発生率及び重症度が線量に対応して増加する。

（3）金属熱は、金属の溶融作業において、高温環境により体温調節中枢が麻痺《ひ》することにより発生し、数時間にわたり発熱、関節痛などの症状がみられる。

（4）窒素ガスで置換したタンク内の空気など、ほとんど無酸素状態の空気を吸入すると徐々に窒息の状態になり、この状態が５分程度継続すると呼吸停止する。

（5）減圧症は、潜函《かん》作業者や潜水作業者が高圧下作業からの減圧に伴い、血液中や組織中に溶け込んでいた炭酸ガスの気泡化が関与して発生し、皮膚のかゆみ、関節痛、神経の麻痺《ひ》などの症状がみられる。

R4.10-15

101 解説

（1）**正しい。**凍瘡（しもやけ）は、日常生活内での軽度の寒冷により発生する。手や足の指などの末梢部において血管壁の透過性が亢進して発症する。**組織の凍結を伴わない**。

（2）**誤り。**電離放射線による**造血器障害**は、**確定的影響**に分類される。確率的影響ではない。なお、確定的影響は、被ばく線量がしきい値（影響が出る最低の線量の値）を超えた段階で障害が発生し、障害の発生率や程度（重症度、重篤度）が被ばく線量に対応して増加する。

（3）**誤り。**金属熱は、**金属ヒューム**によって肺の蛋白質の変性が起きることに対する**アレルギー反応**である。金属熱では、悪寒と発熱や関節痛などの症状がみられるが、発熱が長期間にわたることはなく、数時間後に発汗とともに解熱する。

（4）**誤り。**酸素が極端に低下した空気を吸うと、それがわずか1回の呼吸であっても、体内の酸素不足が劇的に生じて、**数秒で活動低下**、または**活動停止状態**という危険な状態になる。徐々に窒息の状態になり、この状態が5分程度継続すると呼吸停止するのではない。

（5）**誤り。**減圧症は、血液中に溶け込んでいた**窒素**が、減圧により気泡化し、発生する。なお、減圧症は、潜函作業者、潜水作業者などに発症するもので、その症状には、皮膚のかゆみや関節痛・筋肉痛など多様な症状がある。

正答（1）

キーワード　確定的影響　速 P.125

電離放射線による身体的影響のうち確定的影響は、被ばく線量がしきい値（影響が出る最低の線量の値）を超えた段階で障害が発生し、障害の発生率や程度（重症度）が被ばく線量に対応して増加する。

〈確定的影響〉

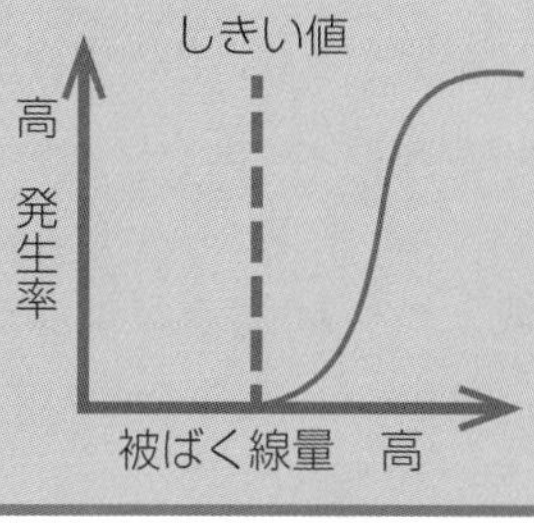

〈確率的影響〉

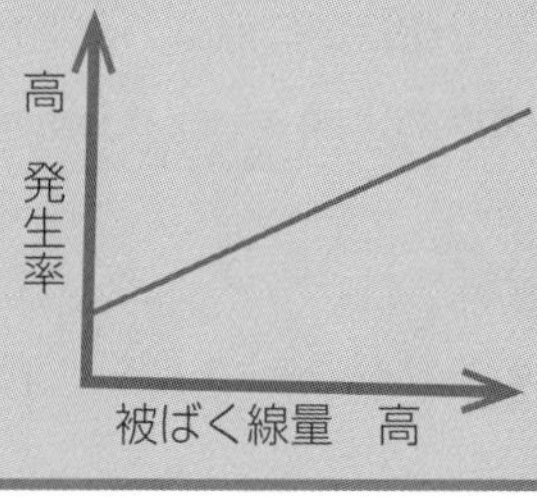

★★★
102 **作業環境における有害要因による健康障害に関する次の記述のうち、正しいものはどれか。**

□□

（1）全身振動障害では、レイノー現象などの末梢《しょう》循環障害や手指のしびれ感などの末梢《しょう》神経障害がみられ、局所振動障害では、関節痛などの筋骨格系障害がみられる。

（2）減圧症は、潜函《かん》作業者、潜水作業者などに発症するもので、高圧下作業からの減圧に伴い、血液中や組織中に溶け込んでいた窒素の気泡化が関与して発生し、皮膚のかゆみ、関節痛、神経の麻痺《ひ》などの症状がみられる。

（3）凍瘡《そう》は、皮膚組織の凍結壊《え》死を伴うしもやけのことで、0℃以下の寒冷にばく露することによって発生する。

（4）電離放射線による中枢神経系障害は、確率的影響に分類され、被ばく線量がしきい値を超えると発生率及び重症度が線量の増加に応じて増加する。

（5）金属熱は、金属の溶融作業において、高温環境により体温調節中枢が麻痺《ひ》することにより発生し、長期間にわたる発熱、関節痛などの症状がみられる。

R4.4-16

★★★
103 **作業環境における有害要因による健康障害に関する次の記述のうち、誤っているものはどれか。**

□□

（1）窒素ガスで置換したタンク内の空気など、ほとんど無酸素状態の空気を吸入すると徐々に窒息の状態になり、この状態が5分程度継続すると呼吸停止する。

（2）騒音性難聴は、騒音にばく露され続けた結果、内耳の有毛細胞が変性し、永久的に聴力が障害を受けるもので、初期には4kHz付近の聴力が低下する。

（3）金属熱は、金属の溶融作業などで亜鉛、銅などの金属の酸化物のヒュームを吸入したときに発生し、悪寒、発熱、関節痛などの症状がみられる。

（4）低体温症は、低温下の作業で全身が冷やされ、体の中心部の温度が35℃程度以下に低下した状態をいい、意識消失、筋の硬直などの症状がみられる。

（5）振動障害は、チェーンソー、削岩機などの振動工具によって生じる障害で、手のしびれなどの末梢神経障害やレイノー現象などの末梢《しょう》循環障害がみられる。

R2.4-17

102 解説

（1）**誤り。**全身振動障害では、**脊柱障害（腰痛や頸部痛など）**を起こす可能性がある。レイノー現象などの末梢循環障害や手指のしびれ感などの末梢神経障害がみられるのは、局所振動障害である。

（2）**正しい。**減圧症は、潜函作業者、潜水作業者などに発症するもので、高圧下作業からの減圧に伴い、血液中に溶け込んでいた**窒素**が、減圧により気泡化し、発生する。減圧症には、皮膚のかゆみや関節痛・筋肉痛など多様な症状がある。

（3）**誤り。**0℃以下の寒冷にばく露することによって発生し、皮膚組織が凍結壊死となるものは**凍傷**である。なお、凍瘡は、しもやけのこととする点は、正しい。

（4）**誤り。**電離放射線による**中枢神経系障害**は、**確定的影響**に分類される。確定的影響は、被ばく線量が**しきい値**（影響が出る最低の線量の値）**を超えた段階で障害が発生**し、障害の発生率や程度（重症度、重篤度）が被ばく線量に対応して増加する。

（5）**誤り。**金属熱は、金属ヒュームによって肺の蛋白質の変性が起きることに対する**アレルギー反応**である。体温調節中枢が麻痺することにより発生するのではない。

正答（2）

103 解説

（1）**誤り。**酸素が極端に低下した空気を吸うと、それがわずか1回の呼吸であっても、体内の酸素不足が劇的に生じて、**数秒で活動低下**、または**活動停止状態**という危険な状態になる。徐々に窒息の状態になり、この状態が5分程度継続すると呼吸停止するのではない。

（2）**正しい。**騒音性難聴は、**内耳にある聴覚器官（蝸牛）の有毛細胞の変性**によって起こる。騒音にばく露され続けると、永久的に聴力が障害を受ける。初期には、**4kHz（4,000 Hz）付近**を中心とする聴力低下がみられる。

（3）**正しい。**金属熱は、**金属ヒューム**によって肺の蛋白質の変性が起きることに対する**アレルギー反応**である。悪寒と発熱や関節痛などの症状がみられるが、発熱が長期間にわたることはなく、数時間後に発汗とともに解熱する。

（4）**正しい。**低体温症は、全身が冷やされ体内温度が**35℃以下**にまで低下したときに**発生**し、意識消失、筋の硬直などの症状がみられる。さらに体温が低下すると、中枢神経機能や呼吸、循環機能不全により死亡することもある。

（5）**正しい。**振動障害は、チェーンソー、削岩機などの振動工具によって生じる。局所振動障害では、手のしびれなどの**末梢神経障害**や**レイノー現象などの末梢循環障害**がみられる。

正答（1）

★★★
104 厚生労働省の「作業環境測定基準」及び「作業環境評価基準」に基づく作業環境測定及びその結果の評価に関する次の記述のうち、誤っているものはどれか。

□□

（1）管理濃度は、有害物質に関する作業環境の状態を単位作業場所の作業環境測定結果から評価するための指標として設定されたものである。

（2）単位作業場所は、作業場の区域のうち労働者の作業中の行動範囲、有害物の分布等の状況等に基づき定められる作業環境測定のために必要な区域をいう。

（3）Ｂ測定は、有害物の発散源に近接する場所において作業が行われる場合に、有害物の濃度が最も高くなると思われる時間に、その作業が行われる位置において行う測定である。

（4）Ａ測定の第二評価値及びＢ測定の測定値がいずれも管理濃度に満たない単位作業場所は、Ａ測定の第一評価値に関係なく第一管理区分になる。

（5）Ｂ測定の測定値が管理濃度の1.5倍を超えている単位作業場所の管理区分は、Ａ測定の結果に関係なく第三管理区分となる。

H30.10-18

104 解説

（1）**正しい。**管理濃度は、有害物質に関する**作業環境の状態**を単位作業場所の作業環境測定結果から**評価するための指標**として設定されたものである。なお、管理濃度は個々の労働者の有害物質へのばく露濃度との対比を前提として設定されている許容濃度とは異なる。

（2）**正しい。**単位作業場所とは、当該作業場の区域のうち労働者の作業中の行動範囲、有害物の分布等の状況等に基づき定められる作業環境測定のために必要な区域をいう。

（3）**正しい。**有害物の**発散源に近接**する場所において作業が行われる場合に、空気中の有害物質の**最高濃度**を知るために行う測定は、B測定である。

（4）**誤り。**第１管理区分になるのは、A測定の第１評価値およびB測定の測定値がいずれも管理濃度に満たない場合である。

（5）**正しい。B測定の測定値**が**管理濃度の 1.5 倍**を超えている単位作業場所の管理区分は、A測定の結果に関係なく**第３管理区分**となる。

正答 (4)

合格エッセンス　A 測定および B 測定を実施した場合の決定方法

速 P.159

		A 測定		
		第 1 評価値<管理濃度	第 2 評価値≦管理濃度≦第 1 評価値	第 2 評価値>管理濃度
B 測定	B 測定値<管理濃度	**第 1 管理区分**	第 2 管理区分	**第 3 管理区分**
	管理濃度≦B 測定値≦管理濃度× 1.5	第 2 管理区分	第 2 管理区分	**第 3 管理区分**
	B 測定値>管理濃度× 1.5	**第 3 管理区分**	**第 3 管理区分**	**第 3 管理区分**

★★★
105 □□ **厚生労働省の「作業環境測定基準」及び「作業環境評価基準」に基づく作業環境測定及びその結果の評価に関する次の記述のうち、誤っているものはどれか。**

（1）作業環境測定を実施する場合の単位作業場所は、労働者の作業中の行動範囲、有害物の分布の状況などに基づいて設定する。

（2）管理濃度は、有害物質に係る作業環境の状態を、単位作業場所ごとにその作業環境測定結果から評価するための指標として定められている。

（3）B測定は、単位作業場所中の有害物質の発散源に近接する場所で作業が行われる場合において、空気中の有害物質の最高濃度を知るために行う測定である。

（4）A測定とB測定を併せて行う場合は、A測定の測定値を用いて求めた第一評価値及び第二評価値とB測定の測定値に基づき、単位作業場所を第一管理区分から第三管理区分までのいずれかに区分する。

（5）A測定の第一評価値は、第二評価値より常に小さい。

H30.4-19

105 解説

（1）**正しい。**作業環境測定を実施する場合の単位作業場所は、労働者の作業中の行動範囲、有害物の分布の状況などに基づいて設定する（作業環境測定基準2条1項1号）。

（2）**正しい。**管理濃度は、有害物質に関する**作業環境の状態**を、単位作業場所ごとにその作業環境測定結果から**評価するための指標**として定められている。

（3）**正しい。**単位作業場所中の有害物質の**発散源に近接する場所**で作業が行われる場合において、空気中の有害物質の**最高濃度**を知るために行う測定は、B測定である。

（4）**正しい。**A測定とB測定を併せて行う場合は、A測定の測定値を用いて求めた第1評価値および第2評価値とB測定の測定値に基づき、単位作業場所を第1管理区分から第3管理区分までのいずれかに区分する。

（5）**誤り。**第1評価値とは、単位作業場所において考えられるすべての測定点の作業時間内における、気中有害物質濃度の実現値を母集団として分布図を描いた際に、**高濃度側から面積で5％に相当する濃度の推定値**である。また、第2評価値は、単位作業場所における気中有害物質の**平均濃度の推定値**である。この二つの評価値は、理論上は、第1評価値が第2評価値よりも大きくなる。第1評価値は、第2評価値より常に小さくなるのではない。

正答（5）

キーワード 作業環境測定に関する用語の定義

速 P.157、P.159

用　語	意　義
管理濃度	有害物質に関する**作業環境の状態**を、単位作業場所ごとにその作業環境測定結果から**評価するための指標**
A測定	単位作業場所における有害物質の気中濃度の**平均的な分布**を知るために行う測定
B測定	単位作業場所中の有害物質の発散源に近接する場所で作業が行われる場合や、間欠的に大量の有害物質を発散させる作業がある場合において、空気中の有害物質の**最高濃度**を知るために行う測定

★★
106 厚生労働省の「作業環境測定基準」及び「作業環境評価基準」に基づく作業環境測定及びその結果の評価に関する次の記述のうち、正しいものはどれか。

□□

（1）A測定における測定点の高さの範囲は、床上100cm以上150cm以下である。
（2）許容濃度は、有害物質に関する作業環境の状態を単位作業場所の作業環境測定結果から評価するための指標として設定されたものである。
（3）A測定の第二評価値とは、単位作業場所における気中有害物質の算術平均濃度の推定値である。
（4）A測定の第二評価値及びB測定の測定値がいずれも管理濃度に満たない単位作業場所は、第一管理区分になる。
（5）A測定においては、得られた測定値の算術平均値及び算術標準偏差を、また、B測定においてはその測定値そのものを評価に用いる。

R4.4-12

★★★
107 厚生労働省の「作業環境測定基準」及び「作業環境評価基準」に基づく作業環境測定及びその結果の評価に関する次の記述のうち、正しいものはどれか。

□□

（1）管理濃度は、有害物質に関する作業環境の状態を単位作業場所の作業環境測定結果から評価するための指標として設定されたものである。
（2）原材料を反応槽へ投入する場合など、間欠的に有害物質の発散を伴う作業による気中有害物質の最高濃度は、A測定の結果により評価される。
（3）単位作業場所における気中有害物質濃度の平均的な分布は、B測定の結果により評価される。
（4）A測定の第二評価値及びB測定の測定値がいずれも管理濃度に満たない単位作業場所は、第一管理区分になる。
（5）B測定の測定値が管理濃度を超えている単位作業場所は、A測定の結果に関係なく第三管理区分に区分される。

R3.10-18、R3.4-19

106 解説

（1）**誤り**。A測定における測定点の高さの範囲は、原則として、**床上 50cm 以上 150cm 以下**である。

（2）**誤り**。有害物質に関する作業環境の状態を単位作業場所の作業環境測定結果から評価するための指標として設定されたものは、**管理濃度**である。個々の労働者の有害物質へのばく露濃度との対比を前提として設定されている許容濃度とは異なる。

（3）**正しい**。A測定の第２評価値とは、単位作業場所における気中有害物質の**算術平均濃度**の推定値である。

（4）**誤り**。A測定の**第１評価値**およびB測定の測定値がいずれも管理濃度に満たない単位作業場所が第１管理区分になる。A測定の第２評価値ではない。

（5）**誤り**。A測定においては、得られた測定値の**幾何平均値**および**幾何標準偏差**を評価に用いる。算術平均値および算術標準偏差ではない。なお、B測定においてはその測定値そのものを評価に用いるという点は、正しい。

正答（3）

107 解説

（1）**正しい**。管理濃度は、有害物質に関する**作業環境の状態**を単位作業場所の作業環境測定結果から**評価するための指標**として設定されたものである。なお、管理濃度は、個々の労働者の有害物質へのばく露濃度との対比を前提として設定されている許容濃度とは異なる。

（2）**誤り**。A 測定は、単位作業場所における有害物質の気中濃度の**平均的な分布**を知るために行う測定である。設問では、B 測定により評価される。

（3）**誤り**。B 測定は、有害物の**発散源に近接**する場所において作業が行われる場合や**多量の有害物質が間欠的に発散**するような作業における**最高濃度**を知るために行う測定である。設問では、A 測定により評価される。

（4）**誤り**。第１管理区分になるのは、**A 測定の第１評価値**および B 測定の測定値がいずれも管理濃度に満たない場合である。A 測定の第２評価値ではない。

（5）**誤り**。**B 測定の測定値が管理濃度の 1.5 倍**を超えている単位作業場所の管理区分は、A 測定の結果に関係なく**第３管理区分**となる。B 測定の測定値が管理濃度を超えている場合ではない。

正答（1）

5. 局所排気装置

速 第6章 LESSON 4

★★★
108 局所排気装置のフードの型式について、排気効果の大小関係として、正しいものは次のうちどれか。

□□

（1）囲い式カバー型＞囲い式建築ブース型＞外付け式ルーバ型
（2）囲い式建築ブース型＞囲い式グローブボックス型＞外付け式ルーバ型
（3）囲い式ドラフトチェンバ型＞外付け式ルーバ型＞囲い式カバー型
（4）外付け式ルーバ型＞囲い式ドラフトチェンバ型＞囲い式カバー型
（5）外付け式ルーバ型＞囲い式建築ブース型＞囲い式グローブボックス型

R3.4-14、H30.10-19

★★★
109 局所排気装置の基本的な構成に関する次の文中の［　　］内に入れるAからCの語句の組合せとして、正しいものは（1）～（5）のうちどれか。

□□

「局所排気装置は、有害物の発生源の近くにフードを設けて定常的な吸引気流をつくり、有害物が拡散する前に吸引除去するものであり、空気清浄装置を付設した場合の基本的な構成は、発生源の側から順に次のとおりである。
フード → 吸引ダクト（枝ダクト→主ダクト）→ ［A］ → ［B］ → ［C］ → 排気口」

	A	B	C
（1）	ファン	空気清浄装置	排気ダクト
（2）	排気ダクト	空気清浄装置	ファン
（3）	排気ダクト	ファン	空気清浄装置
（4）	ファン	排気ダクト	空気清浄装置
（5）	空気清浄装置	ファン	排気ダクト

H29.4-18、H28.4-18

108 解説

局所排気装置のフード形式は、囲い式と外付け式に分けられる。**囲い式フード**は、発散源を囲うことで有害物がフード外へ流失することを防ぐもので、発散源の外から有害物を補足する**外付け式フードより排気効果**は**大きい**。さらに、囲い式フードは、開口面積が小さいほど排気効果が大きい。排気効果は、カバー型およびグローブボックス型＞ドラフトチェンバ型＞建築ブース型の順で大きくなる。

以上から、設問の局所排気装置のフードの形式について、一般に、排気効果が大きいとされる順に並べたものは、囲い式カバー型＞囲い式建築ブース型＞外付け式ルーバ型となる。

したがって、選択肢（1）が正答となる。

正答（1）

109 解説

局所排気装置は、有害物の発生源（発散源）の近くにフードを設けて定常的な吸引気流をつくり、有害物が拡散する前に吸引除去するものであり、空気清浄装置を付設した局所排気装置の基本的な構成は、発生源（発散源）の側から順に、

フード→吸引ダクト（枝ダクト→主ダクト）→ A　**空気清浄装置** → B　**ファン** → C　**排気ダクト** →排気口となる。

したがって、選択肢（5）が正答となる。

正答（5）

合格エッセンス　フードの形式と図例

速 P.169～P.170

囲い式カバー型

発散源の周りを囲み、隙間、観察口、小作業孔が吸気口となり、最も効果が高い

囲い式建築ブース型

作業面以外の周りが覆われたもの。フード選択の標準

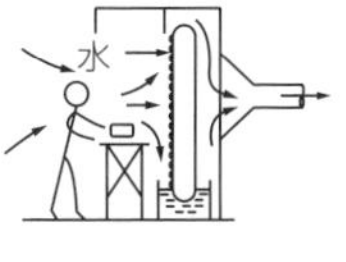

外付け式ルーバ型

整流板を入れることで一定方向の気流を吸引しやすくしたもの

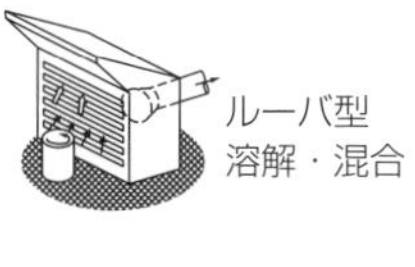

★★ **110** □□ 次の図は局所排気装置のフードを模式的に表したものである。各図のフードの型式の名称の組合せとして正しいものは（1）～（5）のうちどれか。

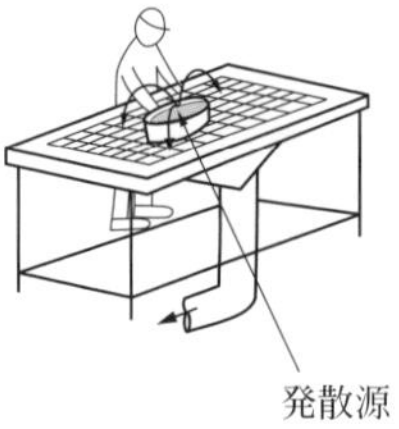

図A

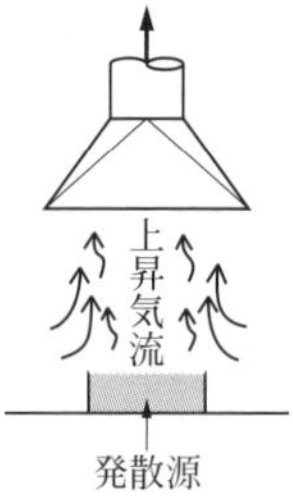

図B

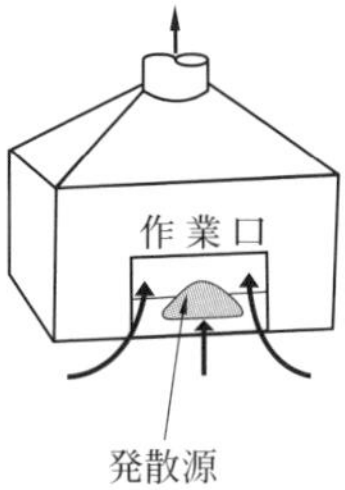

図C

	A	B	C
（1）	外付け式 グリッド型	レシーバ式 キャノピ型	囲い式 ドラフトチェンバ型
（2）	外付け式 スロット型	囲い式 ドラフトチェンバ型	レシーバ式 カバー型
（3）	外付け式 グリッド型	囲い式 ドラフトチェンバ型	レシーバ式 カバー型
（4）	外付け式 スロット型	レシーバ式 キャノピ型	囲い式 ドラフトチェンバ型
（5）	外付け式 スロット型	レシーバ式 キャノピ型	レシーバ式 カバー型

H26.4-18 改題

110 解説

図Aのフードは、作業台そのものをフードとして利用し、**下方**から有害物質を**吸引**する**外付け式グリッド型**である。

図Bのフードは、発散源からの**熱による上昇気流**がある場合、それを利用して**上方から**有害物質を**吸引**する**レシーバ式キャノピ型**である。

図Cのフードは、**作業面以外の周囲が覆われた囲い式ドラフトチェンバ型**である。

したがって、選択肢（1）が正答となる。

正答（1）

チェック！ここが狙われる 局所排気装置の基本的構造

速 P.168

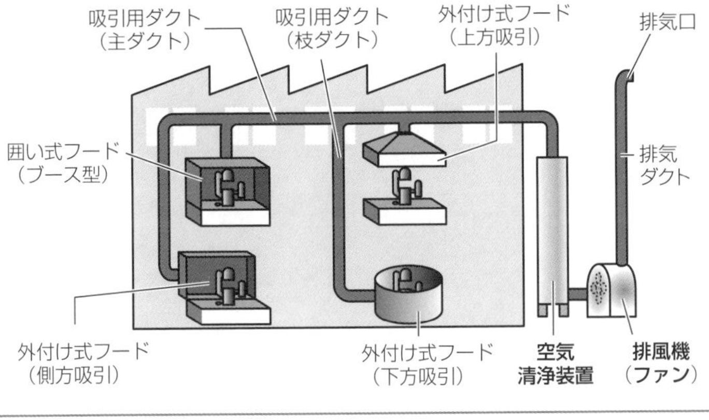

★★★
111 **局所排気装置に関する次の記述のうち、正しいものはどれか。**

□□

（1）ダクトの形状には円形、角形などがあり、その断面積を大きくするほど、ダクトの圧力損失が増大する。

（2）フード開口部の周囲にフランジがあると、フランジがないときに比べ、気流の整流作用が増すため、大きな排風量が必要となる。

（3）キャノピ型フードは、発生源からの熱による上昇気流を利用して捕捉するもので、レシーバ式フードに分類される。

（4）スロット型フードは、作業面を除き周りが覆われているもので、囲い式フードに分類される。

（5）空気清浄装置を付設する局所排気装置を設置する場合、排風機は、一般に、フードに接続した吸引ダクトと空気清浄装置の間に設ける。

R5.4-20

★★
112 **局所排気装置のフードの型式の名称とその模式図の組合せとして、誤っているものは次のうちどれか。**

□□

（1）外付け式グリッド型

（2）囲い式ドラフトチェンバ型

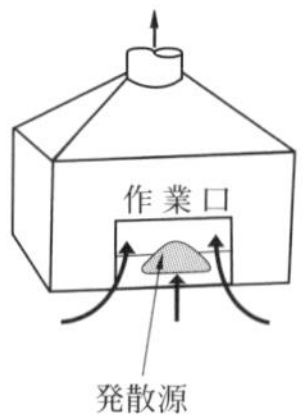

（3）レシーバ式キャノピ型

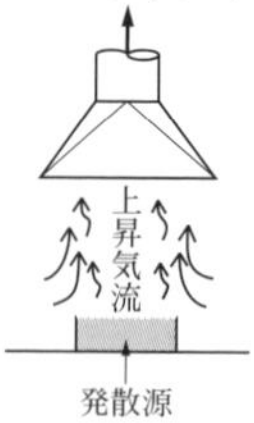

（4）外付け式ルーバ型

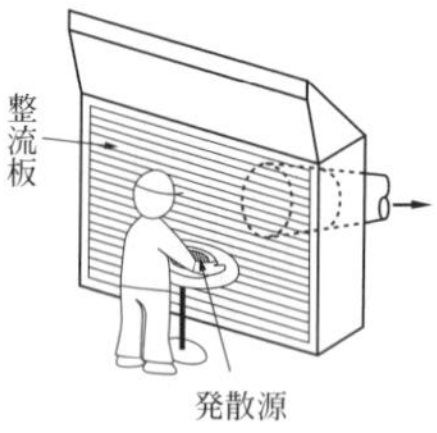

（5）外付け式スロット型

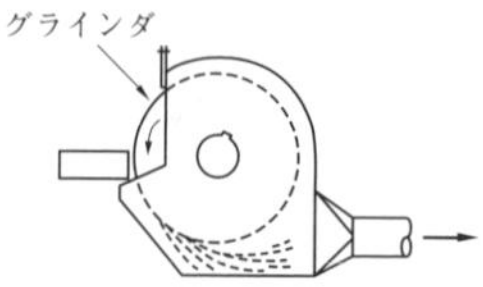

H25.4-19 改題

111 解説

（1）**誤り**。ダクトの**断面積を大きく**するほど、**圧力損失は減少**する。圧力損失が増大するのではない。なお、ダクトの形状には円形、角形などがあるとする点は、正しい。

（2）**誤り**。フード開口部の周囲に**フランジを設ける**と、フランジがないときに比べ、所要の効果を得るために**必要な排風量は減少**する。大きな排風量が必要となるのではない。

（3）**正しい**。キャノピ型フードは、発生源からの熱による**上昇気流を利用して捕捉**するもので、**レシーバ式フード**に分類される。

（4）**誤り**。スロット型フードは、発生源から発生する有害物質を**吸い込み気流により**フードまで**吸引**するものであり、**外付け式フード**に分類される。囲い式フードに分類されるのではない。

（5）**誤り**。空気清浄装置を付設する局所排気装置を設置する場合、排風機は、一般に**空気清浄装置の後ろ**に設ける。吸引ダクトと空気清浄装置の間ではない。

正答（3）

112 解説

（5）の模式図は、レシーバ式カバー型（グラインダ型）である。外付け式スロット型ではない。

したがって、選択肢（5）が正答となる。

なお、発散源から一定方向の気流があって、有害物質がその気流に乗って飛散するときに、**気流の方向に沿って有害物質を捕集**するように設けたフードを**レシーバ式フード**と呼ぶ。

正答（5）

★★★
113 有害物質を発散する屋内作業場の作業環境改善に関する次の記述のうち、誤っているものはどれか。

□□

（1）粉じんを発散する作業工程では、密閉化や湿式化を局所排気装置などの設置に優先して検討する。

（2）局所排気装置を設ける場合、ダクトが太すぎると搬送速度が不足し、細すぎると圧力損失が増大することを考慮して、ダクト径を定める。

（3）局所排気装置に設ける空気清浄装置は、原則として、ダクトに接続された排風機を通過した後の空気が通る位置に設置する。

（4）有害物質を取り扱う装置を構造上又は作業上の理由で完全に密閉できない場合は、装置内の圧力を外気圧よりわずかに低くする。

（5）局所排気装置を設置する場合は、給気量が不足すると排気効果が低下するので、排気量に見合った給気経路を確保する。

H27.10-13、H26.10-18 類

★★★
114 有害物質を発散する屋内作業場の作業環境改善に関する次の記述のうち、正しいものはどれか。

□□

（1）有害物質を取り扱う装置を構造上又は作業上の理由で完全に密閉できない場合は、装置内の圧力を外気圧より高くする。

（2）局所排気装置を設置する場合は、給気量が不足すると排気効果が低下するので、排気量に見合った給気経路を確保する。

（3）有害物質を発散する作業工程では、局所排気装置の設置を密閉化や自動化より優先して検討する。

（4）局所排気装置を設ける場合、ダクトが細すぎると搬送速度が不足し、太すぎると圧力損失が増大することを考慮して、ダクト径を決める。

（5）局所排気装置に設ける空気清浄装置は、一般に、ダクトに接続された排風機を通過した後の空気が通る位置に設置する。

R5.10-19

113 解説

（1）**正しい。**有害作業環境の改善では、局所排気装置の設置に優先して、生産工程、作業方法の改良による有害物質の発散の防止（粉じん作業場所の湿式化）や、有害物質を取り扱う設備等の密閉化と自動化を検討する。したがって、粉じんを発散する作業工程では、密閉化や湿式化を局所排気装置などの設置に優先して検討する。

（2）**正しい。**局所排気装置を設ける場合、ダクトが太すぎると搬送速度が不足し、細すぎると圧力損失が増大することを考慮して、ダクト径を定める。

（3）**誤り。**空気清浄装置は**排風機を通過する前**の空気が通る位置に設置する。排風機を通過した後の空気が通る位置に設置するのではない。清浄後の空気が排風機を通るようにする必要があるからである。

（4）**正しい。**有害物質を取り扱う装置を構造上または作業上の理由で完全に密閉できない場合は、**装置内の圧力**を**外気圧より**わずかに**低く**（負圧）する。こうすることで、隙間からの有害物質の発散を防止できる。

（5）**正しい。**局所排気装置を設置する場合、排気量に見合った給気経路を確保する。給気量が不足すると排気効果は低下するため、屋外からの給気用換気扇を設けるなど、**十分な給気経路を確保**することが必要である。

正答（3）

114 解説

（1）**誤り。**有害物質を取り扱う装置を構造上または作業上の理由で完全に密閉できない場合は、装置内の圧力を外気圧よりわずかに**低く**（負圧）する。

（2）**正しい。**局所排気装置を設置する場合は、給気量が不足すると排気効果が低下するので、排気量に見合った給気経路を確保する。

（3）**誤り。**有害作業環境の改善では、**局所排気装置の設置に優先して**、生産工程、作業方法の改良による有害物質の発散の防止（粉じん作業場所の湿式化）や、有害物質を取り扱う**設備等の密閉化と自動化を検討**する。

（4）**誤り。**局所排気装置を設ける場合、ダクトが**太すぎる**と**搬送速度が不足**し、**細すぎる**と**圧力損失が増大**することを考慮して、ダクト径を決める。

（5）**誤り。**空気清浄装置は**排風機を通過する前の空気が通る位置**に設置する。排風機を通過した後の空気が通る位置に設置するのではない。

正答（2）

6. 作業管理

速 第7章 LESSON 1

★★

115 **労働衛生対策を進めるに当たっては、作業環境管理、作業管理及び健康管理が必要であるが、その中の作業管理に関する次の記述のうち、不適切なものはどれか。**

（1）作業管理とは、局所排気装置の設置などの工学的な対策によって、作業環境を良好な状態に維持することをいう。

（2）作業管理を進めるには、作業の実態を調査・分析し、評価して、作業の標準化、労働者の教育、作業方法の改善などを行っていくことが重要である。

（3）作業管理の手法は、労働生理学的手法、人間工学的手法など多岐にわたる。

（4）作業管理の内容には、作業方法の変更などにより作業負荷や姿勢などによる身体への悪影響を減少させることが含まれる。

（5）作業管理の内容には、労働衛生保護具の適正な使用により有害な物質への身体ばく露を少なくすることが含まれる。

H27.4-11、H26.10-11

★★

116 **労働衛生対策を進めるに当たっては、作業管理、作業環境管理及び健康管理が必要であるが、次のAからEの対策例について、作業管理に該当するものの組合せは（1）～（5）のうちどれか。**

A　振動工具の取扱い業務において、その振動工具の周波数補正振動加速度実効値の３軸合成値に応じた振動ばく露時間の制限を行う。

B　有機溶剤業務を行う作業場所に設置した局所排気装置のフード付近の吸い込み気流の風速を測定する。

C　強烈な騒音を発する場所における作業において、その作業の性質や騒音の性状に応じた耳栓や耳覆いを使用させる。

D　有害な化学物質を取り扱う設備を密閉化する。

E　鉛健康診断の結果、鉛業務に従事することが健康の保持のために適当でないと医師が認めた者を配置転換する。

（1）A，B　（2）A，C　（3）B，C　（4）C，D　（5）D，E

R3.10-11、H30.4-11

115 解説

（1）**不適切。作業内容や作業方法等を適正に管理**することにより、作業から発生する有害要因を排除し、作業負荷の軽減を図り、労働者の健康を守ることを作業管理という。設問は作業環境管理の説明である。

（2）**適切。**作業管理を進めるには、作業の実態を調査・分析し、評価して、作業の標準化、労働者の教育、作業方法の改善などを行っていくことが重要である。なお、これとともに、労働衛生保護具などにより作業を適切に管理していくことが重要である。

（3）**適切。**作業管理における問題把握の手法としては、労働生理学的手法や人間工学的手法などが利用される。

（4）**適切。**作業管理の内容には、作業方法の変更などにより身体への悪影響を減少させることが含まれる。

（5）**適切。**作業管理の内容には、労働衛生保護具の使用状況等の管理が含まれる。

正答（1）

116 解説

作業内容や**作業方法等を適正に管理**することにより、作業から発生する有害要因を排除し、作業負荷の軽減を図り、労働者の健康を守ることを作業管理という。作業管理には、**作業条件の管理**、**有害作業の管理**、**保護具の使用状況**等の管理などが含まれている。Ａの**作業時間の規制**とＣの**労働衛生保護具の使用状況等の管理**が作業管理に該当する。

したがって、選択肢（2）が正答となる。

なお、Ｂ、Ｄの対策は作業環境管理、Ｅの対策は健康管理に該当する。

正答（2）

キーワード **労働衛生の3管理** 速 P.154

作業管理	作業内容や作業方法等を適正に管理することにより、作業から発生する有害要因を排除し、労働者の健康を守ること
作業環境管理	作業環境を良好な状態に維持すること
健康管理	労働者の健康状態を把握して必要な措置を講ずること

★★
117 □□ **労働衛生対策を進めていくに当たっては、作業環境管理、作業管理及び健康管理が必要であるが、次のAからEの対策例について、作業管理に該当するものの組合せは（1）～（5）のうちどれか。**

A　座位での情報機器作業における作業姿勢は、椅子に深く腰をかけて背もたれに背を十分あて、履き物の足裏全体が床に接した姿勢を基本とする。

B　有機溶剤業務を行う作業場所に設置した局所排気装置のフード付近の気流の風速を測定する。

C　放射線業務を行う作業場所において、外部放射線による実効線量を算定し、管理区域を設定する。

D　ずい道建設工事の掘削作業において、土石又は岩石を湿潤な状態に保つための設備を稼働する。

E　介護作業等腰部に著しい負担のかかる作業に従事する労働者に対し、腰痛予防体操を実施する。

（1）A，B　（2）A，C　（3）B，C　（4）C，D　（5）D，E

R5.10-12

★★
118 □□ **労働衛生対策を進めていくに当たっては、作業環境管理、作業管理及び健康管理が必要であるが、次のAからEの対策例について、作業環境管理に該当するものの組合せは（1）～（5）のうちどれか。**

A　粉じん作業を行う場所に設置した局所排気装置のフード付近の気流の風速を測定する。

B　アーク溶接作業を行う労働者に防じんマスクなどの保護具を使用させることによって、有害物質に対するばく露量を低減する。

C　鉛健康診断の結果、鉛業務に従事することが健康の保持のために適当でないと医師が認めた者を配置転換する。

D　放射線業務において、管理区域を設定し、必要のある者以外の者を立入禁止とする。

E　有機溶剤を使用する塗装方法を、有害性の低い水性塗料の塗装に変更する。

（1）A，D　（2）A，E　（3）B，C　（4）B，D　（5）C，E

R4.4-17

117 解説

作業内容や作業方法等を適正に管理することにより、作業から発生する有害要因を排除し、作業負荷の軽減を図り、労働者の健康を守ることを作業管理という。

作業管理には、**作業条件の管理**、**有害作業の管理**、保護具の使用状況等の管理などが含まれている。Aの作業姿勢の管理とCの有害作業場所に管理区域を設定することが作業管理に該当する。

したがって、選択肢（2）が正答となる。

なお、B、Dの対策は作業環境管理、Eの対策は健康管理に該当する。

正答（2）

118 解説

局所排気装置の設置などの工学的な対策によって、作業環境を良好な状態に維持することを作業環境管理という。Aの気流の測定とEの塗装方法の変更が作業環境管理に該当する。

したがって、選択肢（2）が正答となる。

なお、B、Dの対策は作業管理、Cの対策は健康管理に該当する。

正答（2）

★★★
119 呼吸用保護具に関する次の記述のうち、正しいものはどれか。
□□

（1）防じんマスクは作業に適したものを選択し、顔面とマスクの面体の高い密着性が要求される有害性の高い物質を取り扱う作業については、使い捨て式のものを選ぶ。
（2）防じんマスクの面体の接顔部に接顔メリヤスを使用すると、マスクと顔面との密着性が良くなる。
（3）２種類以上の有害ガスが混在している場合には、そのうち最も毒性の強いガス用の防毒マスクを使用する。
（4）吸収缶が、除毒能力を喪失するまでの時間を破過時間という。
（5）ハロゲンガス用防毒マスクの吸収缶の色は、黄色である。

R1.10-19

★★★
120 呼吸用保護具に関する次の記述のうち、誤っているものはどれか。
□□

（1）有機ガス用防毒マスクの吸収缶の色は黒色であり、シアン化水素用防毒マスクの吸収缶の色は青色である。
（2）ガス又は蒸気状の有害物質が粉じんと混在している作業環境中で防毒マスクを使用するときは、防じん機能を有する防毒マスクを選択する。
（3）酸素濃度18%未満の場所で使用できる呼吸用保護具には、送気マスク、空気呼吸器のほか、電動ファン付き呼吸用保護具がある。
（4）送気マスクは、清浄な空気をパイプ、ホースなどにより作業者に供給する呼吸用保護具である。
（5）空気呼吸器は、ボンベに充てんされた清浄空気を作業者に供給する自給式呼吸器である。

H31.4-20

119 解説

（1）**誤り。**顔面とマスクの面体の高い密着性が要求される有害性の高い物質を取り扱う作業で使用する防じんマスクは、**取替え式**のものを選ぶ。使い捨て式ではない。

（2）**誤り。**面体の接顔部に接顔メリヤスを使用すると、有害物質が面体の接顔部から面体内へ入り込むおそれがある。マスクと顔面の密着性が良くなるのではない。なお、接顔メリヤスは、防じんマスク着用による肌荒れを防止するために使用されるものである。

（3）**誤り。**防毒マスクの吸収缶は、対象ガスの種類、濃度に応じて、有効なものを選択する。したがって、2種類以上の有毒ガスが混在している場合は、**それぞれの種類に適合した吸収缶を使用**する。

（4）**正しい。**防毒マスクの吸収缶が除毒能力を喪失するまでの時間を破過時間という。

（5）**誤り。ハロゲンガス用防毒マスク**の吸収缶の色は、**灰色および黒色**（二層に分ける）である。黄色ではない。P. 152 参照。

正答（4）

120 解説

（1）**正しい。有機ガス用**の防毒マスクの吸収缶の色は**黒色**である。また、シアン化水素用防毒マスクの吸収缶の色は青色である。P. 152 参照。

（2）**正しい。**ガスまたは蒸気状の有害物質が粉じんと混在している作業環境中で防毒マスクを使用するときは、防じん機能を有する防毒マスクを選択する。

（3）**誤り。**酸素濃度18%未満の場所では、**電動ファン付き呼吸用保護具**や**防じんマスク、防毒マスク**を**使用してはならない**。このような場所で使用できる呼吸用保護具には、送気マスク、空気呼吸器があるとする点は、正しい。

（4）**正しい。**送気マスクは、清浄な空気をパイプ、ホースなどにより作業者に供給する呼吸用保護具である。P. 153 参照。

（5）**正しい。**空気呼吸器は、ボンベに充てんされた清浄空気を作業者に供給する自給式呼吸器である。P. 153 参照。

正答（3）

★★★
121 呼吸用保護具に関する次の記述のうち、正しいものはどれか。

□□

（1）防毒マスクの吸収缶の色は、一酸化炭素用は黒色で、有機ガス用は赤色である。

（2）高濃度の有害ガスに対しては、防毒マスクではなく、送気マスクか自給式呼吸器を使用する。

（3）型式検定合格標章のある防じんマスクでも、ヒュームのような微細な粒子に対して使用してはならない。

（4）防じんマスクの手入れの際、ろ過材に付着した粉じんは圧縮空気で吹き飛ばすか、ろ過材を強くたたいて払い落として除去する。

（5）防じんマスクは作業に適したものを選択し、顔面とマスクの面体の高い密着性が要求される有害性の高い物質を取り扱う作業については、使い捨て式のものを選ぶ。

R3.10-20

★★★
122 労働衛生保護具に関する次の記述のうち、誤っているものはどれか。

□□

（1）ガス又は蒸気状の有害物質が粉じんと混在している作業環境中で防毒マスクを使用するときは、防じん機能を有する防毒マスクを選択する。

（2）防毒マスクの吸収缶の色は、一酸化炭素用は赤色で、有機ガス用は黒色である。

（3）送気マスクは、清浄な空気をボンベに詰めたものを空気源として作業者に供給する自給式呼吸器である。

（4）遮光保護具には、遮光度番号が定められており、溶接作業などの作業の種類に応じて適切な遮光度番号のものを使用する。

（5）騒音作業における聴覚保護具（防音保護具）として、耳覆い（イヤーマフ）又は耳栓のどちらを選ぶかは、作業の性質や騒音の特性で決まるが、非常に強烈な騒音に対しては両者の併用も有効である。

R5.4-18

121 解説

（1）**誤り。一酸化炭素用**防毒マスクの吸収缶の色は**赤色**で、**有機ガス用**防毒マスクの吸収缶の色は**黒色**である。P.152 参照。

（2）**正しい。**高濃度の有毒ガスが存在する場合は、**送気マスク**または**自給式呼吸器**を使用する。防毒マスクは使用しない。

（3）**誤り。**防じんマスクは、ヒュームのような**微細な粒子状物質に対しても有効**であり、使用することができる。

（4）**誤り。**防じんマスクの手入れの際、ろ過材に付着した粉じんを圧縮空気で吹き飛ばす、ろ過材を強くたたいて払い落として除去するといった行為は行ってはならない。ろ過材を破損させるほか、粉じんを再飛散させるからである。

（5）**誤り。**顔面とマスクの面体の高い密着性が要求される有害性の高い物質を取り扱う作業で使用する防じんマスクは、**取替え式**のものを選ぶ。使い捨て式ではない。

正答（2）

122 解説

（1）**正しい。**ガスまたは蒸気状の有害物質が粉じんと混在している作業環境中で防毒マスクを使用するときは、防じん機能を有する防毒マスクを選択する。

（2）**正しい。一酸化炭素用**防毒マスクの吸収缶の色は**赤色**で、**有機ガス用**防毒マスクの吸収缶の色は**黒色**である。P.152 参照。

（3）**誤り。**送気マスクは、清浄な空気を**パイプ、ホースなどにより作業者に供給**する呼吸用保護具である。設問は自給式呼吸器のうち、空気呼吸器の説明である。

（4）**正しい。**遮光保護具には、遮光度番号が定められており、溶接作業など作業の種類に応じて適切な遮光度番号のものを選択する。なお、遮光保護具は、溶接作業における紫外線などによる眼の障害を防ぐために使用する。

（5）**正しい。**騒音作業における聴覚保護具として、耳覆い（イヤーマフ）と耳栓がある。このどちらを選ぶかは、作業の性質や騒音の特性で決まるが、非常に強烈な騒音に対しては**両者の併用も有効**である。

正答（3）

★★★

123 呼吸用保護具に関する次の記述のうち、正しいものはどれか。

□□

（1）防毒マスクの吸収缶の色は、一酸化炭素用は黒色で、硫化水素用は黄色である。

（2）防じん機能を有する防毒マスクには、吸収缶のろ過材がある部分に白線が入れてある。

（3）型式検定合格標章のある防じんマスクでも、ヒュームのような微細な粒子に対しては効果がない。

（4）防じんマスクの手入れの際、ろ過材に付着した粉じんは圧搾空気などで吹き飛ばして除去する。

（5）直結式防毒マスクは、隔離式防毒マスクよりも有害ガスの濃度が高い大気中で使用することができる。

R4.4-19

★★★

124 労働衛生保護具に関する次の記述のうち、正しいものはどれか。

□□

（1）保護めがねは、紫外線などの有害光線による眼の障害を防ぐ目的で使用するもので、飛散粒子、薬品の飛沫《まつ》などによる障害を防ぐ目的で使用するものではない。

（2）保護クリームは、皮膚の露出部に塗布して、作業中に有害な物質が直接皮膚に付着しないようにする目的で使用するものであるので、有害性の強い化学物質を直接素手で取り扱うときには、必ず使用する。

（3）防じんマスクは作業に適したものを選択し、高濃度の粉じんのばく露のおそれがあるときは、できるだけ粉じんの捕集効率が高く、かつ、排気弁の動的漏れ率が低いものを選ぶ。

（4）複数の種類の有毒ガスが混在している場合には、そのうち最も毒性の強いガス用の防毒マスクを使用する。

（5）エアラインマスクは、清浄な空気をボンベに詰めたものを空気源として供給する呼吸用保護具で、自給式呼吸器の一種である。

R4.10-17

123 解説

（1）**誤り。**一酸化炭素用防毒マスクの吸収缶の色は**赤色**で、硫化水素用防毒マスクの吸収缶の色は**黄色**である。P.152 参照。

（2）**正しい。**防じん機能を有する防毒マスクには、吸収缶のろ過材がある部分に白線が入れてある。

（3）**誤り。**防じんマスクは、**ヒュームのような微細な粒子状物質に対しても有効**である。なお、防じんマスクは、型式検定合格標章のあるものを使用しなければならない。

（4）**誤り。**防じんマスクの手入れの際、**ろ過材に付着した粉じんを圧縮空気で吹き飛ばす、ろ過材を強くたたいて払い落として除去する**といった行為は**行ってはならない**。ろ過材を破損させるほか、粉じんを再飛散させるからである。

（5）**誤り。**高濃度の有毒ガスが存在する場合は、防毒マスクではなく、**送気マスク**または**自給式呼吸器**を使用する。

正答（2）

124 解説

（1）**誤り。**保護めがねは、**飛散粒子、薬品の飛沫などによる障害を防ぐ**目的で使用する。なお、紫外線などの有害光線による眼の障害を防ぐ目的で使用するのは、遮光保護具である。

（2）**誤り。**保護クリームを使用したとしても、有害性の強い化学物質を**直接素手で取り扱ってはならない**。なお、保護クリームは、皮膚の露出部に塗布して、作業中に有害な物質が直接皮膚に付着しないようにする目的で使用するものであるとする点は、正しい。

（3）**正しい。**防じんマスクは、作業に適したものを選択する。したがって、高濃度の粉じんのばく露のおそれがあるときは、できるだけ粉じんの捕集効率が高く、かつ、排気弁の動的漏れ率が低いものを選ぶ。

（4）**誤り。**防毒マスクの吸収缶は、対象ガスの種類、濃度に応じて、有効なものを選択する。したがって、複数の有毒ガスが混在している場合は、**それぞれの種類に適合した吸収缶を使用**する。

（5）**誤り。**エアラインマスクは、**送気マスク**の一種で、**圧縮空気を空気源**とし、清浄な空気を**パイプ、ホース等により作業者に供給**する呼吸保護具である。なお、清浄な空気をボンベに詰めたものを空気源として供給する呼吸用保護具で、自給式呼吸器の一種であるのは、空気呼吸器である。

正答（3）

合格エッセンス　防毒マスクの吸収缶の種類および色

速 P.185

一酸化炭素用	赤色
有機ガス用	黒色
硫化水素用	黄色
ハロゲン用	灰／黒色
シアン化水素用	青色

キーワード　耳栓と耳覆い（イヤーマフ）

速 P.188

聴覚を騒音のばく露から保護し、聴力障害の発生を防止する目的の保護具として、耳栓と耳覆いがある。

耳栓

耳覆い（イヤーマフ）

合格エッセンス　呼吸用保護具の種類

速 P.184

- **呼吸用保護具**
  - ろ過式（酸素濃度18%以上）
    - 防じんマスク
      - 取替え式
      - 使い捨て式
        - 吸気補助具付き ― 隔離式／直結式
        - 吸気補助具なし ― 隔離式／直結式
    - 防じん機能を有する電動ファン付き呼吸用保護具 ― 面体形／ルーズフィット形
    - （以上、空気中の粉じんが対象）
    - 防毒機能を有する電動ファン付き呼吸用保護具 ― 面体形／ルーズフィット形
    - 防毒マスク ― 隔離式／直結式／直結式小型
    - （以上、空気中の有害ガスが対象）
  - 給気式（酸素濃度18%未満）
    - 送気マスク
      - ホースマスク
      - エアラインマスク
    - 自給式呼吸器
      - 空気呼吸器
      - 酸素呼吸器

防じんマスクの一例

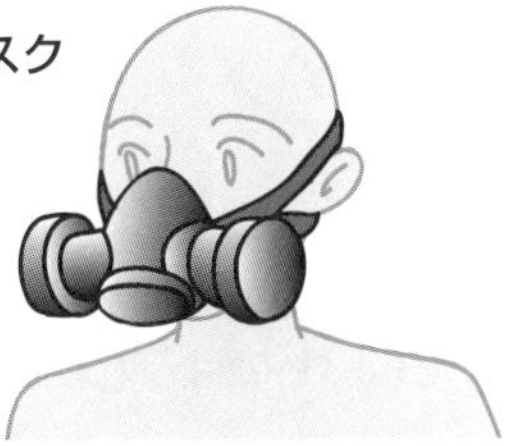

防毒マスクの一例

送気マスクの一例

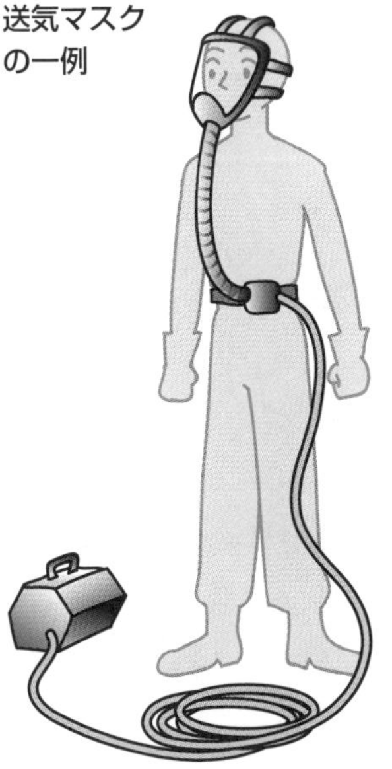

自給式呼吸器の一例

8. 特殊健康診断　速 第8章 LESSON 1

★★
125 特殊健康診断に関する次の文中の［　　］内に入れるAからCの語句の組合せとして、正しいものは（1）～（5）のうちどれか。

□□

「特殊健康診断において有害物の体内摂取量を把握する検査として、生物学的モニタリングがあり、ノルマルヘキサンについては、尿中の［ A ］の量を測定し、［ B ］については、［ C ］中のデルタアミノレブリン酸の量を測定する。」

	A	B	C
（1）	2,5-ヘキサンジオン	鉛	尿
（2）	2,5-ヘキサンジオン	鉛	血液
（3）	シクロヘキサノン	鉛	尿
（4）	シクロヘキサノン	水銀	尿
（5）	シクロヘキサノン	水銀	血液

R4.10-20

★★★
126 特殊健康診断に関する次の記述のうち、正しいものはどれか。

□□

（1）有害物質による健康障害は、多くの場合、諸検査の異常などの他覚的所見より、自覚症状が先に出現するため、特殊健康診断では問診の重要性が高い。

（2）特殊健康診断における生物学的モニタリングによる検査は、有害物の体内摂取量や有害物による健康影響の程度を把握するための検査である。

（3）体内に取り込まれた鉛の生物学的半減期は、数時間と短いので、鉛健康診断における採尿及び採血の時期は、厳重にチェックする必要がある。

（4）振動工具の取扱い業務に係る健康診断において、振動障害の有無を評価するためには、夏季における実施が適している。

（5）情報機器作業に係る健康診断では、眼科学的検査などとともに、上肢及び下肢の運動機能の検査を行う。

R4.4-20

125 解説

「特殊健康診断において有害物の体内摂取量を把握する検査として、生物学的モニタリングがあり、ノルマルヘキサンについては、尿中の［A **2,5-ヘキサンジオン**］の量を測定し、［B **鉛**］については、［C **尿**］中のデルタアミノレブリン酸の量を測定する。」

したがって、選択肢（1）が正答となる。

正答（1）

126 解説

（1）**誤り**。有害物質による健康障害の多くは、初期または軽度の場合、ほとんど**自覚症状がない**ことが多く、**他覚的所見**、特に諸検査の異常が**自覚症状に先行して現れる**。したがって、特殊健康診断では、自覚症状を問う問診よりも**諸検査の異常などの他覚的所見の重要性が高い**。

（2）**正しい**。特殊健康診断における生物学的モニタリングによる検査は、有害物の体内摂取量や有害物による軽度の影響の程度を把握するための検査である。

（3）**誤り**。体内に取り込まれた鉛の生物学的半減期は**長い**ので、尿または血液の採取時期は**任意**でよく、厳密にチェックする必要はない。

（4）**誤り**。振動工具の取扱い業務に係る健康診断において、振動障害の有無を評価するためには、**冬季**における実施が適している。夏季ではない。

（5）**誤り**。情報機器作業を行う作業者に対する定期健康診断においては、業務歴の調査、既往歴の調査、自覚症状の有無の調査のほか、視力検査などの**眼科学的検査**、**上肢の運動機能**などの**筋骨格系に関する検査**も行うとされている。しかし、下肢の運動機能の検査を行うとはされていない。

正答（2）

★★

127 **特殊健康診断に関する次の記述のうち、誤っているものはどれか。**

□□

（1）有害業務への配置替えの際に行う特殊健康診断には、業務適性の判断と、その後の業務の影響を調べるための基礎資料を得るという目的がある。

（2）特殊健康診断では、対象とする特定の健康障害と類似の他の疾患との判別が、一般健康診断よりも一層強く求められる。

（3）有害物質による健康障害の大部分は、急性発症を除き、初期又は軽度の場合はほとんど無自覚で、諸検査の結果により発見されることが多い。

（4）特殊健康診断における生物学的モニタリングによる検査は、有害物の体内摂取量や有害物による軽度の影響の程度を把握するための検査である。

（5）有機溶剤等健康診断における尿の採取は、任意の時期に行ってよいが、鉛は生物学的半減期が短いので、鉛健康診断における尿又は血液の採取時期は、厳重にチェックする必要がある。

H26.4-20

★★

128 **有害化学物質とその生物学的モニタリング指標として用いられる尿中の代謝物との組合せとして、正しいものは次のうちどれか。**

□□

（1）トルエン ……………………………… トリクロロ酢酸

（2）キシレン ……………………………… メチル馬尿酸

（3）スチレン ……………………………… 馬尿酸

（4）*N*,*N*- ジメチルホルムアミド ……… デルタ - アミノレブリン酸

（5）鉛 ……………………………………… マンデル酸

R5.10-20

127 解説

（1）**正しい。**有害業務への配置替えの際に行う特殊健康診断には、**業務適性の判断**と、**その後の業務の影響を調べるための基礎資料を得る**という目的がある。

（2）**正しい。**特殊健康診断では、対象とする特定の健康障害と類似の他の疾患との判別が、すべての疾病や健康障害を対象としている一般健康診断よりも一層強く求められる。

（3）**正しい。**有害物質による健康障害の大部分は、初期または軽度の場合はほとんど無自覚で、諸検査の結果（他覚的所見）により発見されることが多い。

（4）**正しい。**特殊健康診断における生物学的モニタリングによる検査は、有害物の体内摂取量や有害物による軽度の影響の程度を把握するための検査である。なお、有機溶剤の生物学的モニタリングでは尿中代謝物を測定することが有機溶剤中毒予防規則に定められている。

（5）**誤り。有機溶剤**は**生物学的半減期が短い**ので、尿中の有機溶剤代謝物の量の検査を行うときは、**尿の採取時期を厳重にチェック**する必要がある。また、**鉛**の**生物学的半減期は長い**ので、尿または血液の採取時期は**任意**でよい。

正答 （5）

128 解説

キシレンばく露の生物学的モニタリング指標として用いられる尿中の代謝物は**メチル馬尿酸**である。したがって、選択肢（2）が正答となる。

なお、トルエンばく露の生物学的モニタリング指標として用いられる尿中の代謝物は馬尿酸、スチレンばく露の生物学的モニタリング指標として用いられる尿中の代謝物は、マンデル酸とフェニルグリオキシル酸である。また、*N*, *N*-ジメチルホルムアミドばく露の生物学的モニタリング指標として用いられる尿中の代謝物は、*N*-メチルホルムアミド、鉛ばく露の生物学的モニタリング指標として用いられる尿中の代謝物は、デルタアミノレブリン酸である。

正答 （2）

合格エッセンス　有機溶剤の生物学的モニタリング検査項目

速 P.194

有機溶剤	尿中代謝物
鉛	**デルタアミノレブリン酸**
キシレン	**メチル馬尿酸**
トルエン	**馬尿酸**
ノルマルヘキサン	2,5-ヘキサンジオン

★
129 **温熱条件に関する次の記述のうち、正しいものはどれか。**

□□

(1) 温熱環境は、気温、湿度及び放射熱（ふく射熱）の三つの温熱要素によって決定される。

(2) 実効温度は、気温、湿度及び放射熱の総合効果を一つの指標で表したものである。

(3) 不快指数は、温熱環境の不快度を表す指標で、乾球温度及び黒球温度の測定値から算出される。

(4) WBGT は、暑熱環境のリスクを評価するための指標で、屋外で太陽照射がある場合は、自然湿球温度、黒球温度及び乾球温度の測定値から算出される。

(5) 至適温度は、作業中の温度感覚を表す指標として、作業に対応するエネルギー代謝率と職場の平均気温から求められ、感覚温度ともいわれる。

H24.4-29

129 解説

（1）**誤り**。温熱環境は、**気温、湿度、気流**および**放射熱（ふく射熱）**の**4つ**の温熱要素によって決定される。気流も含まれる。気温、湿度および放射熱（ふく射熱）の3つの温熱要素によって決定されるのではない。

（2）**誤り**。実効温度は、気温、湿度および**気流**の総合効果を温度目盛りで表したものである。なお、実効温度は感覚温度とも呼ばれ、人の温感覚に基礎を置いた指標である。

（3）**誤り**。不快指数は、**乾球温度**および**湿球温度**の測定値から算出される。

（4）**正しい**。WBGTは、暑熱環境のリスクを評価するための指標である。屋外で太陽照射（日射）がある場合は、自然湿球温度、黒球温度および乾球温度（気温）の測定値から算出される。

（5）**誤り**。至適温度は、暑くもなく寒くもなく最適と感じられる温度のことで、温度感覚を実効温度で示したものである。作業強度が強いと至適温度は低くなる。なお、感覚温度ともいわれるのは実効温度である。

正答（4）

10. 空気環境　速 第2章 LESSON 2

★ **130** □□ 事務室における必要換気量Q（m^3/h）を算出する式として、正しいものは（1）～（5）のうちどれか。ただし、AからDは次のとおりとする。

A　外気の二酸化炭素濃度

B　室内二酸化炭素基準濃度

C　室内二酸化炭素濃度の測定値

D　在室者全員が呼出する二酸化炭素量（m^3/h）

（1）$Q = \dfrac{D}{B - A}$

（2）$Q = \dfrac{D}{C - A}$

（3）$Q = \dfrac{D}{C - B}$

（4）$Q = D \times \dfrac{B}{A}$

（5）$Q = D \times \dfrac{C}{B}$

H22.4-28

★ **131** □□ 在室者が 12 人の事務室において、二酸化炭素濃度を 1,000ppm 以下に保つために最小限必要な換気量の値（m^3/h）に最も近いものは次のうちどれか。ただし、在室者が呼出する二酸化炭素量は１人当たり 0.018m^3/h、外気の二酸化炭素濃度は 400ppm とする。

（1）160

（2）220

（3）260

（4）360

（5）390

H30.10-28、H24.4-28 類

130 解説

事務室における必要換気量Q（m^3/h）は、以下の公式から求める。

$$\text{必要換気量}(m^3/h) = \frac{\text{室内にいる人が1時間に呼出する二酸化炭素量}(m^3/h)}{\text{室内二酸化炭素基準濃度}-\text{外気の二酸化炭素濃度}}$$

したがって、選択肢（1）が正答となる。

正答（1）

131 解説

必要換気量は以下の公式から求める。

$$\text{必要換気量}(m^3/h) = \frac{\text{室内にいる人が1時間に呼出する二酸化炭素量}(m^3/h)}{\text{室内二酸化炭素基準濃度}-\text{外気の二酸化炭素濃度}}$$

①在室者12人が1時間に呼出する二酸化炭素量を求める。

⇒0.018（m^3/h）× 12（人）＝ 0.216（m^3/h）

②二酸化炭素濃度がppm単位であるため、上記の公式を1,000,000倍する。

①、②と与えられた数値を公式にあてはめる。

$$\text{必要換気量}(m^3/h) = \frac{0.216\ (m^3/h)}{1{,}000 - 400} \times 1{,}000{,}000$$

$$= 360$$

以上から、二酸化炭素濃度を1,000ppm以下に保つために最小限必要な換気量の値（m^3/h）に最も近いものは、360となる。

したがって、選択肢（4）が正答となる。

正答（4）

11. 生物化学的要因と疾病　速 第3章 LESSON 1

★★★
132 **食中毒に関する次の記述のうち、正しいものはどれか。**

□□

（1）感染型食中毒は、食物に付着した細菌そのものの感染によって起こる食中毒で、サルモネラ菌によるものがある。

（2）赤身魚などに含まれるヒスチジンが細菌により分解されて生成されるヒスタミンは、加熱調理によって分解する。

（3）エンテロトキシンは、フグ毒の主成分で、手足のしびれや呼吸麻痺《ひ》を起こす。

（4）カンピロバクターは、カビの産生する毒素で、腹痛や下痢を起こす。

（5）ボツリヌス菌は、缶詰や真空パックなど酸素のない密封食品中でも増殖するが、熱には弱く、60℃、10分間程度の加熱で殺菌することができる。

R5.10-33

★★★
133 **細菌性食中毒の原因菌のうち、病原性好塩菌ともいわれるものは、次のうちどれか。**

□□

（1）黄色ブドウ球菌

（2）ボツリヌス菌

（3）サルモネラ菌

（4）腸炎ビブリオ

（5）カンピロバクター

H30.4-34、H28.10-33 類

132 解説

（1）**正しい。感染型食中毒**は、食物に付着した**細菌そのものの感染**によって起こる食中毒で、**サルモネラ菌**によるものがある。

（2）**誤り。**ヒスタミンは、**加熱によって分解されにくい**。なお、赤身魚などに含まれるヒスチジンが細菌により分解されてヒスタミンを生成するという点は、正しい。

（3）**誤り。**エンテロトキシンは、黄色ブドウ球菌などの毒素型の細菌が産生する毒素である。なお、フグ毒の主成分で、手足のしびれや呼吸麻痺を起こすのは、テトロドトキシンである。

（4）**誤り。**カンピロバクターは、**細菌性食中毒の原因菌**であり、カビの産生する毒素ではない。なお、カビの産生する毒素で代表的なものとして、アフラトキシンがあり、アフラトキシンには発がん性がある。

（5）**誤り。**ボツリヌス菌は、**熱に非常に強く**、菌が芽胞という形態になると長時間煮沸しても死滅しない。なお、ボツリヌス菌は、缶詰や真空パック食品など酸素のない食品中で増殖するとする点は、正しい。

正答（1）

133 解説

病原性好塩菌ともいわれるものは、**腸炎ビブリオ**である。

したがって、選択肢（4）が正答となる。

正答（4）

チェック！ ここが狙われる　細菌性中毒の原因菌

速 P.104

	感染型		毒素型	
原因菌	**サルモネラ菌**	**腸炎ビブリオ** （病原性好塩菌）	**黄色ブドウ球菌** （毒素：エンテロトキシン）	**ボツリヌス菌** （毒素：ボツリヌストキシン）
原因食品	ネズミなどの糞尿や、ゴキブリなどによって汚染された食肉、鶏卵	海産生鮮魚介類	にぎりめし あんこ 弁当	缶詰 真空パック食品
特性・症状	●急性胃腸炎型の症状 ●75℃で1分以上の加熱で殺菌可能	●胃痙攣様の腹痛、水様下痢 ●予後良好	●嘔吐、続いて腹痛、下痢 ●回復は早い	●**神経症状**（呼吸困難）を呈し**致死率が高い** ●筋肉の麻痺 ●熱に強く死滅しにくい

★★★
134 食中毒に関する次の記述のうち、誤っているものはどれか。

□□

（1）黄色ブドウ球菌による食中毒は、食品に付着した菌が食品中で増殖した際に生じる毒素により発症する。

（2）サルモネラ菌による食中毒は、鶏卵が原因となることがある。

（3）腸炎ビブリオ菌は、熱に強い。

（4）ボツリヌス菌は、缶詰、真空パック食品など酸素のない食品中で増殖して毒性の強い神経毒を産生し、筋肉の麻痺《ひ》症状を起こす。

（5）ノロウイルスの失活化には、煮沸消毒又は塩素系の消毒剤が効果的である。

R5.4-32

★★★
135 ノロウイルスによる食中毒に関する次の記述のうち、正しいものはどれか。

□□

（1）食品に付着したウイルスが食品中で増殖し、ウイルスが産生した毒素により発症する。

（2）ウイルスの感染性は、長時間煮沸しても失われない。

（3）潜伏期間は、１～２日間である。

（4）発生時期は、夏季が多い。

（5）症状は、筋肉の麻痺《ひ》などの神経症状が特徴である。

H29.4-32、H27.4-33 類

134 解説

（1）**正しい。**黄色ブドウ球菌による食中毒は、毒素型食中毒で、食品に付着した**細菌により産生された毒素**によって起こる食中毒である。

（2）**正しい。**サルモネラ菌による食中毒は、鶏卵が原因となることがある。なお、サルモネラ菌による食中毒は、感染型食中毒である。

（3）**誤り。**腸炎ビブリオ菌は、真水や**熱に弱い**。なお、腸炎ビブリオ菌は、病原性好塩菌ともいわれる

（4）**正しい。**ボツリヌス菌は、缶詰、真空パック食品など**酸素のない食品中で増殖**して毒性の強い**神経毒を産生し**、筋肉の麻痺症状を起こす。なお、ボツリヌス菌は、**熱に非常に強く**、菌が芽胞という形態になると長時間煮沸しても死滅しない。

（5）**正しい。**ノロウイルスの失活化には、**煮沸消毒**または**塩素系の消毒剤**が効果的である。

正答（3）

135 解説

（1）**誤り。**ノロウイルスによる食中毒は、食品に付着した**ウイルスが腸内で増殖**することで発症する。ウイルスが産生した毒素により発症するのではない。

（2）**誤り。**ウイルスの感染性は、**長時間煮沸**すると失われる。

（3）**正しい。**ノロウイルスによる食中毒の**潜伏期間**は、**1～2日間**である。

（4）**誤り。**ノロウイルスによる食中毒の発生時期は、**冬季**が多い。夏季ではない。

（5）**誤り。**ノロウイルスによる食中毒の症状は、**吐き気**、**嘔吐**、**下痢**などの症状が特徴である。筋肉の麻痺などの神経症状が特徴ではない。

正答（3）

★

136 **感染症に関する次の記述のうち、誤っているものはどれか。**

□□

（1）人間の抵抗力が低下した場合は、通常、多くの人には影響を及ぼさない病原体が病気を発症させることがあり、これを不顕性感染という。

（2）感染が成立し、症状が現れるまでの人をキャリアといい、感染したことに気付かずに病原体をばらまく感染源になることがある。

（3）微生物を含む飛沫《まつ》の水分が蒸発して、5 μm 以下の小粒子として長時間空気中に浮遊し、空調などを通じて感染することを空気感染という。

（4）風しんは、発熱、発疹《しん》、リンパ節腫脹《ちょう》を特徴とするウイルス性発疹《しん》症で、免疫のない女性が妊娠初期に風しんにかかると、胎児に感染し出生児が先天性風しん症候群（CRS）となる危険性がある。

（5）インフルエンザウイルスにはA型、B型及びC型の三つの型があるが、流行の原因となるのは、主として、A型及びB型である。

R4.4-34

136 解説

（1）**誤り。**不顕性感染とは、感染が成立したが、**症状が現れない状態が継続**することをいう。なお、人間の抵抗力が低下した場合は、通常、多くの人には影響を及ぼさない病原体が病気を発症させることがあり、これを日和見感染という。

（2）**正しい。感染が成立**し、**症状が現れるまでの人**をキャリア（保菌者）という。感染したことに気付かずに病原体をばらまく感染源になることがある。

（3）**正しい。**微生物を含む飛沫の水分が蒸発して、５μm 以下の小粒子として長時間空気中に浮遊し、空調などを通じて感染することを空気感染という。結核などは空気感染することがある。

（4）**正しい。**風しんは、発熱、発疹、リンパ節腫脹を特徴とする**ウイルス性発疹症**である。免疫のない女性が妊娠初期に風しんにかかると、胎児に感染し出生児が先天性風しん症候群（CRS）となる危険性がある。風しんは感染力が強く、特に成人で発症すると重症化する。

（5）**正しい。**インフルエンザウイルスにはＡ型、Ｂ型およびＣ型の３つの型があるが、**流行の原因**となるのは、主として、**Ａ型**および**Ｂ型**である。インフルエンザは、風邪に比べて発熱、頭痛、関節痛、筋肉痛などの全身症状が強い。

正答（1）

12. 作業要因と疾病　　速 第3章 LESSON 2

★★★
137 虚血性心疾患に関する次の記述のうち、誤っているものはどれか。

□□

（1）虚血性心疾患は、狭心症と心筋梗塞とに大別される。

（2）虚血性心疾患発症の危険因子には、高血圧、喫煙、脂質異常症などがある。

（3）運動負荷心電図検査は、心筋の異常や不整脈の発見には役立つが、虚血性心疾患の発見には役立たない。

（4）狭心症は、心臓の血管の一部の血流が一時的に悪くなる病気である。

（5）狭心症の痛みの場所は、心筋梗塞とほぼ同じであるが、その発作が続く時間は、通常数分程度で、長くても 15 分以内であることが多い。

R2.4-31 類、H29.10-34、H29.4-31 類

★★★
138 虚血性心疾患に関する次の記述のうち、誤っているものはどれか。

□□

（1）虚血性心疾患は、門脈による心筋への血液の供給が不足したり途絶えることにより起こる心筋障害である。

（2）虚血性心疾患発症の危険因子には、高血圧、喫煙、脂質異常症などがある。

（3）虚血性心疾患は、心筋の一部分に可逆的な虚血が起こる狭心症と、不可逆的な心筋壊《え》死が起こる心筋梗塞とに大別される。

（4）心筋梗塞では、突然激しい胸痛が起こり、「締め付けられるように痛い」、「胸が苦しい」などの症状が長時間続き、１時間以上になることもある。

（5）狭心症の痛みの場所は、心筋梗塞とほぼ同じであるが、その発作が続く時間は、通常数分程度で、長くても 15 分以内におさまることが多い。

R3.10-31、R2.10-31

137 解説

（1）**正しい。**虚血性心疾患に含まれる疾患として、狭心症と心筋梗塞がある。

（2）**正しい。**虚血性心疾患発症の危険因子には、高血圧症、脂質異常症などの生活習慣病や喫煙がある。

（3）**誤り。**運動負荷心電図検査（運動負荷を加えた状態で心電図の変化を見る検査）は、安静の状態で記録をした安静時心電図では診断が困難な、狭心症、**虚血性心疾患などの発見に有用**である。

（4）**正しい。**狭心症は、心臓の血管の一部の血流が一時的に悪くなる病気である。

（5）**正しい。****狭心症**の痛みの場所は、心筋梗塞とほぼ同じである。発作が続く時間は、通常数分程度で、**長くても15分以内**であることが多い。なお、心筋梗塞の症状は通常長く、1時間以上になることもある。

正答（3）

138 解説

（1）**誤り。**虚血性心疾患は、心筋に血液を供給する**冠状動脈（冠動脈）**が狭まったり、ふさがったりすることにより、心筋への血液の供給が不足したり途絶えて心筋障害を起こす疾患の総称である。門脈ではない。

（2）**正しい。**虚血性心疾患発症の危険因子には、高血圧症、脂質異常症などの生活習慣病や喫煙がある。

（3）**正しい。**虚血性心疾患は、心筋の一部分に可逆的な虚血が起こる狭心症と、不可逆的な心筋壊死が起こる心筋梗塞とに大別される。

（4）**正しい。**心筋梗塞では、突然激しい胸痛が起こり、「締め付けられるように痛い」、「胸が苦しい」などの症状が**長時間続く**。その時間は1時間以上になることもある。

（5）**正しい。**狭心症の痛みの場所は、心筋梗塞とほぼ同じである。発作が続く時間は、通常数分程度で、**長くても15分以内**であることが多い。

正答（1）

合格エッセンス　虚血性心疾患の分類

速 P.109

虚血性心疾患

- **狭心症**
  冠状動脈が狭くなり、血流が一時的に低下（可逆的虚血）した状態
- **心筋梗塞**
  冠状動脈がふさがり、血流が完全に途絶え、心筋が壊死した状態（不可逆的）

★★★

139 **脳血管障害に関する次の記述のうち、誤っているものはどれか。**

□□

（1）脳血管障害は、脳の血管の病変が原因で生じ、出血性病変、虚血性病変などに分類される。

（2）出血性の脳血管障害は、脳表面のくも膜下腔《くう》に出血するくも膜下出血、脳実質内に出血する脳出血などに分類される。

（3）虚血性の脳血管障害である脳梗塞は、脳血管自体の動脈硬化性病変による脳塞栓症と、心臓や動脈壁の血栓などが剥がれて脳血管を閉塞する脳血栓症に分類される。

（4）脳梗塞や脳出血では、頭痛、吐き気、手足のしびれ、麻痺《ひ》、言語障害、視覚障害などの症状が認められる。

（5）くも膜下出血の症状は、「頭が割れるような」、「ハンマーでたたかれたような」などと表現される急激で激しい頭痛が特徴である。

H27.10-30、H26.4-31、H25.10-30

139 解説

（1）**正しい。**脳血管障害は、出血性病変、虚血性病変などに分類される。

（2）**正しい。**出血性の脳血管障害は、くも膜下出血（脳表面のくも膜下腔に出血）、脳出血（脳実質内に出血）などに分類される。

（3）**誤り。**虚血性の脳血管障害である脳梗塞は、**脳血管自体の動脈硬化性病変による脳血栓症**と、**心臓や動脈壁の血栓などがはがれて脳血管を閉塞する脳塞栓症**に分類される。設問は、脳血栓症と脳塞栓症の説明が逆である。

（4）**正しい。**脳梗塞や脳出血では、頭痛、吐き気、手足のしびれ、麻痺、言語障害、視覚障害などの症状が認められる。

（5）**正しい。**くも膜下出血の症状は、急激で激しい頭痛が特徴である。

正答（3）

合格エッセンス 脳血管障害の分類

速 P.108

脳血管障害

- **虚血性**
  - **脳梗塞**
    脳の血管が狭くなる、血栓が詰まるなどが原因で、血流が悪くなり、脳の細胞が障害を受けるもの
    - **脳血栓症**
      脳の血管自体の**動脈硬化や蓄積した血栓によって脳の血管が狭くなること（動脈硬化性病変）**により生じるもの

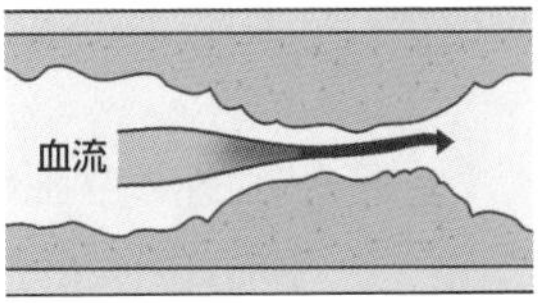

    - **脳塞栓症**
      心臓や動脈壁などからはがれ流れてきた血栓などが、脳の血管をふさぐことにより生じるもの

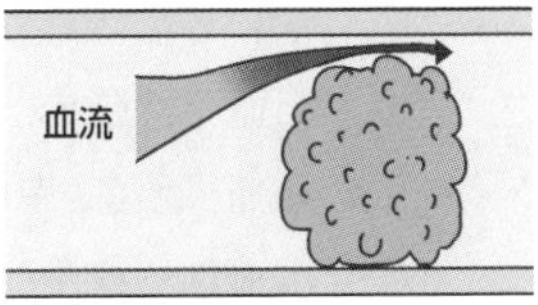

- **出血性**
  - **くも膜下出血**
    脳の表面の動脈にできたコブ（動脈瘤）などが破れ、くも膜下腔に出血したもの
  - **脳出血**
    脳実質（脳自体）の細かい血管が破れて脳実質内に出血したもの

★★★

140 脳血管障害及び虚血性心疾患に関する次の記述のうち、誤っているものはどれか。

□□

（1）脳血管障害は、脳の血管の病変が原因で生じ、出血性病変、虚血性病変などに分類される。

（2）出血性の脳血管障害は、脳表面のくも膜下腔《くう》に出血するくも膜下出血、脳実質内に出血する脳出血などに分類される。

（3）虚血性の脳血管障害である脳梗塞は、脳血管自体の動脈硬化性病変による脳血栓症と、心臓や動脈壁の血栓などが剥がれて脳血管を閉塞する脳塞栓症に分類される。

（4）虚血性心疾患は、門脈による心筋への血液の供給が不足したり途絶えることにより起こる心筋障害である。

（5）虚血性心疾患は、心筋の一部分に可逆的虚血が起こる狭心症と、不可逆的な心筋壊《え》死が起こる心筋梗塞とに大別される。

H31.4-31、H30.4-31 類、H28.4-32、H26.10-31 類

★★★

141 脳血管障害及び虚血性心疾患に関する次の記述のうち、誤っているものはどれか。

□□

（1）出血性の脳血管障害は、脳表面のくも膜下腔《くう》に出血するくも膜下出血、脳実質内に出血する脳出血などに分類される。

（2）虚血性の脳血管障害である脳梗塞は、脳血管自体の動脈硬化性病変による脳塞栓症と、心臓や動脈壁の血栓が剥がれて脳血管を閉塞する脳血栓症に分類される。

（3）高血圧性脳症は、急激な血圧上昇が誘因となって、脳が腫脹《ちょう》する病気で、頭痛、悪心、嘔《おう》吐、意識障害、視力障害、けいれんなどの症状がみられる。

（4）虚血性心疾患は、心筋の一部分に可逆的な虚血が起こる狭心症と、不可逆的な心筋壊《え》死が起こる心筋梗塞とに大別される。

（5）運動負荷心電図検査は、虚血性心疾患の発見に有用である。

R5.4-31

140 解説

（1）**正しい。**脳血管障害は、出血性病変、虚血性病変などに分類される。

（2）**正しい。**出血性の脳血管障害は、くも膜下出血（脳表面のくも膜下腔に出血）、脳出血（脳実質内に出血）などに分類される。

（3）**正しい。**虚血性の脳血管障害である脳梗塞は、**脳血管自体の動脈硬化性病変による脳血栓症**と、**心臓、動脈壁の血栓などが剥がれて脳血管を閉塞する脳塞栓症**に分類される。

（4）**誤り。**虚血性心疾患は、心筋に血液を供給する**冠状動脈（冠動脈）**が狭まったり、ふさがったりすることにより、心筋への血液の供給が不足したり途絶えて心筋障害を起こす疾患の総称である。門脈ではない。なお、門脈とは、消化管と肝臓をつなぐ血管である。

（5）**正しい。**虚血性心疾患には、狭心症（心筋の一部分に可逆的虚血が起こる）と、心筋梗塞（不可逆的な心筋壊死が起こる）などがある。

正答（4）

141 解説

（1）**正しい。**出血性の脳血管障害は、**くも膜下出血**（脳表面のくも膜下腔に出血）、**脳出血**（脳実質内に出血）などに**分類**される。

（2）**誤り。**虚血性の脳血管障害である脳梗塞は、**脳血管自体の動脈硬化性病変による脳血栓症**と、**心臓、動脈壁の血栓などが剥がれて脳血管を閉塞する脳塞栓症**に分類される。

（3）**正しい。**高血圧性脳症は、急激な血圧上昇が誘因となって、脳が腫脹する病気で、頭痛、悪心、嘔吐、意識障害、視力障害、けいれん発作などの症状がみられる。

（4）**正しい。**虚血性心疾患には、**狭心症**（心筋の一部分に**可逆的虚血**が起こる）と、**心筋梗塞**（**不可逆的な心筋壊死**が起こる）などがある。

（5）**正しい。**運動負荷心電図検査（運動負荷を加えた状態で心電図の変化を見る検査）は、安静の状態で記録をした安静時心電図では診断が困難な、狭心症、虚血性心疾患などの発見に有用である。

正答（2）

13. 救急蘇生法　速 第4章 LESSON 1

★★
142 **一次救命処置に関する次の記述のうち、正しいものはどれか。**

□□

（1）呼吸を確認して普段どおりの息（正常な呼吸）がない場合や約１分間観察しても判断できない場合は、心肺停止とみなし、心肺蘇《そ》生を開始する。

（2）心肺蘇生は、胸骨圧迫のみではなく、必ず胸骨圧迫と人工呼吸を組み合わせて行う。

（3）胸骨圧迫は、胸が約５cm 沈む強さで胸骨の下半分を圧迫し、１分間に少なくとも 60 回のテンポで行う。

（4）気道が確保されていない状態で人工呼吸を行うと、吹き込んだ息が胃に流入し、胃が膨張して内容物が口の方に逆流し気道閉塞を招くことがある。

（5）口対口人工呼吸は、傷病者の鼻をつまみ、１回の吹き込みに３秒以上かけて行う。

R2.10-32

★★
143 **一次救命処置に関する次の記述のうち、誤っているものはどれか。**

□□

（1）傷病者の反応がない場合は、その場で大声で叫んで周囲の注意を喚起し、協力者を確保する。

（2）周囲に協力者がいる場合は、119 番通報や AED（自動体外式除細動器）の手配を依頼する。

（3）口対口人工呼吸は、傷病者の気道を確保してから鼻をつまみ、１回の吹き込みに約３秒かけて傷病者の胸の盛り上がりが見える程度まで吹き込む。

（4）胸骨圧迫は、胸が約５cm 沈む強さで、１分間に 100 ～ 120 回のテンポで行う。

（5）AED を用いた場合、心電図の自動解析の結果「ショックは不要です」などのメッセージが流れたときには、胸骨圧迫を開始し心肺蘇《そ》生を続ける。

H31.4-30

142 解説

（1）**誤り。**呼吸を確認して普段どおりの呼吸（正常な呼吸）がない場合や呼吸状態を継続観察（10秒以内）しても判断できない場合は、心肺停止とみなし、心肺蘇生を開始する。継続観察の時間は約1分間ではない。

（2）**誤り。**胸骨圧迫と人工呼吸は必ず組み合わせて行うものではない。救助者が訓練を受けていない場合や人工呼吸に躊躇がある場合は、人工呼吸を省略する。

（3）**誤り。**胸骨圧迫は、胸が**約5cm**沈む強さで、1分間に**100～120回**のテンポで行う。60回のテンポではない。なお、人工呼吸が可能な場合、心肺蘇生は、胸骨圧迫30回に人工呼吸2回を繰り返して行う。

（4）**正しい。**気道をきちんと確保しないままで人工呼吸を行うと、吹き込んだ息が胃に流入し、胃が膨張して内容物が口の方に逆流する。このため気道閉塞を招くことがあるので注意する。

（5）**誤り。**人工呼吸（口対口人工呼吸）は、1回の息の吹き込みに**約1秒**かけて、傷病者の胸の盛り上がりが見える程度で吹き込む。3秒以上かけるのではない。

正答（4）

143 解説

（1）**正しい。**傷病者に反応がない場合は、大声で叫んで周囲の注意を喚起し、応援を呼ぶ。

（2）**正しい。**傷病者に反応がなく、周囲に協力者がいる場合は、119番通報やAEDの手配を依頼する。なお、協力者がいない場合は、119番通報を優先する。

（3）**誤り。**人工呼吸（口対口人工呼吸）は、1回の息の吹き込みに**約1秒**かけて、傷病者の胸の盛り上がりが見える程度で吹き込む。約3秒かけるのではない。

（4）**正しい。**胸骨圧迫は、胸が**約5cm**沈む強さで、1分間に**100～120回**のテンポで行う。

（5）**正しい。**AEDを用いた場合、電気ショックを行った後や電気ショックは不要とメッセージがあったときには、**胸骨圧迫を再開し心肺蘇生を続ける**。なお、AEDの電極パッドはそのままはがさず、電源も入れたまま、心肺蘇生を行う。

正答（3）

回復体位

胃の内容物が逆流して気道をふさぐことなく、ひとりでに口の外へ流れ出やすくなるよう、横向きの体位にする。

14. さまざまな応急手当　速 第4章 LESSON 2

★★

144 **出血及び止血法に関する次の記述のうち、誤っているものはどれか。**

□□

（1）体内の全血液量は、体重の13分の1程度で、その約3分の1を短時間に失うと生命が危険な状態となる。

（2）動脈性出血は、鮮紅色を呈する拍動性の出血で、出血量が多いため、早急に、細いゴムひもなどを止血帯として用いて止血する。

（3）静脈性出血は、傷口からゆっくり持続的に湧き出るような出血で、通常、直接圧迫法で止血する。

（4）内出血は、胸腔《くう》、腹腔などの体腔内や皮下などの軟部組織への出血で、血液が体外に流出しないものである。

（5）間接圧迫法は、出血部位より心臓に近い部位の動脈を圧迫する方法で、それぞれの部位の止血点を指で骨に向けて強く圧迫するのがコツである。

R2.10-34

144 解説

（1）**正しい。**体内の全血液量は、**体重の13分の1**（**約8％**程度）で、その**約3分の1**を短時間に失うと生命が危険な状態となる。

（2）**誤り。**動脈性出血は、鮮紅色を呈する拍動性の出血で、通常、**直接圧迫法**で止血する。なお、止血法には、直接圧迫法、間接圧迫法などがあるが、一般人が行う応急手当としては直接圧迫法が推奨されている。

（3）**正しい。静脈性出血**は、浅い切り傷のときにみられ、**傷口からゆっくり持続的に湧き出る**ような出血である。通常、直接圧迫法で止血する。

（4）**正しい。**内出血は、胸腔、腹腔などの体腔内や皮下などの軟部組織への出血で、血液が体外に流出しないものである。

（5）**正しい。**間接圧迫法は、出血部より心臓に近い部位の動脈を圧迫する方法である。止血のコツは、それぞれの部位の止血点を指で骨に向けて強く圧迫することである。

正答（2）

合格エッセンス 止血法

速 P.136

直接圧迫法

出血部にガーゼなどを当てて直接圧迫して止血する。

間接圧迫法

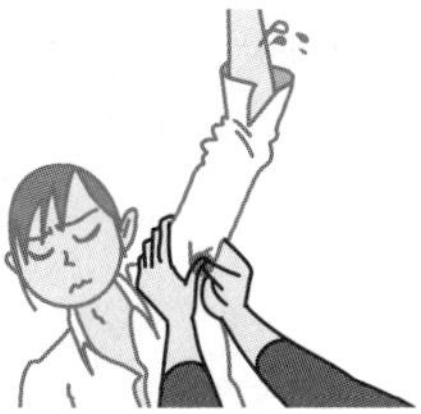

出血部よりも心臓に近い部位の動脈を指で強く圧迫して止血する。

★★

145 **熱傷の救急処置などに関する次の記述のうち、誤っているものはどれか。**

□□

（1）熱傷は、Ⅰ～Ⅲ度に分類され、水疱《ほう》ができる程度の熱傷は、Ⅱ度に分類される。

（2）水疱ができたときは、周囲に広がらないように水疱を破って清潔なガーゼや布で軽く覆う。

（3）熱傷面は、すぐに水をかけて十分冷やすことが応急手当のポイントであるが、熱傷の範囲が広い場合、全体を冷却し続けることは低体温となるおそれがあるので注意が必要である。

（4）衣類を脱がすときは、熱傷面に付着している衣類は残して、その周囲の部分だけを切りとる。

（5）45℃程度の熱源への長時間接触による低温熱傷は、一見、軽症にみえても熱傷深度は深く難治性の場合が多い。

H29.4-34

★★

146 **熱傷の救急処置などに関する次の記述のうち、正しいものはどれか。**

□□

（1）熱傷は、Ⅰ～Ⅲ度に分類され、Ⅰ度は水疱《ほう》ができる程度のもので、強い痛みと灼《しゃく》熱感を伴う。

（2）衣類を脱がすときは、熱傷面に付着している衣類は残して、その周囲の部分だけを切りとる。

（3）水疱ができたときは、周囲に広がらないように破って清潔なガーゼや布で軽く覆う。

（4）化学薬品がかかった場合は、直ちに中和剤により中和した後、水で洗浄する。

（5）高温のアスファルトやタールが皮膚に付着した場合は、水をかけて冷やしたりせず、早急に皮膚から取り除く。

H28.10-32

145 解説

（1）**正しい。**熱傷は、Ⅰ～Ⅲ度に分類され、**水疱ができる程度の熱傷**は、**Ⅱ度**に分類される。なお、Ⅰ度は最も軽症で、皮膚が赤くなり、ヒリヒリ痛みがある状態、Ⅲ度が最も重症で、皮膚は白っぽくなったり、ただれてくる状態である。

（2）**誤り。**水疱ができたときは、**水疱は破らない**。水泡は傷口を保護する効果を持っている。

（3）**正しい。**熱傷面は、すぐに水をかけて**十分冷やす**ことが応急手当のポイントである。ただし、幼少児や高齢者で熱傷範囲が広い場合、全体を冷却し続けると低体温となるおそれがあるため注意が必要である。

（4）**正しい。**衣類を脱がすときは、熱傷面に付着している衣類は残して、その周囲の取れる部分だけを切り取る。

（5）**正しい。**低温熱傷は、一見、軽症にみえても**熱傷深度は深く難治性**の場合が多い。なお、45℃程度の低温熱源への長時間（1時間程度）接触で組織が破壊される。

正答（2）

146 解説

（1）**誤り。**熱傷は、Ⅰ～Ⅲ度に分類され、**Ⅰ度**は**最も軽症**で、皮膚が赤くなり、ヒリヒリ痛みがある状態である。水疱ができる程度のもので、強い痛みと灼熱感をともなうのはⅡ度である。

（2）**正しい。**衣類を脱がすときは、熱傷面に付着している衣類は残して、その周囲の取れる部分だけを切りとる。

（3）**誤り。**水疱ができたときは、**水疱は破らない**。

（4）**誤り。**化学薬品がかかった場合は、直ちに薬品のかかった衣類を脱がせ、水で薬品を洗浄しながら冷やす。中和剤は用いない。

（5）**誤り。**高温のアスファルトやタールが皮膚に付着した場合は、無理に取り除かない。

正答（2）

合格エッセンス　熱傷の重症度

速 P.137

重症度	症　状
Ⅰ度	最も軽症で、皮膚が赤くなりヒリヒリ痛みがある状態
Ⅱ度	水疱ができる。強い痛みを伴う
Ⅲ度	傷は皮下組織まで達する。皮膚は白くなり、焦げ、痛みは感じなくなる

★★

147 熱傷の救急処置等に関する次の記述のうち、正しいものはどれか。

□□

（1）熱傷の分類では、Ⅰ度が最も重症で、皮膚は白っぽくなったり、ただれてくる。

（2）水疱ができる程度の熱傷は、Ⅱ度に分類される。

（3）熱傷部位が広くショックに陥ったときは、寝かせて頭部を高くする体位をとらせる。

（4）着衣の上からの熱傷では、まず着衣を脱がす必要があり、着衣の一部が皮膚に付着している場合は、直ちにこれを取り除く。

（5）熱傷面は、受傷後速やかに氷水などで冷却するが、特に熱傷の範囲が広い場合には、30分以上かけて、十分に体温が低下するまで冷却する。

H26.10-32 改題

147 解説

（1）**誤り**。熱傷は、Ⅰ～Ⅲ度に分類され、**Ⅰ度**は**最も軽症**で、皮膚が赤くなり、ヒリヒリ痛みがある状態である。最も重症となるのは、Ⅲ度である。

（2）**正しい**。**水疱ができる程度**の熱傷は、**Ⅱ度**に分類される。

（3）**誤り**。熱傷部位が広くショックに陥ったときは、寝かせて、**足を高くする**体位をとらせる。頭部を高くするのではない。なお、ショックとは、急性に発生した全身性の循環器障害により、臓器や細胞の機能を維持するために必要な酸素や栄養素を供給できなくなり、結果として組織細胞が障害されるまでに至っている状態をいう。蒼白な冷たい皮膚、意識低下、冷汗、脈拍微弱、浅く速い呼吸、血圧低下といった症状がみられる。

（4）**誤り**。着衣の上からの熱傷では、無理に着衣を脱がさない。**着衣の一部が皮膚に付着している場合**は、**付着している部分は残して**、その周囲の取れる部分だけを切り取る。

（5）**誤り**。熱傷面は、速やかに**冷却**する。水道水による冷却が最もよく、痛みが消えるまで**通常10分前後行う**とよい。なお、幼少児や高齢者の広範囲熱傷では、全体を冷却し続けると低体温となるおそれがあるので注意が必要である。

正答（2）

★★
148 **骨折及びその救急処置に関する次の記述のうち、正しいものはどれか。**

□□

（1）骨にひびの入った状態を不完全骨折といい、骨が完全に折れている状態を完全骨折という。

（2）骨が１か所で折れている状態を単純骨折といい、骨が２か所以上で折れたり、砕けている部分のある状態を複雑骨折という。

（3）骨折部の固定のため副子を手や足に当てるときは、手先や足先が副子の先端から出るようにする。

（4）皮膚から突出している骨は、直ちに皮下に戻すようにする。

（5）脊髄損傷が疑われる負傷者を搬送させる必要があるときは、硬い板の上に乗せてはならない。

H30.10-32

★★
149 **骨折及びその救急処置に関する次の記述のうち、誤っているものはどれか。**

□□

（1）骨にひびの入った状態を不完全骨折といい、骨が完全に折れている状態を完全骨折という。

（2）骨が１か所で折れている状態を単純骨折といい、骨が２か所以上で折れたり、砕けている部分のある状態を複雑骨折という。

（3）骨折部が皮膚から露出した状態を開放骨折という。

（4）骨折部を副子で固定するときには、骨折した部分が変形していても、そのままの状態を保持して、直近の関節部を含めた広い範囲を固定する。

（5）脊髄損傷が疑われる傷病者を移動させる必要があるときには、硬い板などの上に載せる。

H29.10-32

148 解説

（1）正しい。**骨にひびの入った状態**を**不完全骨折**という。また、**骨が完全に折れている状態**を**完全骨折**という。

（2）誤り。**単純骨折**とは、**皮膚の下**で骨が折れているが、**皮膚に損傷がない**ものをいう。また、**複雑骨折**とは、骨折にともない皮膚、皮下組織などが損傷し、**骨折した骨が外に出ているもの**をいう。

（3）誤り。副子で固定するときには、**直近の関節部を含めた広い範囲を固定**する。手先や足先が副子の先端から出ないよう、十分な長さの副子を用いる。

（4）誤り。皮膚から突出している骨は皮下に戻さない。

（5）誤り。脊髄損傷が疑われる負傷者をやむを得ず搬送させる場合は、**硬い板の上にのせて搬送**する。

正答（1）

149 解説

（1）正しい。**骨にひびの入った状態**を**不完全骨折**という。また、**骨が完全に折れている状態**を**完全骨折**という。

（2）誤り。**単純骨折**とは、**皮膚の下**で骨が折れているが、**皮膚に損傷がない**ものをいう。骨が１か所で折れている状態ではない。また、**複雑骨折**とは、骨折にともない皮膚、皮下組織などが損傷し、**骨折した骨が外に出ているもの**をいう。骨が２か所以上で折れたり、砕けている部分のある状態ではない。

（3）正しい。骨折部が皮膚から露出した状態を**開放骨折**ともいう。複雑骨折のことである。

（4）正しい。骨折部を副子で固定するときには、骨折した部分が変形していても、そのままの状態を保持して固定する。また、**直近の関節部を含めた広い範囲を固定**する。

（5）正しい。脊髄損傷が疑われる負傷者をやむを得ず搬送させる場合は、**硬い板の上にのせて搬送**する。なお、脊髄損傷が疑われる場合は、動かさないことが原則である。

正答（2）

合格エッセンス　骨折の分類

速 P.138

単純骨折	皮膚に損傷がなく、皮膚の下で骨が折れている状態	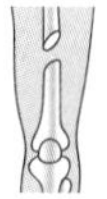
複雑骨折	骨折にともない皮膚、皮下組織などが損傷し、骨折した骨が外に出ている状態。開放骨折ともいう	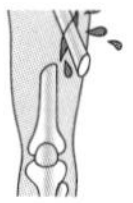

★★

150 **骨折及びその救急処置に関する次の記述のうち、正しいものはどれか。**

□□

（1）複雑骨折とは、骨が多数の骨片に破砕された状態をいう。

（2）皮膚から突出している骨は、直ちに皮下に戻すようにする。

（3）骨折が疑われる部位は、よく動かしてその程度を判断する必要がある。

（4）骨折部の固定のため副子を手や足に当てるときは、その先端が手先や足先から出ないようにする。

（5）損傷が皮膚にまで及ばない骨折のことを単純骨折という。

H28.4-31

★★

151 **骨折及びその救急処置に関する次の記述のうち、正しいものはどれか。**

□□

（1）骨にひびが入った状態は、単純骨折である。

（2）複雑骨折とは、骨が多数の骨片に破砕された状態をいう。

（3）開放骨折では、感染を防ぐため、骨折部を皮膚の下に戻してから副子で固定する。

（4）不完全骨折では、変形や骨折端どうしが擦れ合う軋轢《あつれき》音が認められる。

（5）脊髄損傷が疑われる負傷者を搬送するときには、柔らかいマットの上に乗せるようにする。

R1.10-32

150 解説

（1）**誤り。複雑骨折**とは、骨折にともない皮膚、皮下組織などが損傷し、**骨折した骨が外に出ているもの**をいう。骨が多数の骨片に破砕された状態ではない。

（2）**誤り。**皮膚から突出している骨は皮下に戻さない。

（3）**誤り。**骨折が疑われる部位は、できるだけ動かさないようにする。

（4）**誤り。**副子で固定するときには、**直近の関節部を含めた広い範囲を固定**する。手先や足先が副子の先端から出ないよう、十分な長さの副子を用いる。

（5）**正しい。皮膚の下**で骨が折れているが、**皮膚に損傷がない**ものを**単純骨折**という。

正答（5）

151 解説

（1）**正しい。単純骨折**とは、**皮膚の下**で骨が折れているが、**皮膚に損傷がない**ものをいう。骨にひびが入った状態で、皮膚に損傷がないものは単純骨折である。

（2）**誤り。複雑骨折**とは、骨折にともない皮膚、皮下組織などが損傷し、**骨折した骨が外に出ているもの**をいう。骨が多数の骨片に破砕された状態ではない。

（3）**誤り。**骨折した骨が外に出ているもの（複雑骨折）を**開放骨折**ともいう。開放骨折では、骨折部を皮膚の下に戻すことはしてはならない。なお、開放骨折（複雑骨折）では、感染がおこりやすい。

（4）**誤り。**骨折端どうしが擦れ合う軋轢《あつれき》音、変形などが認められるのは、**完全骨折**（の場合）である。不完全骨折ではない。

（5）**誤り。**脊髄損傷が疑われる負傷者をやむを得ず搬送させる場合は、**硬い板の上にのせて搬送**する。なお、脊髄損傷が疑われる場合は、動かさないことが原則である。

正答（1）

合格エッセンス 副子の当て方

速 P.139

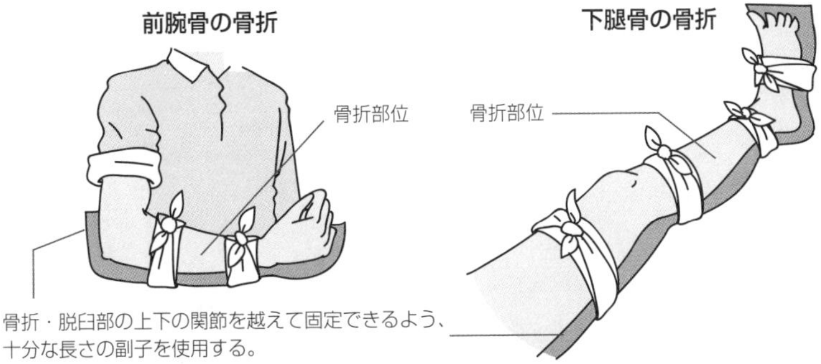

15. 労働衛生教育　速 第5章 LESSON 1

★
152 □□ **労働衛生教育における代表的な教育方法とその特徴に関する次の記述のうち、誤っているものはどれか。**

（1）講義法は、一度に多くの内容を大勢の学習者に確実に伝達することができるが、指導者と学習者との間に人間的な触れ合いが全くできない方法であり、学習者の反応を見ながら学習指導を展開することはできない。

（2）討議法は、学習者が積極的に学習活動に参加でき、相互の発言により思考を深めることができる方法であるが、全員が討議に参加できるよう配慮が必要で、進行が逸脱したり、時間の浪費を招く場合もある。

（3）役割演技法（ロールプレイング）は、対人関係を実際に近い状態で学習することができ相手の気持を洞察する力を養うことができる方法であるが、進行が停滞したり、個人批判に陥ったりすることのないよう管理する必要がある。

（4）事例研究法は、具体的な事例を素材として積極的に学習することができる方法であるが、事例作成に手間がかかり、リーダーに指導技術が要求される。

（5）視聴覚的方法は、現場に行かなくても実物に近い状態を見ることができ学習者に強い印象を与えることができる方法であるが、設備に経費がかかり、準備に時間を要することが多い。

H22.4-29

152 解説

（1）**誤り。講義法**は、指導者と学習者との間に**人間的な触れ合いができる**方法であり、学習者の反応を見ながら**臨機応変に学習指導を展開**することが**できる**。なお、講義法は、一度に多くの内容を**大勢の学習者に確実に伝達**することが**できる**とする点は、正しい。

（2）**正しい。**討議法は、学習者が積極的に学習活動に参加でき、学習者相互の発言により思考を深めることができる方法である。しかし、発言が一部の者に偏る場合があるため、全員が討議に参加できるよう配慮が必要である。また、進行が逸脱したり、時間の浪費を招く場合もあるため、リーダーの進行がポイントとなる。

（3）**正しい。**役割演技法（ロールプレイング）は、対人関係を実際に近い状態で学習することができ相手の気持を洞察する力を養うことができる方法である。しかし、進行が停滞したり、個人批判に陥ったりすることのないよう管理する技術が必要となる。

（4）**正しい。**事例研究法は、具体的な事例を素材として積極的に学習することができる方法である。しかし、事例作成に手間がかかり、リーダーに指導技術が要求されるという短所がある。

（5）**正しい。**視聴覚的方法は、現場に行かなくても実物に近い状態を見ることができ学習者に強い印象を与えることができる方法である。しかし、設備に経費がかかり、準備に時間を要することが多い。

正答（1）

16. 労働衛生管理統計 速 第5章 LESSON 2

★★
153 労働衛生管理に用いられる統計に関する次の記述のうち、誤っているものはどれか。
□□

（1）ある事象と健康事象との間に、統計上、一方が多いと他方も多いというような相関関係が認められたとしても、それらの間に因果関係があるとは限らない。

（2）集団を比較する場合、調査の対象とした項目のデータの平均値が等しくても分散が異なっていれば、異なった特徴をもつ集団であると評価される。

（3）健康管理統計において、ある時点での検査における有所見者の割合を有所見率といい、一定期間において有所見とされた人の割合を発生率という。

（4）生体から得られたある指標が正規分布である場合、そのばらつきの程度は、平均値や最頻値によって表される。

（5）静態データとは、ある時点の集団に関するデータであり、動態データとは、ある期間の集団に関するデータである。 R4.10-33

★★
154 労働衛生管理に用いられる統計に関する次の記述のうち、誤っているものはどれか。
□□

（1）生体から得られたある指標が正規分布である場合、そのばらつきの程度は、平均値及び中央値によって表される。

（2）集団を比較する場合、調査の対象とした項目のデータの平均値が等しくても分散が異なっていれば、異なった特徴をもつ集団であると評価される。

（3）健康管理統計において、ある時点での集団に関するデータを静態データといい、「有所見率」は静態データの一つである。

（4）ある事象と健康事象との間に、統計上、一方が多いと他方も多いというような相関関係が認められたとしても、それらの間に因果関係があるとは限らない。

（5）健康診断において、対象人数、受診者数などのデータを計数データといい、身長、体重などのデータを計量データという。 R5.4-30

153 解説

（1）**正しい。**ある事象と健康事象との間に、相関関係（統計上、一方が増えると他方も増える現象）が認められても、それらの間に因果関係がないこともある。

（2）**正しい。**集団を比較する場合、平均値が等しくても分散が異なっていれば、異なった特徴をもつ集団であると評価される。

（3）**正しい。**健康管理統計において、**ある時点**での検査における**有所見者の割合**を**有所見率**といい、**一定期間**に**有所見とされた者の割合**を**発生率**としている。なお、有所見とは、各種検査等において「基準範囲を超えたもの」を意味している。

（4）**誤り。**生体から得られたある指標が正規分布である場合、そのバラツキの程度は、**分散**や**標準偏差**によって表される。平均値および最頻値によって表されるのではない。

（5）**正しい。**静態データとは、**ある時点**の集団に関するデータであり、動態データとは、**ある期間**の集団に関するデータである。

正答（4）

154 解説

（1）**誤り。**生体から得られたある指標が正規分布である場合、そのばらつきの程度は、**分散**や**標準偏差**によって表される。平均値や中央値によって表されるのではない。

（2）**正しい。**集団を比較する場合、調査の対象とした項目のデータの平均値が等しくても分散が異なっていれば、異なった特徴をもつ集団であると評価される。

（3）**正しい。**健康管理統計において、静態データとは、**ある時点**での集団に関するデータをいう。また、健康管理統計において、**ある時点**での検査における**有所見者の割合**を**有所見率**という。「有所見率」は静態データの一つである。

（4）**正しい。**ある事象と健康事象との間に、相関関係（統計上、一方が増えると他方も増える現象）が認められても、それらの間に因果関係がないこともある。

（5）**正しい。**健康診断において、対象人数、受診者数などのデータを**計数**データといい、身長、体重などのデータを**計量**データという。

正答（1）

★★
155 □□ 1,000人を対象としたある疾病のスクリーニング検査の結果と精密検査結果によるその疾病の有無は下表のとおりであった。このスクリーニング検査の偽陽性率及び偽陰性率の近似値の組合せとして、適切なものは（1）～（5）のうちどれか。

ただし、偽陽性率とは、疾病無しの者を陽性と判定する率をいい、偽陰性率とは、疾病有りの者を陰性と判定する率をいう。

精密検査結果による疾病の有無	スクリーニング検査結果	
	陽性	陰性
疾病有り	20	5
疾病無し	180	795

	偽陽性率（%）	偽陰性率（%）
（1）	18.5	0.5
（2）	18.5	20.0
（3）	80.0	0.5
（4）	80.0	20.0
（5）	90.0	0.6

H28.10-30

155 解説

①**偽陽性率**とは、**疾病なしの者を陽性（有所見）と判定する率**をいう。以下のように、精密検査によって疾病なしと判定された者のうち、スクリーニング検査では陽性と判定されていた者の割合を求める。

$$\text{偽陽性率（\%）} = \frac{\text{精密検査は疾病なしと判定されたが スクリーニング検査では陽性と判定されていた者}}{\text{精密検査は疾病なしと判定された者}} \times 100$$

これを本問にあてはめると、

$$= \frac{180}{180 + 795} \times 100$$

$$= 18.46\cdots$$

$$\fallingdotseq 18.5$$

②**偽陰性率**とは、**疾病ありの者を陰性（正常）と判定する率**をいう。以下のように、精密検査によって疾病ありと判定された者のうち、スクリーニング検査では陰性と判定されていた者の割合を求める。

$$\text{偽陰性率（\%）} = \frac{\text{精密検査は疾病ありと判定されたが スクリーニング検査では陰性と判定されていた者}}{\text{精密検査は疾病ありと判定された者}} \times 100$$

これを本問にあてはめると、

$$= \frac{5}{5 + 20} \times 100$$

$$= 20.0$$

以上から、近似値の組合せとして正しいものは、偽陽性率（%）18.5、偽陰性率（%）20.0となる。

したがって、選択肢（2）が正答となる。

正答 （2）

★ 156 疾病休業日数率を表す次式中の □ 内に入れるAからCの語句又は数字の組合せとして、正しいものは（1）～（5）のうちどれか。

□□

$$\text{疾病休業日数率} = \frac{\boxed{\text{A}}}{\text{在籍労働者の}\boxed{\text{B}}} \times \boxed{\text{C}}$$

	A	B	C
（1）	疾病休業延日数	延所定労働日数	100
（2）	疾病休業延日数	延所定労働日数	1,000
（3）	疾病休業件数	延所定労働日数	1,000
（4）	疾病休業延日数	延所定労働時間数	100
（5）	疾病休業件数	延所定労働時間数	1,000

H27.4-30

★ 157 在籍労働者数が60人の事業場において、在籍労働者の年間の延べ所定労働日数が14,400日、延べ実労働時間数が101,300時間であり、同期間の疾病休業件数が23件、疾病休業延べ日数が240日である。このときの疾病休業日数率及び病休件数年千人率の概算値の組合せとして、適切なものは次のうちどれか。

□□

	疾病休業日数率	病休件数年千人率
（1）	0.10	227
（2）	1.67	227
（3）	1.67	383
（4）	2.37	103
（5）	2.37	383

H28.4-30

156 解説

疾病休業日数率は、以下の公式から求める。

$$\text{疾病休業日数率}=\frac{\text{疾病休業延日数}}{\text{在籍労働者の延所定労働日数}}\times 100$$

したがって、選択肢（1）が正答となる。

正答（1）

157 解説

①疾病休業日数率は、以下の公式から求める。

$$\text{疾病休業日数率}=\frac{\text{疾病休業延日数}}{\text{在籍労働者の延所定労働日数}}\times 100$$

これを本問にあてはめると

$$=\frac{240}{14{,}400}\times 100$$

$$=1.666\cdots$$

$$\fallingdotseq 1.67$$

②病休件数年千人率は、以下の公式から求める。

$$\text{病休件数年千人率}=\frac{\text{疾病休業件数}}{\text{在籍労働者数}}\times 1{,}000$$

これを本問にあてはめると

$$=\frac{23}{60}\times 1{,}000$$

$$=383.3\cdots$$

$$\fallingdotseq 383$$

以上から、概算値の組合せとして適切なものは、疾病休業日数率1.67、病休件数年千人率383となる。

したがって、選択肢（3）が正答となる。

正答（3）

★
158 病休強度率を表す次式中の □ 内に入れるAからCの語句又は数字の組合せとして、正しいものは（1）～（5）のうちどれか。

□□

$$\text{病休強度率} = \frac{\boxed{\text{A}}}{\text{在籍労働者の}\boxed{\text{B}}} \times \boxed{\text{C}}$$

	A	B	C
（1）	疾病休業延日数	延実労働時間数	1,000
（2）	疾病休業延日数	延実労働日数	1,000
（3）	疾病休業延日数	延実労働日数	1,000,000
（4）	疾病休業件数	延実労働日数	1,000,000
（5）	疾病休業件数	延実労働時間数	1,000,000

H24.4-32

★
159 疾病休業統計に関する次の記述のうち、誤っているものはどれか。

□□

（1）病休度数率は、在籍労働者の延実労働時間100万時間当たりの疾病休業件数で示される。

（2）病休強度率は、在籍労働者の延実労働時間1,000時間当たりの疾病休業延日数で示される。

（3）延実労働時間数には、残業時間数、休日労働時間数も算入する。

（4）疾病休業延日数には、年次有給休暇のうち疾病によることが明らかなものも含める。

（5）負傷が原因となって引き続き発生した疾病については、疾病休業件数には含めない。

H20.10-28

158 解説

病休強度率は、以下の公式で示される。

$$\text{病休強度率}=\frac{\text{疾病休業延日数}}{\text{在籍労働者の延実労働時間数}}\times 1{,}000$$

したがって、選択肢（1）が正答となる。

正答（1）

159 解説

（1）**正しい。**病休度数率は、在籍労働者の延実労働時間数100万時間当たりの疾病休業件数で示される。

$$\text{病休度数率}=\frac{\text{疾病休業件数}}{\text{在籍労働者の延実労働時間数}}\times 100\text{万}$$

（2）**正しい。**病休強度率は、在籍労働者の延実労働時間数1,000時間当たりの疾病休業延日数で示される。

$$\text{病休強度率}=\frac{\text{疾病休業延日数}}{\text{在籍労働者の延実労働時間数}}\times 1{,}000$$

（3）**正しい。**延実労働時間数には、残業時間数、休日労働時間数も算入する。

（4）**正しい。**疾病休業延日数には、年次有給休暇のうち疾病によることが明らかなものも含める。

（5）**誤り。**負傷が原因となって引き続き発生した疾病についても、疾病休業件数に含める。

正答（5）

チェック! ここが狙われる　労働衛生で使う疾病休業統計

速 P.151

$$\text{病休度数率}=\frac{\text{疾病休業件数}}{\text{在籍労働者の延実労働時間数}}\times 100\text{万}$$

$$\text{病休強度率}=\frac{\text{疾病休業延日数}}{\text{在籍労働者の延実労働時間数}}\times 1{,}000$$

$$\text{疾病休業日数率}=\frac{\text{疾病休業延日数}}{\text{在籍労働者の延所定労働日数}}\times 100$$

$$\text{病休件数年千人率}=\frac{\text{疾病休業件数}}{\text{在籍労働者数}}\times 1{,}000$$

★
160 厚生労働省の「事業者が講ずべき快適な職場環境の形成のための措置に関する指針」において、快適な職場環境の形成のための措置の実施に関し、考慮すべき事項とされていないものは次のうちどれか。

□□

（1）継続的かつ計画的な取組
（2）快適な職場環境の基準値の達成
（3）労働者の意見の反映
（4）個人差への配慮
（5）潤いへの配慮

R4.10-29

★★
161 厚生労働省の「労働安全衛生マネジメントシステムに関する指針」に関する次の記述のうち、誤っているものはどれか。

□□

（1）この指針は、労働安全衛生法の規定に基づき機械、設備、化学物質等による危険又は健康障害を防止するため事業者が講ずべき具体的な措置を定めるものではない。
（2）このシステムは、生産管理等事業実施に係る管理と一体となって運用されるものである。
（3）このシステムでは、事業者は、事業場における安全衛生水準の向上を図るための安全衛生に関する基本的考え方を示すものとして、安全衛生方針を表明し、労働者及び関係請負人その他の関係者に周知させる。
（4）このシステムでは、事業者は、安全衛生方針に基づき設定した安全衛生目標を達成するため、事業場における危険性又は有害性等の調査の結果等に基づき、一定の期間を限り、安全衛生計画を作成する。
（5）事業者は、このシステムに従って行う措置が適切に実施されているかどうかについて調査及び評価を行うため、外部の機関による監査を受けなければならない。

R4.4-31、R3.10-34

160 解説

「事業者が講ずべき快適な職場環境の形成のための措置に関する指針」において、快適な職場環境の形成のための措置の実施に関し、「快適な職場環境の基準値の達成」は考慮すべき事項とはされていない。

したがって、選択肢（2）が正答となる。

なお、「継続的かつ計画的な取組（1）」、「労働者の意見の反映（3）」、「個人差への配慮（4）」、「潤いへの配慮（5）」については、考慮すべき事項とされている。ここで、「潤いへの配慮」とは、職場が、仕事の場であるのと同時に、労働者が一定の時間を過ごしてそこで働くものであることから、生活の場としての潤いをもたせ、緊張をほぐすよう配慮することである。

正答（2）

161 解説

「労働安全衛生マネジメントシステムに関する指針」では以下のように示されている。

（1）**正しい。**この指針は、労働安全衛生法の規定に基づき機械、設備、化学物質等による危険または健康障害を防止するため事業者が講ずべき**具体的な措置を定めるものではない**。

（2）**正しい。**このシステム（労働安全衛生マネジメントシステム。以下同じ。）は、生産管理等事業実施に係る管理と一体となって運用されるものである。

（3）**正しい。**事業者は、事業場における安全衛生水準の向上を図るための安全衛生に関する基本的考え方を示すものとして、安全衛生方針を表明し、労働者および関係請負人その他の**関係者に周知**させる。

（4）**正しい。**事業者は、安全衛生方針に基づき設定した安全衛生目標を達成するため、事業場における危険性または有害性等の調査の結果等に基づき、一定の期間を限り、安全衛生計画を作成する。

（5）**誤り。事業者**は、このシステムに従って行う措置が適切に実施されているかどうかについて、安全衛生計画の期間を考慮して**自ら調査および評価を行う**。外部の機関による監査を受けなければならないと示されているのではない。

正答（5）

★★★
162 厚生労働省の「職場における腰痛予防対策指針」に基づく、重量物取扱い作業における腰痛予防対策に関する次の記述のうち、誤っているものはどれか。

□□

（1）労働者全員に腰部保護ベルトを使用させる。
（2）取り扱う物の重量をできるだけ明示し、著しく重心の偏っている荷物は、その旨を明示する。
（3）重量物を取り扱うときは、急激な身体の移動をなくし、前屈やひねり等の不自然な姿勢はとらず、かつ、身体の重心の移動を少なくする等、できるだけ腰部に負担をかけない姿勢で行う。
（4）重量物を持ち上げるときには、できるだけ身体を対象物に近づけ、重心を低くするような姿勢をとる。
（5）重量物取扱い作業に常時従事する労働者に対しては、当該作業に配置する際及びその後6か月以内ごとに1回、定期に、医師による腰痛の健康診断を行う。

R3.4-34、R1.10-29 類

★★★
163 厚生労働省の「職場における腰痛予防対策指針」に基づく腰痛予防対策に関する次の記述のうち、正しいものはどれか。

□□

（1）腰部保護ベルトは、重量物取扱い作業に従事する労働者全員に使用させるようにする。
（2）重量物取扱い作業の場合、満18歳以上の男性労働者が人力のみで取り扱う物の重量は、体重のおおむね50%以下となるようにする。
（3）重量物取扱い作業に常時従事する労働者に対しては、当該作業に配置する際及びその後1年以内ごとに1回、定期に、医師による腰痛の健康診断を行う。
（4）立ち作業の場合は、身体を安定に保持するため、床面は弾力性のない硬い素材とし、クッション性のない作業靴を使用する。
（5）腰掛け作業の場合の作業姿勢は、椅子に深く腰を掛けて、背もたれで体幹を支え、履物の足裏全体が床に接する姿勢を基本とする。

R3.10-29、R2.10-30 類、H31.4-28 類

162 解説

「職場における腰痛予防対策指針」では、以下のように規定されている。

（1）**誤り。**腰部保護ベルトは、**一律に使用させるのではなく**、労働者ごとに効果を確認してから使用の適否を判断すること。全員に使用させるのではない。

（2）**正しい。**取り扱う物の**重量**は、できるだけ**明示**すること。また、著しく重心の偏っている荷物については、その旨を明示すること。

（3）**正しい。**重量物を取り扱うときは、急激な身体の移動をなくし、前屈やひねり等の不自然な姿勢はとらず、かつ、身体の重心の移動を少なくする等できるだけ腰部に負担をかけない姿勢で行うこと。

（4）**正しい。**重量物を持ち上げたり、押したりする動作をするときは、できるだけ**身体を対象物に近づけ、重心を低く**するような姿勢を取ること。

（5）**正しい。**重量物取扱い作業、介護・看護作業等**腰部に著しい負担のかかる作業に常時従事する労働者**に対しては、当該作業に配置する際およびその後**6カ月以内ごとに1回**、定期に、医師による腰痛の健康診断を実施すること。

正答（1）

163 解説

「職場における腰痛予防対策指針」では、以下のように規定されている。

（1）**誤り。**腰部保護ベルトは、**一律に使用させるのではなく**、労働者ごとに効果を確認してから使用の適否を判断すること。全員に使用させるようにするのではない。

（2）**誤り。**満18歳以上の男子労働者が人力のみにより取り扱う物の重量は、体重のおおむね**40%以下**となるように努めること。50%以下ではない。

（3）**誤り。重量物取扱い作業**、介護・看護作業等**腰部に著しい負担のかかる作業に常時従事する労働者**に対しては、当該作業に配置する際およびその後**6カ月以内ごとに1回**、定期に、医師による腰痛の健康診断を実施すること。1年以内ごとに1回ではない。

（4）**誤り。**立ち作業において、床面が硬い場合は、立っているだけでも腰部への衝撃が大きいので、**クッション性のある**作業靴やマットを利用して、衝撃を緩和すること。床面は弾力性のない硬い素材とし、クッション性のない作業靴を使用するのではない。

（5）**正しい。**腰掛け作業の場合の作業姿勢は、椅子に深く腰を掛けて、背もたれで体幹を支え、履物の足裏全体が床に接する姿勢を基本とすること。また、必要に応じて、滑りにくい足台を使用すること。

正答（5）

★★★

164 □□ **厚生労働省の「職場における腰痛予防対策指針」に基づく腰痛予防対策に関する次の記述のうち、正しいものはどれか。**

（1）作業動作、作業姿勢についての作業標準の策定は、その作業に従事する全ての労働者に一律な作業をさせることになり、個々の労働者の腰痛の発生要因の排除又は低減ができないため、腰痛の予防対策としては適切ではない。

（2）重量物取扱い作業の場合、満18歳以上の男性労働者が人力のみにより取り扱う物の重量は、体重のおおむね50%以下となるようにする。

（3）重量物取扱い作業の場合、満18歳以上の女性労働者が人力のみにより取り扱う物の重量は、男性が取り扱うことのできる重量の60%位までとする。

（4）重量物取扱い作業に常時従事する労働者に対しては、当該作業に配置する際及びその後1年以内ごとに1回、定期に、医師による腰痛の健康診断を行う。

（5）腰部保護ベルトは、重量物取扱い作業に従事する労働者全員に使用させるようにする。

R4.4-30

164 解説

「職場における腰痛予防対策指針」では、以下のように規定されている。

（1）**誤り**。腰痛の発生要因を排除又は低減できるよう、作業動作、作業姿勢、作業手順、作業時間等について、作業標準を策定することは、腰痛の予防対策として適切である。

（2）**誤り**。重量物取扱い作業の場合、満18歳以上の男子労働者が人力のみにより取り扱う物の重量は、**体重のおおむね40%以下**となるように努めること。50%以下ではない。

（3）**正しい**。重量物取扱い作業の場合、満18歳以上の女子労働者が人力のみにより取り扱う物の重量は、**男性が取り扱うことのできる重量の60%位まで**とする。

（4）**誤り**。重量物取扱い作業、介護・看護作業等腰部に著しい負担のかかる作業に常時従事する労働者に対しては、当該作業に配置する際およびその後**6カ月以内ごとに1回**、定期に、医師による腰痛の健康診断を実施すること。1年以内ごとに1回ではない、

（5）**誤り**。腰部保護ベルトについては、**一律に使用させるのではなく**、労働者ごとに効果を確認してから使用の適否を判断すること。全員に使用させるのではない。

正答（3）

19. 健康管理　速 第8章 LESSON 1

★ **165** □□ 厚生労働省の「職場における腰痛予防対策指針」に基づき、腰部に著しい負担のかかる作業に常時従事する労働者に対して当該作業に配置する際に行う健康診断の項目として、適切でないものは次のうちどれか。

（1）既往歴及び業務歴の調査
（2）自覚症状の有無の検査
（3）負荷心電図検査
（4）神経学的検査
（5）脊柱の検査

R5.10-31

★ **166** □□ 健康診断における検査項目に関する次の記述のうち、誤っているものはどれか。

（1）HDL コレステロールは、善玉コレステロールとも呼ばれ、低値であることは動脈硬化の危険因子となる。
（2）γ-GTP は、正常な肝細胞に含まれている酵素で、肝細胞が障害を受けると血液中に流れ出し、特にアルコールの摂取で高値を示す特徴がある。
（3）ヘモグロビン A1c は、血液１μL 中に含まれるヘモグロビンの数を表す値であり、貧血の有無を調べるために利用される。
（4）尿素窒素（BUN）は、腎臓から排泄《せつ》される老廃物の一種で、腎臓の働きが低下すると尿中に排泄《せつ》されず、血液中の値が高くなる。
（5）血清トリグリセライド（中性脂肪）は、食後に値が上昇する脂質で、内臓脂肪が蓄積している者において、空腹時にも高値が持続することは動脈硬化の危険因子となる。

R5.10-28

165 解説

「職場における腰痛予防対策指針」において「負荷心電図検査」は健康診断の項目として規定されていない。したがって、選択肢（3）が正答となる。

なお、「職場における腰痛予防対策指針」において定められている配置前の健康診断項目は次のとおりである。

- 既往歴（腰痛に関する病歴およびその経過）および業務歴の調査（1）
- 自覚症状（腰痛、下肢痛、下肢筋力減退、知覚障害等）の有無の検査（2）
- 脊柱の検査（姿勢異常、脊柱の変形等の検査）（5）
- 神経学的検査（神経伸展試験、深部腱反射等の検査）（4）
- 脊柱機能検査
- 画像診断と運動機能テスト等（医師が必要と認める者のみ実施）

正答（3）

166 解説

（1）**正しい。**HDL コレステロールは、**善玉コレステロール**とも呼ばれ、**低値**であることは**動脈硬化の危険因子**となる。

（2）**正しい。**γ-GTP は、正常な肝細胞に含まれている酵素である。**肝細胞が障害**を受けると血液中に流れ出し、**高値**を示す。特にアルコールの摂取で高値を示す特徴がある。

（3）**誤り。**ヘモグロビン A1c は、過去２～３カ月の**平均的な血糖値**を示すものであり、**糖尿病**コントロールの経過を見るために利用される。

（4）**正しい。**尿素窒素（BUN）は、腎臓から排泄される老廃物の一種である。**腎臓の働きが低**下すると尿中に排泄されず、**血液中の値が高くなる**。

（5）**正しい。**血清トリグリセライド（中性脂肪）は、食後に値が上昇する脂質である。**空腹時にも高値が持続**することは**動脈硬化の危険因子**となる。

正答（3）

★★★
167 □□ **厚生労働省の「労働者の心の健康の保持増進のための指針」において、心の健康づくり計画の実施に当たって推進すべきこととされている四つのメンタルヘルスケアに該当しないものは、次のうちどれか。**

（1）労働者自身がストレスや心の健康について理解し、自らのストレスの予防や対処を行うセルフケア

（2）職場の同僚がメンタルヘルス不調の労働者の早期発見、相談への対応を行うとともに管理監督者に情報提供を行う同僚によるケア

（3）管理監督者が、職場環境等の改善や労働者からの相談への対応を行うラインによるケア

（4）産業医、衛生管理者等が、心の健康づくり対策の提言や推進を行うとともに、労働者及び管理監督者に対する支援を行う事業場内産業保健スタッフ等によるケア

（5）メンタルヘルスケアに関する専門的な知識を有する事業場外の機関及び専門家を活用し支援を受ける事業場外資源によるケア

R1.10-28、H30.10-29、H29.10-29

167 解説

「労働者の心の健康の保持増進のための指針」において、心の健康づくり計画の実施に当たって推進すべきこととされている４つのメンタルヘルスケアは、「**セルフケア**」、「**ラインによるケア**」、「**事業場内産業保健スタッフ等によるケア**」、「**事業場外資源によるケア**」である。「同僚によるケア」は該当しない。

したがって、選択肢（2）が正答となる。

正答（2）

★★★
168 □□ **厚生労働省の「労働者の心の健康の保持増進のための指針」に基づくメンタルヘルス対策に関する次のAからDの記述について、誤っているものの組合せは（1）～（5）のうちどれか。**

A　メンタルヘルスケアを中長期的視点に立って継続的かつ計画的に行うため策定する「心の健康づくり計画」は、各事業場における労働安全衛生に関する計画の中に位置付けることが望ましい。

B　「心の健康づくり計画」の策定に当たっては、プライバシー保護の観点から、衛生委員会や安全衛生委員会での調査審議は避ける。

C　「セルフケア」、「家族によるケア」、「ラインによるケア」及び「事業場外資源によるケア」の四つのケアを効果的に推進する。

D　「セルフケア」とは、労働者自身がストレスや心の健康について理解し、自らのストレスを予防、軽減する、又はこれに対処することである。

（1）A，B
（2）A，C
（3）A，D
（4）B，C
（5）C，D

R5.4-28

168 解説

A　**正しい。**メンタルヘルスケアを中長期的視点に立って継続的かつ計画的に行うため策定する「心の健康づくり計画」は、各事業場における**労働安全衛生に関する計画の中に位置付けることが望ましい**とされている。

B　**誤り。**衛生委員会または安全衛生委員会において**十分調査審議を行い**、「心の健康づくり計画」を策定・実施するとされている。

C　**誤り。**心の健康づくり計画の実施に当たって推進すべきこととされている4つのメンタルヘルスケアは、「**セルフケア**」、「**ラインによるケア**」、「**事業場内産業保健スタッフ等によるケア**」、「**事業場外資源によるケア**」である。「家族によるケア」は該当しない。

D　**正しい。**「**セルフケア**」とは、**労働者自身**がストレスや心の健康について理解し、自らのストレスを予防、軽減する、またはこれに対処することである。

したがって、選択肢（4）が正答となる。

正答（4）

★★★
169 □□ **厚生労働省の「労働者の心の健康の保持増進のための指針」に基づくメンタルヘルスケアの実施に関する次の記述のうち、適切でないものはどれか。**

（1）心の健康については、客観的な測定方法が十分確立しておらず、また、心の健康問題の発生過程には個人差が大きく、そのプロセスの把握が難しいという特性がある。

（2）心の健康づくり計画の実施に当たっては、メンタルヘルス不調を早期に発見する「一次予防」、適切な措置を行う「二次予防」及びメンタルヘルス不調となった労働者の職場復帰支援を行う「三次予防」が円滑に行われるようにする必要がある。

（3）労働者の心の健康は、職場配置、人事異動、職場の組織などの要因によって影響を受けるため、メンタルヘルスケアは、人事労務管理と連携しなければ、適切に進まない場合が多いことに留意する。

（4）労働者の心の健康は、職場のストレス要因のみならず、家庭・個人生活などの職場外のストレス要因の影響を受けている場合も多いことに留意する。

（5）メンタルヘルスケアを推進するに当たって、労働者の個人情報を主治医等の医療職や家族から取得する際には、あらかじめこれらの情報を取得する目的を労働者に明らかにして承諾を得るとともに、これらの情報は労働者本人から提出を受けることが望ましい。

R3.4-28

169 解説

「労働者の心の健康の保持増進のための指針」では、以下のように規定されている。

（1）**適切**。心の健康については、**客観的な測定方法が十分確立しておらず**、その評価には労働者本人から心身の状況に関する情報を取得する必要があり、さらに、心の健康問題の発生過程には**個人差が大きく**、その**プロセスの把握が難しい**という特性がある。

（2）**不適切**。心の健康づくり計画の実施に当たっては、ストレスチェック制度の活用や職場環境等の改善を通じて、メンタルヘルス不調を**未然に防止する「一次予防」**、メンタルヘルス不調を**早期に発見し、適切な措置を行う「二次予防」**およびメンタルヘルス不調となった労働者の**職場復帰支援等を行う「三次予防」**が円滑に行われるようにする必要がある。メンタルヘルス不調を早期に発見するのは「二次予防」であり、一次予防ではない。

（3）**適切**。労働者の心の健康は、職場配置、人事異動、職場の組織等の人事労務管理と密接に関係する要因によって、大きな影響を受ける。メンタルヘルスケアは、人事労務管理と連携しなければ、適切に進まない場合が多いことに留意する。

（4）**適切**。心の健康問題は、職場のストレス要因のみならず家庭・個人生活等の職場外のストレス要因の影響を受けている場合も多いことに留意する。

（5）**適切**。メンタルヘルスケアを推進するに当たって、**労働者の個人情報**を主治医等の医療職や家族から取得する際には、事業者は**あらかじめ**これらの情報を取得する**目的を労働者に明らかにして承諾を得る**とともに、これらの情報は**労働者本人から提出を受けることが望ましい**。

正答 （2）

★★★
170 □□ **厚生労働省の「職場における受動喫煙防止のためのガイドライン」において、「喫煙専用室」を設置する場合に満たすべき事項として定められていないものは、次のうちどれか。**

（1）喫煙専用室の出入口において、室外から室内に流入する空気の気流が、0.2m/s 以上であること。

（2）喫煙専用室の出入口における室外から室内に流入する空気の気流について、6か月以内ごとに1回、定期に測定すること。

（3）喫煙専用室のたばこの煙が室内から室外に流出しないよう、喫煙専用室は、壁、天井等によって区画されていること。

（4）喫煙専用室のたばこの煙が屋外又は外部の場所に排気されていること。

（5）喫煙専用室の出入口の見やすい箇所に必要事項を記載した標識を掲示すること。

R5.4-29、R4.10-28 類、R4.4-28

★★★
171 □□ **厚生労働省の「職場における受動喫煙防止のためのガイドライン」に関する次のAからDの記述について、誤っているものの組合せは（1）～（5）のうちどれか。**

A　第一種施設とは、多数の者が利用する施設のうち、学校、病院、国や地方公共団体の行政機関の庁舎等をいい、「原則敷地内禁煙」とされている。

B　一般の事務所や工場は、第二種施設に含まれ、「原則屋内禁煙」とされている。

C　第二種施設においては、特定の時間を禁煙とする時間分煙が認められている。

D　たばこの煙の流出を防止するための技術的基準に適合した喫煙専用室においては、食事はしてはならないが、飲料を飲むことは認められている。

（1）A，B

（2）A，C

（3）B，C

（4）B，D

（5）C，D

R5.10-29

170 解説

（1）**定められている。**「喫煙専用室の出入口において、室外から室内に流入する空気の気流が、**0.2m/s 以上**であること」は、満たすべき事項として定められている。

（2）**定められていない。**「喫煙専用室の出入口における室外から室内に流入する空気の気流について、6か月以内ごとに1回、定期に測定すること」は、満たすべき事項として定められていない。

（3）**定められている。**「喫煙専用室のたばこの煙が室内から室外に流出しないよう、喫煙専用室は、**壁、天井等によって区画**されていること」は、満たすべき事項として定められている。

（4）**定められている。**「喫煙専用室のたばこの煙が**屋外又は外部の場所に排気**されていること」は、満たすべき事項として定められている。

（5）**定められている。**「喫煙専用室の出入口の見やすい箇所に必要事項を記載した**標識**を**掲示**すること」は、満たすべき事項として定められている。

正答（2）

171 解説

A　**正しい。**第一種施設とは、多数の者が利用する施設のうち、学校、病院、国や地方公共団体の行政機関の庁舎等をいう。第一種施設は健康増進法により「**原則敷地内禁煙**」とされている。

B　**正しい。**第二種施設とは、多数の者が利用する施設のうち、第一種施設および喫煙目的施設以外の施設（**一般の事務所や工場**、飲食店等も含まれる。）をいう。第二種施設は健康増進法により「**原則屋内禁煙**」とされている。

C　**誤り。**「職場における受動喫煙防止のためのガイドライン」では、特定の時間を禁煙とする時間分煙を認めるとする規定はない。

D　**誤り。**喫煙専用室は、専ら喫煙をする用途で使用されるものであることから、喫煙専用室内で**飲食等を行うことは認められない**とされています。

したがって、選択肢（5）が正答となる。

正答（5）

★★

172 □□ **労働者の健康保持増進のために行う健康測定における運動機能検査の項目とその測定種目との組合せとして、誤っているものは次のうちどれか。**

（1）筋力 ……………… 握力

（2）柔軟性 …………… 上体起こし

（3）平衡性 …………… 閉眼（又は開眼）片足立ち

（4）敏しょう性 ……… 全身反応時間

（5）全身持久性 ……… 最大酸素摂取量

R3.4-29、R2.4-28、H31.4-34、H30.4-33

★★

173 □□ **労働者の健康保持増進のために行う健康測定に関する次の記述のうち、誤っているものはどれか。**

（1）健康測定における運動機能検査では、筋力、柔軟性、平衡性、敏捷《しょう》性、全身持久性などの検査を行う。

（2）健康測定における医学的検査は、労働者の健康障害や疾病を早期に発見することを主な目的として行う。

（3）健康測定の結果に基づき、必要と判断された場合や労働者自らが希望する場合は、メンタルヘルスケアを行う。

（4）健康測定の結果に基づく栄養指導では、食生活上問題が認められた労働者に対して、栄養の摂取量、食習慣や食行動の評価とその改善の指導を行う。

（5）健康測定の結果に基づき行う保健指導には、勤務形態や生活習慣によって生じる健康上の問題を解決するため、睡眠、喫煙、飲酒、口腔《くう》保健などの生活指導が含まれる。

H28.4-29

172 解説

運動機能検査の項目のうち、**柔軟性**を把握するために行う測定種目は、**体前屈（立位・座位）**である。上体起こしではない。

したがって、選択肢（2）が正答となる。

なお、上体起こしは、筋持久力を把握するために行う測定種目である。

正答（2）

173 解説

（1）**正しい。**運動機能検査では、筋力、柔軟性、平衡性、敏捷性、全身持久性などの検査を行う。

（2）**誤り。**健康測定における医学的検査は、疾病の早期発見を主な目的とするものではない。**労働者の健康状態の把握**と、その**結果に基づいた健康指導を行うことを目的**として実施する。なお、労働者の健康障害や疾病を早期に発見することを主な目的としているのは、健康診断である。

（3）**正しい。**健康測定の結果に基づき、**必要と判断された場合**や**労働者自らが希望する場合**は、メンタルヘルスケアを行う。なお、メンタルヘルスケアは、心理相談担当者が産業医の指導の下に行う。

（4）**正しい。**栄養指導では、**食生活上問題が認められた労働者に対して**、栄養の摂取量、食習慣や食行動の評価とその改善の指導を行う。なお、栄養指導は、産業栄養指導担当者が、健康測定の結果および産業医の指導票に基づいて行う。

（5）**正しい。**保健指導には、**睡眠、喫煙、飲酒、口腔保健などの生活指導が含まれる**。なお、保健指導は、産業保健指導担当者が、健康測定の結果および産業医の指導票に基づいて行う。

正答（2）

★★
174 **労働者の健康保持増進のために行う健康測定に関する次の記述のうち、誤っているものはどれか。**

□□

（1）健康測定における医学的検査は、個々の労働者の健康状態を主として身体面から調べるが、疾病の早期発見を主な目的とするものではない。

（2）健康測定における生活状況調査は、仕事の内容、通勤の状況のほか、趣味・し好、運動習慣・運動歴、食生活などについても行う。

（3）健康測定における運動機能検査では、筋力、柔軟性、平衡性、敏捷《しょう》性、全身持久性などの検査を行う。

（4）健康測定の結果に基づき行う健康指導は、メタボリックシンドロームの予防など、身体的健康の保持増進を目的とするものであり、メンタルヘルスケアを含むものではない。

（5）健康測定の結果に基づき行う保健指導には、勤務形態や生活習慣によって生じる健康上の問題を解決するため、睡眠、喫煙、飲酒、口腔《くう》保健などの生活指導が含まれる。

H27.10-29

★★
175 **メタボリックシンドローム診断基準に関する次の文中の［　　］内に入れるAからDの語句又は数値の組合せとして、正しいものは（1）～（5）のうちどれか。**

□□

「日本人のメタボリックシンドローム診断基準で、腹部肥満（［ A ］脂肪の蓄積）とされるのは、腹囲が男性では［ B ］cm 以上、女性では［ C ］cm 以上の場合であり、この基準は、男女とも［ A ］脂肪面積が［ D ］cm^2 以上に相当する。」

	A	B	C	D
（1）	内臓	85	90	100
（2）	内臓	85	90	200
（3）	内臓	90	85	100
（4）	皮下	90	85	200
（5）	皮下	100	90	200

R4.4-32

174 解説

（1）**正しい。**健康測定における医学的検査は、**疾病の早期発見を主な目的とするものではない。**

（2）**正しい。**健康測定における生活状況調査は、仕事の内容、職場の人間関係、通勤の状況のほか、趣味・し好、運動習慣・運動歴、食生活などについても行う。

（3）**正しい。**健康測定における運動機能検査では、筋力、柔軟性、平衡性、敏捷性、全身持久性などの検査を行う。

（4）**誤り。**健康測定の結果に基づき行う健康指導には、**メンタルヘルスケアも含まれる。**

（5）**正しい。**健康測定の結果に基づき行う保健指導には、**睡眠、喫煙、飲酒、口腔保健などの生活指導が含まれる。**

正答（4）

175 解説

「日本人のメタボリックシンドローム診断基準で、腹部肥満（ A **内臓** 脂肪の蓄積）とされるのは、腹囲が男性では B **85** cm 以上、女性では C **90** cm 以上の場合であり、この基準は、男女とも A **内臓** 脂肪面積が D **100** cm^2 以上に相当する。」

したがって、選択肢（1）が正答となる。

正答（1）

★
176 メタボリックシンドロームの診断基準に関する次の文中の［　　］内に入れる
□□ **AからCの語句の組合せとして、正しいものは（1）～（5）のうちどれか。**

「日本では、内臓脂肪の蓄積があり、かつ、血中脂質（中性脂肪、ＨＤＬコレステロール）、［Ａ］、［Ｂ］の三つのうち［Ｃ］が基準値から外れている場合にメタボリックシンドロームと診断される。」

	Ａ	Ｂ	Ｃ
（1）	血圧	空腹時血糖	いずれか一つ
（2）	血圧	空腹時血糖	二つ以上
（3）	γ-ＧＴＰ	空腹時血糖	二つ以上
（4）	γ-ＧＴＰ	尿蛋《たん》白	いずれか一つ
（5）	γ-ＧＴＰ	尿蛋《たん》白	二つ以上

R4.10-32

176 解説

「日本では、内臓脂肪の蓄積があり、かつ、血中脂質（中性脂肪、ＨＤＬコレステロール）、［Ａ **血圧**］、［Ｂ **空腹時血糖**］の三つのうち［Ｃ **二つ以上**］が基準値から外れている場合にメタボリックシンドロームと診断される。」

したがって、選択肢（2）が正答となる。

正答（2）

関係法令

関係法令では、主に有害な環境や危険から労働者を守るために制定された、「労働安全衛生法」と「労働基準法」の2つの法律について出題されます。「労働安全衛生法」は職場における労働者の安全と健康を守ることを目的とし、「労働基準法」は労動者の立場を保護・強化することを目的としています。これを踏まえて学習すると理解しやすいでしょう。試験では有害業務関連が10問、非有害業務関連が7問出題されます。本書では有害業務関連の問題と非有害業務関連の問題を分けて掲載しています。

・問177～250　有害業務関連の問題

・問251～301　非有害業務関連の問題

1. 安全衛生管理体制　速 第9章 LESSON 2

★★★
177
□□

常時800人の労働者を使用する製造業の事業場における衛生管理体制に関する（1）～（5）の記述のうち、法令上、誤っているものはどれか。
ただし、800人中には、製造工程において次の業務に常時従事する者が含まれているが、他に有害業務に従事している者はいないものとし、衛生管理者及び産業医の選任の特例はないものとする。

鉛、クロム及び一酸化炭素の粉じん又は
ガスを発散する場所における業務 ………………………… 30人
深夜業を含む業務 ……………………………………………… 300人

（1）衛生管理者は、3人以上選任しなければならない。
（2）衛生管理者のうち1人については、この事業場に専属ではない労働衛生コンサルタントのうちから選任することができる。
（3）衛生管理者のうち1人を、衛生工学衛生管理者免許を有する者のうちから選任しなければならない。
（4）衛生管理者のうち少なくとも1人を、専任の衛生管理者として選任しなければならない。
（5）産業医は、この事業場に専属の者を選任しなければならない。

R2.10-1類、R1.10-1類、H30.10-1

177 解説

（1）**正しい。常時**使用する労働者数が**500人を超え1,000人以下**の事業場では、衛生管理者を**3人以上選任**しなければならない（安衛法第12条第1項、安衛則第7条第1項第4号）。

（2）**正しい。**衛生管理者は、**原則**として、その**事業場に専属の者**を選任する。ただし、**2人以上の衛生管理者を選任する場合**において、**衛生管理者の中に労働衛生コンサルタントがいるとき**は、**1人のみ専属でない労働衛生コンサルタントから選任**することが**できる**（安衛法第12条第1項、安衛則第7条第1項第2号）。

（3）**正しい。常時500人を超える労働者を使用する事業場で**、坑内労働または**有害業務**（労基則第18条に掲げる**一部の**業務。P. 420参照）**に常時30人以上**の労働者を従事させる場合は、衛生管理者のうち1人を**衛生工学衛生管理者免許を有する者のうちから選任**しなければならない（安衛法第12条第1項、安衛則第7条第1項第6号）。そして、鉛、クロムおよび一酸化炭素の粉じんまたはガスを発散する場所における業務は、この有害業務に含まれる。したがって、設問の場合、衛生管理者のうち1人を、衛生工学衛生管理者免許を有する者のうちから選任しなければならない。

（4）**正しい。常時500人を超える労働者を使用する事業場で**、坑内労働または**有害業務**（労基則第18条に掲げる業務。P. 420参照）**に常時30人以上**の労働者を従事させる場合は、衛生管理者のうち少なくとも1人を**専任の衛生管理者**としなければならない（安衛法第12条第1項、安衛則第7条第1項第5号ロ）。鉛、クロムおよび一酸化炭素の粉じんまたはガスを発散する場所における業務は、この有害業務に含まれる。したがって、設問の場合、衛生管理者のうち少なくとも1人を、専任の衛生管理者として選任しなければならない。

（5）**誤り。常時1,000人以上**の労働者を使用する事業場または**深夜業を含む有害業務に常時500人以上**の労働者を従事させる事業場においては、**専属の産業医を選任**しなければならない（安衛法第13条第1項、安衛則第13条第1項第3号）。設問では、常時使用する労働者数は800人であり、常時1,000人以上の労働者を使用する事業場に該当しない。また、深夜業を含む業務、鉛、クロムおよび一酸化炭素の粉じんまたはガスを発散する場所における業務は、この専属の産業医を選任すべき有害業務に含まれるが、いずれについても、常時500人以上の労働者は従事していない。したがって、選任する産業医は、専属の者でなくてもよい。

正答（5）

関係法令 有害

★★★

178 □□

常時400人の労働者を使用する製造業の事業場における衛生管理体制に関する（1）～（5）の記述のうち、法令上、誤っているものはどれか。

ただし、400人中には、屋内作業場において次の業務に常時従事する者が含まれているが、その他の有害業務はないものとし、衛生管理者及び産業医の選任の特例はないものとする。

深夜業を含む業務	200人
多量の高熱物体を取り扱う業務	50人
塩素を試験研究のため取り扱う作業を行う業務	30人

（1）総括安全衛生管理者を選任しなければならない。

（2）衛生管理者のうち少なくとも1人を専任の衛生管理者としなければならない。

（3）衛生管理者は、全て第一種衛生管理者免許を有する者のうちから選任することができる。

（4）産業医は、この事業場に専属でない者を選任することができる。

（5）特定化学物質作業主任者を選任しなくてよい。

R5.10-1

178 解説

（1）**正しい。常時 300 人以上**の労働者を使用する**製造業**（物の加工業を含む）の事業場では、法令上、総括安全衛生管理者の選任が義務付けられている（安衛法第 10 条第 1 項、安衛令第 2 条）。したがって、常時 400 人の労働者を使用する製造業の事業場においては、総括安全衛生管理者を選任しなければならない。

（2）**誤り。常時 500 人を超える労働者を使用する事業場で**、坑内労働または**有害業務**（労基則第 18 条に掲げる業務）に**常時 30 人以上**の労働者を従事させる場合は、衛生管理者のうち少なくとも 1 人を**専任の衛生管理者**としなければならない（安衛法第 12 条第 1 項、安衛則第 7 条第 1 項第 5 号ロ）。設問は、常時 400 人の労働者を使用する事業場であるため、衛生管理者のうち少なくとも 1 人を専任の衛生管理者とする必要はない。

（3）**正しい。常時 50 人以上の労働者を使用する事業場**の事業者は、衛生管理者を選任しなければならない（安衛法第 12 条第 1 項、安衛令第 4 条）。そして、**製造業**（物の加工業を含む）の事業場においては、**第一種衛生管理者免許**もしくは衛生工学衛生管理者免許を有する者等から衛生管理者を選任しなければならない（安衛則第 7 条第 1 項第 3 号・第 10 条）。したがって、衛生管理者は、全て第一種衛生管理者免許を有する者のうちから選任することができる。

（4）**正しい。常時 1,000 人以上**の労働者を使用する事業場または**深夜業を含む有害業務に常時 500 人以上**の労働者を従事させる事業場においては、**専属の産業医を選任**しなければならない（安衛法第 13 条第 1 項、安衛則第 13 条第 1 項第 3 号）。設問では、深夜業を含む業務に常時 200 人が従事している。したがって、この事業場に専属でないものを産業医として選任することができる。

（5）**正しい。**特定化学物質を製造し、または取り扱う作業（**試験研究のため取り扱う作業を除く**）については、作業主任者を選任しなければならない（安衛法第 14 条、安衛令第 6 条第 18 号）。設問は、特定化学物質である塩素を試験研究のため取り扱う作業であり、特定化学物質作業主任者を選任しなくてよい。

正答（2）

合格エッセンス　専属の産業医の選任要件

速 P.221

①**常時 1,000 人以上**または
②**一定の有害業務に 500 人以上**

- 多量の高熱物体を取り扱う業務および著しく暑熱な場所における業務
- 多量の低温物体を取り扱う業務および著しく寒冷な場所における業務
- **深夜業を含む業務**など

★★★
179 □□ **ある製造業の事業場の労働者数及び有害業務等従事状況並びに産業医及び衛生管理者の選任の状況は、次の①～③のとおりである。この事業場の産業医及び衛生管理者の選任についての法令違反の状況に関する（1）～（5）の記述のうち、正しいものはどれか。**
ただし、産業医及び衛生管理者の選任の特例はないものとする。

① 労働者数及び有害業務等従事状況
常時使用する労働者数は800人であり、このうち、深夜業を含む業務に400人が、強烈な騒音を発する場所における業務に30人が常時従事しているが、他に有害業務に従事している者はいない。

② 産業医の選任の状況
選任している産業医数は１人である。
この産業医は、この事業場に専属の者ではないが、産業医としての法令の要件を満たしている医師である。

③ 衛生管理者の選任の状況
選任している衛生管理者数は３人である。
このうち１人は、この事業場に専属でない労働衛生コンサルタントで、衛生工学衛生管理者免許を有していない。
他の２人は、この事業場に専属で、共に衛生管理者としての業務以外の業務を兼任しており、また、第一種衛生管理者免許を有しているが、衛生工学衛生管理者免許を有していない。

（1）選任している産業医がこの事業場に専属でないことが違反である。
（2）選任している衛生管理者数が少ないことが違反である。
（3）衛生管理者として選任している労働衛生コンサルタントがこの事業場に専属でないことが違反である。
（4）衛生工学衛生管理者免許を受けた者のうちから選任した衛生管理者が１人もいないことが違反である。
（5）専任の衛生管理者が１人もいないことが違反である。

R5.4-1

179 解説

（1）**誤り。常時1,000人以上**の労働者を使用する事業場または**深夜業を含む有害業務に常時500人以上**の労働者を従事させる事業場においては、専属の産業医を選任しなければならない（安衛法第13条第1項、安衛則第13条第1項第3号）。設問では、常時使用する労働者数は800人であり、常時1,000人以上の労働者を使用する事業場に該当しない。また、深夜業を含む業務、強烈な騒音を発する場所における業務は、いずれもこの専属の産業医を選任すべき有害業務に含まれるが、常時500人以上の労働者は従事していない。したがって、専属の産業医を選任する必要はなく、産業医の選任に違反はない。

（2）**誤り。常時**使用する労働者数が**500人を超え1,000人以下**の事業場では、衛生管理者を**3人以上**選任しなければならない（安衛法第12条第1項、安衛則第7条第1項第4号）。設問では、選任している衛生管理者は3人であり、違反はない。

（3）**誤り**。衛生管理者は、**原則**として、その**事業場に専属の者**を選任する。ただし、**2人以上の衛生管理者を選任する場合**において、**衛生管理者の中に労働衛生コンサルタントがいるとき**は、**1人のみ専属でない労働衛生コンサルタントから選任**することが**できる**（安衛法第12条第1項、安衛則第7条第1項第2号）。設問では、選任している衛生管理者3人のうち1人がこの事業場に専属でない労働衛生コンサルタントであり、違反はない。

（4）**誤り。常時500人を超える労働者を使用する事業場**で、坑内労働または**有害業務**（労基則第18条に掲げる**一部**の業務）に**常時30人以上**の労働者を従事させる場合は、衛生管理者のうち1人を**衛生工学衛生管理者免許を有する者のうちから選任**しなければならない（安衛法第12条第1項、安衛則第7条第1項第6号）。**深夜業を含む業務、強烈な騒音を発する場所における業務**は、この衛生工学衛生管理者免許を有する者を選任すべき**有害業務に該当しない**ため、衛生工学衛生管理者免許を有する者のうちから選任した衛生管理者が1人もいない点に、違反はない。

（5）**正しい。常時500人を超える労働者を使用する事業場**で、坑内労働または**有害業務**（労基則第18条に掲げる業務）に**常時30人以上**の労働者を従事させる場合は、衛生管理者のうち少なくとも1人を**専任の衛生管理者**としなければならない（安衛法第12条第1項、安衛則第7条第1項第5号ロ）。強烈な騒音を発する場所における業務は、この専任の衛生管理者を選任すべき有害業務に該当するため、専任の衛生管理者がいないことは違反である。 **正答**（5）

★★★
180 □□ **ある製造業の事業場の労働者数及び有害業務等従事状況並びに産業医及び衛生管理者の選任の状況は、次の①～③のとおりである。この事業場の産業医及び衛生管理者の選任についての法令違反の状況に関する（1）～（5）の記述のうち、正しいものはどれか。**
ただし、産業医及び衛生管理者の選任の特例はないものとする。

① 労働者数及び有害業務等従事状況

常時使用する労働者数は800人であり、このうち、深夜業を含む業務に常時500人が、著しく暑熱な場所における業務に常時20人が従事している。

② 産業医の選任の状況

選任している産業医は１人である。この産業医は、この事業場に専属の者ではないが、産業医としての法令の要件を満たしている医師である。

③ 衛生管理者の選任の状況

選任している衛生管理者は３人である。このうち１人は、この事業場に専属でない労働衛生コンサルタントで、衛生工学衛生管理者免許を有していない。

他の２人は、この事業場に専属で、共に衛生管理者としての業務以外の業務を兼任しており、また、第一種衛生管理者免許を有しているが、衛生工学衛生管理者免許を有していない。

（1）選任している産業医がこの事業場に専属でないことが違反である。
（2）選任している衛生管理者数が少ないことが違反である。
（3）衛生管理者として選任している労働衛生コンサルタントがこの事業場に専属でないことが違反である。
（4）衛生工学衛生管理者免許を有する者のうちから選任した衛生管理者が１人もいないことが違反である。
（5）専任の衛生管理者が１人もいないことが違反である。

R2.4-1、H31.4-1、H29.4-1

180 解説

（1）**正しい。常時 1,000 人以上**の労働者を使用する事業場または**深夜業を含む有害業務に常時 500 人以上**の労働者を従事させる事業場においては、**専属の産業医を選任**しなければならない（安衛法第 13 条第 1 項、安衛則第 13 条第 1 項第 3 号）。設問では、深夜業を含む業務に常時 500 人が従事しているため、専属の産業医を選任しなければならない。したがって、選任している産業医がこの事業場に専属でないことは違反である。

（2）**誤り。常時**使用する労働者数が **500 人を超え 1,000 人以下**の事業場では、衛生管理者を**3人以上選任**しなければならない（安衛法第 12 条第 1 項、安衛則第 7 条第 1 項第 4 号）。設問では、選任している衛生管理者数は 3 人であるため、違反はない。

（3）**誤り。**衛生管理者は、**原則**として、その**事業場に専属の者**を選任する。ただし、**2人以上の衛生管理者を選任する場合**において、**衛生管理者の中に労働衛生コンサルタントがいるとき**は、**1人のみ専属でない労働衛生コンサルタントから選任**することが**できる**（安衛法第 12 条第 1 項、安衛則第 7 条第 1 項第 2 号）。設問では、選任している衛生管理者のうち 1 人のみがこの事業場に専属でない労働衛生コンサルタントであり、違反はない。

（4）**誤り。常時 500 人を超える労働者を使用する事業場で**、坑内労働または**有害業務**（労基則第 18 条に掲げる**一部の**業務）**に常時 30 人以上**の労働者を従事させる場合は、衛生管理者のうち 1 人を**衛生工学衛生管理者免許を有する者のうちから選任**しなければならない（安衛法第 12 条第 1 項、安衛則第 7 条第 1 項第 6 号）。そして、著しく暑熱な場所における業務はこの有害業務に該当するが、設問では当該業務に従事している労働者数は常時 20 人であるため、衛生工学衛生管理者免許を有する者のうちから衛生管理者を選任する必要はない。したがって、衛生工学衛生管理者免許を有する者のうちから選任した衛生管理者が 1 人もいない点に、違反はない。

（5）**誤り。常時 500 人を超える労働者を使用する事業場で**、坑内労働または**有害業務**（労基則第 18 条に掲げる業務）**に常時 30 人以上**の労働者を従事させる場合は、衛生管理者のうち少なくとも 1 人を**専任の衛生管理者**としなければならない（安衛法第 12 条第 1 項、安衛則第 7 条第 1 項第 5 号ロ）。そして、著しく暑熱な場所における業務はこの有害業務に該当するが、設問では当該業務に従事している労働者数は常時 20 人であるため、専任の衛生管理者を選任する必要はない。したがって、専任の衛生管理者が 1 人もいない点に、違反はない。

正答（1）

★★★

181 □□ **常時800人の労働者を使用する製造業の事業場の有害業務及び衛生管理者の選任の状況は、次の①及び②のとおりである。**
この事業場の衛生管理者の選任についての法令違反の状況に関する（1）～（5）の記述のうち、正しいものはどれか。

① 有害業務の状況

製造工程において著しく寒冷な場所における業務に常時20人従事しているが、他に有害業務はない。

② 衛生管理者の選任の状況

選任している衛生管理者数は3人である。

このうち1人は、この事業場に専属でない労働衛生コンサルタントで、衛生工学衛生管理者免許を有していない。

他の2人は、この事業場に専属で、共に衛生管理者としての業務以外の業務を兼任しており、また、第一種衛生管理者免許を有しているが、衛生工学衛生管理者免許を有していない。

（1）衛生管理者の選任について違反はない。
（2）選任している衛生管理者数が少ないことが違反である。
（3）衛生管理者として選任している労働衛生コンサルタントがこの事業場に専属でないことが違反である。
（4）衛生工学衛生管理者免許を有する者のうちから選任した衛生管理者が1人もいないことが違反である。
（5）専任の衛生管理者が1人もいないことが違反である。

H28.4-1、H25.10-1 類

181 解説

（1）**正しい。**設問において、衛生管理者の選任について違反はない。

（2）**誤り。常時**使用する労働者数が **500 人を超え 1,000 人以下**の事業場では、衛生管理者を**3人以上選任**しなければならない（安衛法第 12 条第 1 項、安衛則第 7 条第 1 項第 4 号）。設問において選任している衛生管理者数は 3 人であり、違反はない。

（3）**誤り。**衛生管理者は、**原則**として、その**事業場に専属の者**を選任する。ただし、**2人以上の衛生管理者を選任する場合**において、**衛生管理者の中に労働衛生コンサルタントがいるとき**は、**1人のみ専属でない労働衛生コンサルタントから選任**することが**できる**（安衛法第 12 条第 1 項、安衛則第 7 条第 1 項第 2 号）。設問において、選任している衛生管理者 3 人のうち 1 人がこの事業場に専属でない労働衛生コンサルタントであり、違反はない。

（4）**誤り。常時 500 人を超える労働者を使用する事業場で、**坑内労働または**有害業務**（労基則第 18 条に掲げる**一部の**業務）**に常時 30 人以上**の労働者を従事させる場合は、衛生管理者のうち 1 人を**衛生工学衛生管理者免許を有する者のうちから選任**しなければならない（安衛法第 12 条第 1 項、安衛則第 7 条第 1 項第 6 号）。そして、**著しく寒冷な場所における業務**は、この**有害業務に該当しない。**したがって、衛生工学衛生管理者免許を有する者のうちから選任した衛生管理者が 1 人もいない点に、違反はない。

（5）**誤り。常時 500 人を超える労働者を使用する事業場で、**坑内労働または**有害業務**（労基則第 18 条に掲げる業務）**に常時 30 人以上**の労働者を従事させる場合は、衛生管理者のうち少なくとも 1 人を**専任の衛生管理者**としなければならない（安衛法第 12 条第 1 項、安衛則第 7 条第 1 項第 5 号ロ）。そして、**著しく寒冷な場所における業務**は**この有害業務に該当する**。もっとも、設問では、著しく寒冷な場所における業務には常時 20 人の労働者しか従事していない。したがって、専任の衛生管理者が 1 人もいない点に、違反はない。

正答（1）

合格エッセンス　専任の衛生管理者、衛生工学衛生管理者の選任が必要な有害業務の比較

速 P.217～P.218

一定の有害業務	専任	衛生工学
高熱物体・暑熱	○	○
低温物体・寒冷	○	—
鉛、水銀等の有害物の粉じん、蒸気、ガス	○	○

※○＝選任

★★★
182 衛生管理者及び産業医の選任に関する次の記述のうち、法令上、誤っているものはどれか。

□□

ただし、衛生管理者及び産業医の選任の特例はないものとする。

（1）常時60人の労働者を使用する医療業の事業場では、第一種衛生管理者免許若しくは衛生工学衛生管理者免許を有する者、医師、歯科医師又は労働衛生コンサルタントのうちから衛生管理者を選任することができる。

（2）２人以上の衛生管理者を選任すべき事業場では、そのうち１人については、その事業場に専属でない労働衛生コンサルタントのうちから選任することができる。

（3）深夜業を含む業務に常時550人の労働者を従事させる事業場では、その事業場に専属の産業医を選任しなければならない。

（4）常時600人の労働者を使用し、そのうち多量の低温物体を取り扱う業務に常時35人の労働者を従事させる事業場では、選任する衛生管理者のうち少なくとも１人を衛生工学衛生管理者免許を受けた者のうちから選任しなければならない。

（5）常時3,300人の労働者を使用する事業場では、２人以上の産業医を選任しなければならない。

R4.4-1

182 解説

（1）**正しい。常時 50 人以上**の労働者を使用する事業場の事業者は、**衛生管理者を選任**しなければならない（安衛法第 12 条第 1 項、安衛令第 4 条）。そして、**医療業**の事業場においては、第一種衛生管理者免許もしくは衛生工学衛生管理者免許を有する者、医師、歯科医師または労働衛生コンサルタントから衛生管理者を選任しなければならない(安衛則第 7 条第 1 項第 3 号・第 10 条)。したがって、設問の場合、第一種衛生管理者免許もしくは衛生工学衛生管理者免許を有する者、医師、歯科医師または労働衛生コンサルタントのうちから衛生管理者を選任することができる。

（2）**正しい。**衛生管理者は、**原則**として、その**事業場に専属の者**を選任する。ただし、**2 人以上の衛生管理者を選任する場合**において、**衛生管理者の中に労働衛生コンサルタントがいるとき**は、**1 人のみ専属でない労働衛生コンサルタントから選任**することが**できる**（安衛法第 12 条第 1 項、安衛則第 7 条第 1 項第 2 号）。

（3）**正しい。常時 1,000 人以上**の労働者を使用する事業場または**深夜業を含む有害業務に常時 500 人以上**の労働者を従事させる事業場においては、**専属の産業医を選任**しなければならない（安衛法第 13 条第 1 項、安衛則第 13 条第 1 項第 3 号）。設問では、深夜業を含む業務に常時 550 人が従事している。したがって、専属の産業医を選任しなければならない。

（4）**誤り。常時 500 人を超える労働者を使用する事業場**で、坑内労働または有害業務（労基則第 18 条に掲げる**一部の業務**）に**常時 30 人以上**の労働者を従事させる場合は、衛生管理者のうち 1 人を**衛生工学衛生管理者免許を有する者のうちから選任**しなければならない（安衛法第 12 条第 1 項、安衛則第 7 条第 1 項第 6 号）。そして、**多量の低温物体を取り扱う業務**は、この**有害業務に該当しない。**したがって、設問の場合、衛生管理者のうち 1 人を衛生工学衛生管理者免許を有する者のうちから選任する必要はない。

（5）**正しい。常時 3,000 人を超える**労働者を使用する事業場では、**2 人以上の産業医を選任**しなければならない（安衛則第 13 条第 1 項第 4 号）。したがって、常時 3,300 人の労働者を使用する事業場では、2 人以上の産業医を選任しなければならない。

正答（4）

★★★
183 次のAからDの作業について、法令上、作業主任者の選任が義務付けられているものの組合せは（1）～（5）のうちどれか。

□□

A　水深 10m 以上の場所における潜水の作業

B　セメント製造工程においてセメントを袋詰めする作業

C　製造工程において硫酸を用いて行う洗浄の作業

D　石炭を入れてあるホッパーの内部における作業

（1）A，B

（2）A，C

（3）A，D

（4）B，C

（5）C，D

R5.4-2、R3.10-3

★★★
184 次のAからDの作業について、法令上、作業主任者の選任が義務付けられているものの組合せは（1）～（5）のうちどれか。

□□

A　乾性油を入れてあるタンクの内部における作業

B　セメント製造工程においてセメントを袋詰めする作業

C　溶融した鉛を用いて行う金属の焼入れの業務に係る作業

D　圧気工法により、大気圧を超える気圧下の作業室の内部において行う作業

（1）A，B

（2）A，C

（3）A，D

（4）B，C

（5）C，D

R4.4-2

183 解説

A　**義務付けられていない。**潜水の作業については、作業主任者の選任が義務付けられていない（安衛法第14条、安衛令第6条参照）。

B　**義務付けられていない。**セメントを袋詰めする作業については、作業主任者の選任が義務付けられていない（安衛法第14条、安衛令第6条参照）。

C　**義務付けられている。特定化学物質を製造し、または取り扱う作業**（**試験研究のため取り扱う作業を除く**）については、**作業主任者を選任しなければならない**（安衛法第14条、安衛令第6条第18号）。製造工程において**硫酸**を用いて行う洗浄の作業は、特定化学物質を製造し、または取り扱う作業に**該当する**（安衛令別表第3）。

D　**義務付けられている。酸素欠乏危険場所における作業**については、**作業主任者を選任しなければならない**（安衛法第14条、安衛令第6条第21号）。石炭を入れてあるホッパーの内部における作業は、酸素欠乏危険場所における作業に該当する（安衛令別表第6）。

以上から、作業主任者の選任が義務付けられているものの組合せはC、Dとなる。したがって、選択肢（5）が正答となる。

正答（5）

184 解説

A　**義務付けられている。乾性油を入れてあるタンクの内部における作業**については、**作業主任者を選任しなければならない**（安衛法第14条、安衛令第6条21号、安衛令別表第6）。

B　**義務付けられていない。**セメントを袋詰めする作業については、作業主任者の選任が義務付けられていない（安衛法第14条、安衛令第6条参照）。

C　**義務付けられていない。**溶融した鉛を用いて行う金属の焼入れの業務に係る作業については、作業主任者の選任が義務付けられていない（安衛法第14条、安衛令第6条19号）。

D　**義務付けられている。圧気工法により、大気圧を超える気圧下の作業室において行う作業**については、**作業主任者を選任しなければならない**（安衛法第14条、安衛令第6条1号）。

以上から、作業主任者の選任が義務付けられているものの組合せはA、Dとなる。したがって、選択肢（3）が正答となる。

正答（3）

★★★

185 労働安全衛生法に基づく技能講習を修了することによって取得できる資格に該当しないものは、次のうちどれか。

□□

（1）特定化学物質作業主任者

（2）有機溶剤作業主任者

（3）石綿作業主任者

（4）酸素欠乏危険作業主任者

（5）高圧室内作業主任者

H29.10-4

★

186 次の免許のうち、労働安全衛生法令に定められていないものはどれか。

□□

（1）潜水士免許

（2）高圧室内作業主任者免許

（3）エックス線作業主任者免許

（4）石綿作業主任者免許

（5）ガンマ線透過写真撮影作業主任者免許

R5.10-3

185 解説

高圧室内作業主任者の資格は、労働安全衛生法に基づく**免許**によって取得できるものであり、技能講習を修了することによって取得できる資格に該当しない（安衛則第16条、安衛則別表第1）。

したがって、選択肢（5）が正答となる。

正答（5）

186 解説

石綿作業主任者の資格は、労働安全衛生法に基づく**技能講習を修了**することによって取得できるものであり、免許によって取得できる資格に該当しない（安衛則第16条、安衛則別表第1）。

したがって、選択肢（4）が正答となる。

正答（4）

チェック! ここが狙われる

作業主任者の資格要件 速 P.223、P.331

免許	技能講習を修了
• 高圧室内作業主任者 • エックス線作業主任者 • ガンマ線透過写真撮影作業主任者	• 石綿作業主任者など

2. 機械等・有害物質に関する規制　速 第9章 LESSON 3

★★★
187 厚生労働大臣が定める規格を具備しなければ、譲渡し、貸与し、又は設置してはならない機械等に該当するものは次のうちどれか。
□□

（1）送気マスク
（2）酸素呼吸器
（3）放射線測定器
（4）工業用ガンマ線照射装置
（5）検知管方式による一酸化炭素検定器

H30.4-5

★★★
188 厚生労働大臣が定める規格を具備しなければ、譲渡し、貸与し、又は設置してはならない機械等に該当するものは、次のうちどれか。
□□

（1）聴覚保護具
（2）防振手袋
（3）遮光保護具
（4）硫化水素用防毒マスク
（5）電動ファン付き呼吸用保護具

H28.10-3 改題

★★★
189 厚生労働大臣が定める規格を具備しなければ、譲渡し、貸与し、又は設置してはならない機械等に該当しないものは、次のうちどれか。
□□

（1）潜水器
（2）一酸化炭素用防毒マスク
（3）ろ過材及び面体を有する防じんマスク
（4）放射性物質による汚染を防止するための防護服
（5）特定エックス線装置

R3.4-2

187 解説

工業用ガンマ線照射装置は、厚生労働大臣が定める規格を具備しなければ、譲渡し、貸与し、または設置してはならない機械等に**該当する**（安衛法第42条、安衛令第13条第3項第23号）。

したがって、選択肢（4）が正答となる。

正答（4）

188 解説

電動ファン付き呼吸用保護具は、厚生労働大臣が定める規格を具備しなければ、譲渡し、貸与し、または設置してはならない機械等に**該当する**（安衛法第42条、安衛法別表第2）。

したがって、選択肢（5）が正答となる。

正答（5）

189 解説

放射性物質による汚染を防止するための防護服は、厚生労働大臣が定める規格を具備しなければ、譲渡し、貸与し、または設置してはならない機械等に**該当しない**（安衛法第42条参照）。

したがって、選択肢（4）が正答となる。

正答（4）

チェック！ここが狙われる　機械・設備等の譲渡等制限 速 P.231

該当	非該当
• 電動ファン付き呼吸用保護具 • 防毒マスク 　・一酸化炭素用、ハロゲンガス用 • ろ過材および面体を有する防じんマスク • 潜水器 • 排気量 $40cm^3$ 以上の内燃機関を内蔵するチェーンソー • ガンマ線照射装置	• 防毒マスク 　・硫化水素用 • 送気マスク • 聴覚保護具 • 防振手袋 • 化学防護服 • 放射線測定器

★★★
190 □□ **厚生労働大臣が定める規格を具備しなければ、譲渡し、貸与し、又は設置してはならない機械等に該当するものは、次のうちどれか。**

（1）送気マスク
（2）ハロゲンガス用防毒マスク
（3）聴覚保護具
（4）化学防護服
（5）空気呼吸器

R1.10-3 改題

★★★
191 □□ **厚生労働大臣が定める規格を具備しなければ、譲渡し、貸与し、又は設置してはならない機械等に該当するものは、次のうちどれか。**

（1）酸性ガス用防毒マスク
（2）防振手袋
（3）化学防護服
（4）放射線装置室
（5）排気量 40cm^3 以上の内燃機関を内蔵するチェーンソー

R4.4-3

★★★
192 □□ **次の装置のうち、法令に基づく定期自主検査を行わなければならないものはどれか。**

（1）木材加工用丸のこ盤を使用する作業場所に設けた局所排気装置
（2）アーク溶接を行う屋内作業場に設けた全体換気装置
（3）エタノールを使用する作業場所に設けた局所排気装置
（4）アンモニアを使用する作業場所に設けたプッシュプル型換気装置
（5）屋内の、フライアッシュを袋詰めする箇所に設けたプッシュプル型換気装置

H30.10-2

190 解説

ハロゲンガス用防毒マスクは、厚生労働大臣が定める規格を具備しなければ、譲渡し、貸与し、または設置してはならない機械等に**該当する**（安衛法第42条、安衛法別表第2）。

したがって、選択肢（2）が正答となる。

正答（2）

191 解説

排気量40cm^{3}以上の内燃機関を内蔵するチェーンソーは、厚生労働大臣が定める規格を具備しなければ、譲渡し、貸与し、または設置してはならない機械等に**該当する**（安衛法第42条、安衛令第13条第3項第29号）。

したがって、選択肢（5）が正答となる。

正答（5）

192 解説

屋内の、**フライアッシュを袋詰めする箇所**には、**局所排気装置**または**プッシュプル型換気装置を設置**しなければならず（粉じん則第4条）、設けたプッシュプル型換気装置については、法令に基づく**定期自主検査を行わなければならない**（安衛法第45条第1項、安衛令第15条9号、粉じん則第17条第1項）。

したがって、選択肢（5）が正答となる。

正答（5）

★★★
193 □□ **次の装置のうち、法令上、定期自主検査の実施義務が規定されているものはどれか。**

（1）木工用丸のこ盤を使用する屋内の作業場所に設けた局所排気装置
（2）塩酸を使用する屋内の作業場所に設けた局所排気装置
（3）アーク溶接を行う屋内の作業場所に設けた全体換気装置
（4）フェノールを取り扱う特定化学設備
（5）アンモニアを使用する屋内の作業場所に設けたプッシュプル型換気装置

R3.10-2

★★★
194 □□ **次の設備又は装置のうち、法令に基づく定期自主検査の実施頻度が１年以内ごとに１回とされていないものはどれか。**

（1）硫酸を取り扱う特定化学設備
（2）トルエンを用いて洗浄を行う屋内の作業場所に設置したプッシュプル型換気装置
（3）鉛化合物を製造する工程において鉛等の溶融を行う屋内の作業場所に設置した局所排気装置
（4）弗《ふっ》化水素を含有する気体を排出する製造設備の排気筒に設置した排ガス処理装置
（5）セメントを袋詰めする屋内の作業箇所に設置した局所排気装置に設けた除じん装置

H30.4-7

★★★
195 □□ **次の装置のうち、法令上、定期自主検査の実施義務が規定されているものはどれか。**

（1）塩化水素を重量の20％含有する塩酸を使用する屋内の作業場所に設けた局所排気装置
（2）アーク溶接を行う屋内の作業場所に設けた全体換気装置
（3）エタノールを使用する作業場所に設けた局所排気装置
（4）アンモニアを使用する屋内の作業場所に設けたプッシュプル型換気装置
（5）トルエンを重量の10％含有する塗料を用いて塗装する屋内の作業場所に設けた局所排気装置

R5.4-4

193 解説

特定化学設備については**定期自主検査の実施義務が規定されている**（安衛法第45条第１項、安衛令第15条10号、特化則第31）。

したがって、選択肢（４）が正答となる。

正答 （4）

194 解説

特定化学設備に関する**定期自主検査の実施頻度**は、**２年以内ごとに１回**である（安衛法第45条第１項、安衛令第15条９号、特化則第31条）。

したがって、選択肢（１）が正答となる。

正答 （1）

195 解説

トルエンを重量の10％含有する塗料は第２種有機溶剤に該当するため、これを用いて塗装する**屋内の作業場所**には、密閉装置、**局所排気装置**またはプッシュプル型換気装置を設置しなければならない（有機則第５条）。そして、設けた局所排気装置については、法令に基づく**定期自主検査を行わなければならない**（安衛法第45条第１項、安衛令第15条９号、有機則第20条第１項）。

したがって、選択肢（５）が正答となる。

正答 （5）

合格エッセンス 定期自主検査の対象機械と頻度

速 P.232

対象機械	頻度
全体換気装置	**不要**
以下のうち、厚生労働省令で定めるもの 局所排気装置、プッシュプル型換気装置 除じん装置、排ガス処理装置、排液処理装置	１年以内ごとに１回
特定化学設備およびその附属設備	**２年以内ごとに１回**
ガンマ照射線装置で透過写真の撮影に用いられるもの	１カ月以内ごとに１回

★★★
196 次の設備又は装置のうち、法令上、定期自主検査の実施義務が規定されていないものはどれか。

□□

（１）アンモニアを取り扱う特定化学設備
（２）透過写真撮影用ガンマ線照射装置
（３）一酸化炭素を含有する気体を排出する製造設備の排気筒に設けた排ガス処理装置
（４）酢酸エチルを重量の５％を超えて含有する接着剤を製造する工程において、当該接着剤を容器に注入する屋内の作業場所に設けた局所排気装置
（５）セメントを袋詰めする屋内の作業箇所に設置した局所排気装置に設けた除じん装置

H25.10-3

★★★
197 次の特定化学物質を製造しようとするとき、労働安全衛生法に基づく厚生労働大臣の許可を必要としないものはどれか。

□□

（１）アルファ - ナフチルアミン
（２）塩素化ビフェニル（別名ＰＣＢ）
（３）オルト - トリジン
（４）オルト - トルイジン
（５）ベンゾトリクロリド

R5.10-4

★★★
198 次の特定化学物質を製造しようとするとき、労働安全衛生法に基づく厚生労働大臣の許可を必要としないものはどれか。

□□

（１）オルト - トリジン
（２）エチレンオキシド
（３）ジアニシジン
（４）ベリリウム
（５）アルファ - ナフチルアミン

R4.10-2

196 解説

一酸化炭素を含有する気体を排出する製造設備の排気筒に排ガス処理装置を設ける必要はなく、設置した場合でも定期自主検査の実施義務は規定されていない。

したがって、選択肢（3）が正答となる。

なお、（1）は特化則第 31 条に、（2）は電離則第 18 条の 5 に、（4）は有機則第 20 条 2 項に、（5）は粉じん則第 17 条第 2 項に規定されている。

正答（3）

197 解説

オルト‐トルイジンは、製造しようとするときにあらかじめ厚生労働大臣の**許可を受けなければならない物質に該当しない**（安衛法第 56 条第 1 項、安衛令第 17 条、安衛令別表第 3 参照）。

したがって、選択肢（4）が正答となる。

正答（4）

198 解説

エチレンオキシドは、製造しようとするときにあらかじめ厚生労働大臣の**許可を受けなければならない物質に該当しない**（安衛法第 56 条第 1 項、安衛令第 17 条、安衛令別表第 3 参照）。

したがって、選択肢（2）が正答となる。

正答（2）

★★★
199 次の特定化学物質を製造しようとするとき、労働安全衛生法に基づく厚生労働大臣の許可を必要としないものはどれか。

□□

（1）インジウム化合物
（2）ベンゾトリクロリド
（3）ジアニシジン及びその塩
（4）ベリリウム及びその化合物
（5）アルファ - ナフチルアミン及びその塩

R4.4-4

★★★
200 次の特定化学物質を製造しようとするとき、労働安全衛生法に基づき、厚生労働大臣の許可を受けなければならないものはどれか。

□□

（1）エチレンオキシド
（2）ベリリウム化合物
（3）オルト - フタロジニトリル
（4）ベータ - プロピオラクトン
（5）砒《ひ》素化合物

H29.10-6

★★★
201 次の化学物質のうち、これを製造しようとする者が、あらかじめ、厚生労働大臣の許可を受けなければならないものはどれか。

□□

（1）クロロメチルメチルエーテル
（2）ベータ - プロピオラクトン
（3）エチレンイミン
（4）パラ - ニトロクロルベンゼン
（5）ジアニシジン

R2.4-4、H29.4-2、H26.4-4 類

199 解説

インジウム化合物は、製造しようとするときにあらかじめ厚生労働大臣の**許可を受けなければならない物質に該当しない**（安衛法第56条第1項、安衛令第17条、安衛令別表第3参照）。

したがって、選択肢（1）が正答となる。

正答（1）

200 解説

ベリリウム化合物は、製造しようとするときにあらかじめ厚生労働大臣の**許可を受けなければならない物質に該当する**（安衛法第56条第1項、安衛令第17条、安衛令別表第3）。

したがって、選択肢（2）が正答となる。

正答（2）

201 解説

ジアニシジンは、製造しようとするときにあらかじめ厚生労働大臣の**許可を受けなければならない物質に該当する**（安衛法第56条第1項、安衛令第17条、安衛令別表第3）。

したがって、選択肢（5）が正答となる。

正答（5）

合格エッセンス 有害物質に関する規制（試験によく出る物質）

速 P.232

原則として禁止	許可
・ベンジジンおよびその塩 **・ベータ - ナフチルアミンおよびその塩**	・ジクロルベンジジンおよびその塩 **・アルファ - ナフチルアミンおよびその塩** ・塩素化ルビフェニル（PCB） ・オルト - トリジンおよびその塩 **・ジアニシジンおよびその塩** **・ベリリウムおよびその化合物** **・ベンゾトリクロリド** ・石綿分析用試料等

3. 安全衛生教育

速 第9章 LESSON 4

★★

202 次の業務に労働者を就かせるとき、法令に基づく安全又は衛生のための特別の教育を行わなければならないものはどれか。

□□

（1）赤外線又は紫外線にさらされる業務

（2）有機溶剤等を用いて行う接着の業務

（3）塩酸を用いて行う分析の業務

（4）エックス線回折装置を用いて行う分析の業務

（5）廃棄物の焼却施設において焼却灰を取り扱う業務

R5.10-2

★★

203 次の業務に労働者を就かせるとき、法令に基づく安全又は衛生のための特別の教育を行わなければならないものはどれか。

□□

（1）有機溶剤等を入れたことがあるタンクの内部における業務

（2）強烈な騒音を発する場所における作業に係る業務

（3）人力により重量物を取り扱う業務

（4）ガンマ線照射装置を用いて行う透過写真の撮影の業務

（5）削岩機、チッピングハンマー等チェーンソー以外の振動工具を取り扱う業務

H31.4-3

202 解説

廃棄物の焼却施設において焼却灰を取り扱う業務に労働者を就かせるときは、法令に基づく安全または衛生のための**特別の教育を行わなければならない**（安衛法第59条第3項、安衛則第36条第36号）。

したがって、選択肢（5）が正答となる。

正答（5）

203 解説

ガンマ線照射装置を用いて行う透過写真の撮影の業務に労働者を就かせるときは、法令に基づく安全または衛生のための**特別の教育を行わなければならない**（安衛法第59条第3項、安衛則第36条第28号）。

したがって、選択肢（4）が正答となる。

正答（4）

チェック! ここが狙われる **特別教育を必要とする業務**

速 P.237

必要（試験によく出る業務）	不要（ひっかけ選択肢）
• 潜水作業者への送気の調整を行うためのバルブまたはコックを操作する業務 • **エックス線装置**またはガンマ線照射装置を**用いて行う透過写真の撮影の業務** • チェーンソーを用いて行う立木の伐木、かかり木の処理または造材の業務 • 廃棄物の焼却施設において焼却灰を取り扱う業務 • 石綿等が使用されている建築物の解体等の作業に係る業務	• ボンベからの給気を受けて行う潜水業務 • 赤外線または紫外線にさらされる業務 • 削岩機、チッピングハンマー等チェーンソー以外の振動工具を取り扱う業務 • 有機溶剤等を取り扱う業務 • 特定化学物質を取り扱う作業に係る業務

★★
204 次の業務に労働者を就かせるとき、法令に基づく安全又は衛生のための特別の教育を行わなければならないものはどれか。

□□

(1) 赤外線又は紫外線にさらされる業務
(2) 水深 10m 以上の場所における潜水業務
(3) 特定化学物質のうち第一類物質を製造する業務
(4) エックス線装置を用いて行う透過写真撮影の業務
(5) 削岩機、チッピングハンマー等チェーンソー以外の振動工具を取り扱う業務

H30.4-2

★★
205 次の業務に労働者を就かせるとき、法令に基づく安全又は衛生のための特別の教育を行わなければならないものに該当しないものはどれか。

□□

(1) 石綿等が使用されている建築物の解体等の作業に係る業務
(2) 潜水作業者への送気の調節を行うためのバルブ又はコックを操作する業務
(3) 特定化学物質のうち第二類物質を取り扱う作業に係る業務
(4) 廃棄物の焼却施設において焼却灰を取り扱う業務
(5) エックス線装置を用いて行う透過写真の撮影の業務

R4.10-4 類、R2.4-9、H29.4-6、H27.4-2 類

★★
206 次の業務のうち、労働者を就かせるとき、法令に基づく安全又は衛生のための特別の教育を行わなければならないものはどれか。

□□

(1) チェーンソーを用いて行う造材の業務
(2) エックス線回折装置を用いて行う分析の業務
(3) 特定化学物質を用いて行う分析の業務
(4) 有機溶剤等を入れたことがあるタンクの内部における業務
(5) 鉛ライニングの業務

R2.10-2

204 解説

エックス線装置を用いて行う透過写真撮影の業務に労働者を就かせるときは、法令に基づく安全または衛生のための**特別の教育を行わなければならない**（安衛法第59条第3項、安衛則第36条第28号）。

したがって、選択肢（4）が正答となる。

正答（4）

205 解説

特定化学物質を取り扱う作業に係る業務に労働者を就かせるときは、法令に基づく安全または衛生のための**特別の教育を行う必要はない**（安衛法第59条第3項、安衛則第36条参照）。

したがって、選択肢（3）が正答となる。

正答（3）

206 解説

チェーンソーを用いて行う造材の業務に労働者を就かせるときは、法令に基づく安全または衛生のための**特別の教育を行わなければならない**（安衛法第59条第3項、安衛則第36条第8号）。

したがって、選択肢（1）が正答となる。

正答（1）

★★
207 次の法定の作業環境測定を行うとき、作業環境測定士に測定を実施させなければならないものはどれか。

□□

（1）チッパーによりチップする業務を行い著しい騒音を発する屋内作業場における等価騒音レベルの測定
（2）パルプ液を入れてある槽の内部における空気中の酸素及び硫化水素の濃度の測定
（3）有機溶剤等を製造する工程で有機溶剤等の混合の業務を行う屋内作業場における空気中のトルエン濃度の測定
（4）溶融ガラスからガラス製品を成型する業務を行う屋内作業場における気温、湿度及びふく射熱の測定
（5）通気設備が設けられている坑内の作業場における通気量の測定

R2.4-6、H29.4-5

★★
208 次の作業環境測定を行うとき、法令上、作業環境測定士が測定を実施しなければならないものはどれか。

□□

（1）チッパーによりチップする業務を行い著しい騒音を発する屋内作業場における等価騒音レベルの測定
（2）パルプ液を入れたことのある槽の内部において作業を行う場合の当該作業場における空気中の酸素及び硫化水素の濃度の測定
（3）常時セメントを袋詰めする作業を行う屋内作業場における空気中の粉じん濃度の測定
（4）溶融ガラスからガラス製品を成型する業務を行う屋内作業場における気温、湿度及びふく射熱の測定
（5）炭酸ガス（二酸化炭素）が停滞するおそれのある坑内の作業場における空気中の炭酸ガス濃度の測定

H26.10-5

207 解説

事業者は、指定作業場について作業環境測定を行うときは、その使用する作業環境測定士にこれを実施させなければならない（測定法第3条第1項）。そして、一定の**有機溶剤を製造**し、または取り扱う業務で厚生労働省令で定めるものを行う屋内作業場は指定作業場とされている（安衛令第21条参照）。なお、作業環境測定を行う上で特に専門的な知識や技術が必要となる作業場を指定作業場という。

したがって、選択肢（3）が正答となる。

正答（3）

208 解説

常時**特定粉じん作業が行われる屋内作業場**は、**作業環境測定士が作業環境測定を実施しなければならない指定作業場に該当する**（粉じん則第25条）。屋内でセメントを袋詰めする作業は、特定粉じん作業に該当するため（粉じん則第2条第1項第3号・第2号・別表第2）、作業場における空気中の粉じん濃度の測定は、作業環境測定士が実施しなければならない。

したがって、選択肢（3）が正答となる。

なお、（1）（2）（4）（5）は、すべて作業環境測定を実施しなければならない作業場であるが、指定作業場ではないため作業環境測定士が作業環境測定を実施する必要はない。

正答（3）

★★★
209 法令に基づき定期に行う作業環境測定とその測定頻度との組合せとして、誤っているものは次のうちどれか。

□□

（1）非密封の放射性物質を取り扱う作業室における空気中の放射性物質の濃度の測定……………………………………………… 1か月以内ごとに1回

（2）チッパーによりチップする業務を行う屋内作業場における等価騒音レベルの測定……………………………………………… 6か月以内ごとに1回

（3）通気設備が設けられている坑内の作業場における通気量の測定……………………………………………………… 1か月以内ごとに1回

（4）鉛蓄電池を製造する工程において鉛等を加工する業務を行う屋内作業場における空気中の鉛の濃度の測定………………… 1年以内ごとに1回

（5）第二種有機溶剤等を用いて洗浄の作業を行う屋内作業場における空気中の有機溶剤濃度の測定……………………………… 6か月以内ごとに1回

R4.10-3

★★★
210 法令に基づき定期に行う作業環境測定とその測定頻度との組合せとして、誤っているものは次のうちどれか。

□□

（1）鉛ライニングの業務を行う屋内作業場における空気中の鉛濃度の測定……………………………………………………… 6か月以内ごとに1回

（2）動力により駆動されるハンマーを用いる金属の成型の業務を行う屋内作業場における等価騒音レベルの測定……………… 6か月以内ごとに1回

（3）第二種有機溶剤等を用いて塗装の業務を行う屋内作業場における空気中の有機溶剤の濃度の測定………………………… 6か月以内ごとに1回

（4）通気設備が設けられている坑内の作業場における通気量の測定……………………………………………………… 半月以内ごとに1回

（5）溶融ガラスからガラス製品を成型する業務を行う屋内作業場の気温、湿度及びふく射熱の測定……………………………… 半月以内ごとに1回

R5.4-9

209 解説

（1）**正しい。**「非密封の放射性物質を取り扱う作業室（放射性物質取扱作業室）における空気中の放射性物質の濃度の測定」は、**1カ月以内ごとに1回**、行わなければならない（電離則第55条、第53条第2号）。

（2）**正しい。**「チッパーによりチップする業務を行う屋内作業場における等価騒音レベルの測定」は、**6カ月以内ごとに1回**、行わなければならない（安衛則第590条・第588条第7号）。

（3）**誤り。**「通気設備が設けられている坑内の作業場における通気量の測定」は、**半月以内ごとに1回**、行わなければならない（安衛則第603条・第589条第3号）。1カ月以内ごとに1回ではない。

（4）**正しい。**「鉛蓄電池の解体工程において鉛等を切断する業務を行う屋内作業場における空気中の鉛の濃度の測定」は、**1年以内ごとに1回**、行わなければならない（鉛則第52条、安衛令別表第4）。

（5）**正しい。**「第二種有機溶剤等を用いて洗浄の作業を行う屋内作業場における空気中の有機溶剤濃度の測定」は、**6カ月以内ごとに1回**、行わなければならない（有機則第28条第2項、安衛令別表第6の2）。

正答（3）

210 解説

（1）**誤り。**「鉛ライニングの業務を行う屋内作業場における空気中の鉛の濃度の測定」は、**1年以内ごとに1回**、行わなければならない（鉛則第52条、安衛令別表第4第7号）。6カ月以内ごとに1回ではない。

（2）**正しい。**「動力により駆動されるハンマーを用いる金属の成型の業務を行う屋内作業場における等価騒音レベルの測定」は、**6カ月以内ごとに1回**、行わなければならない（安衛則第590条・第588条第5号）。

（3）**正しい。**「第二種有機溶剤等を用いて塗装の業務を行う屋内作業場における空気中の有機溶剤の濃度の測定」は、**6カ月以内ごとに1回**、行わなければならない（有機則第28条第2項、安衛令別表第6の2）。

（4）**正しい。**「通気設備が設けられている坑内の作業場における通気量の測定」は、**半月以内ごとに1回**、行わなければならない（安衛則第603条・第589条第3号）。

（5）**正しい。**「溶融ガラスからガラス製品を成型する業務を行う屋内作業場の気温、湿度及びふく射熱の測定」は、**半月以内ごとに1回**、行わなければならない（安衛則第607条・第587条第8号）。

正答（1）

★★
211 有害業務とそれに従事する労働者に対して特別の項目について行う健康診断の項目の一部との組合せとして、法令上、正しいものは次のうちどれか。

□□

（1）高圧室内業務 ……………… 尿中のウロビリノーゲンの検査
（2）有機溶剤業務 ……………… 赤血球中のプロトポルフィリンの量の検査
（3）放射線業務 ………………… 尿中の潜血の有無の検査
（4）潜水業務 …………………… 血液中の尿酸の量の検査
（5）鉛業務 ……………………… 尿中のデルタアミノレブリン酸の量の検査

H30.10-3

★★
212 有害業務とそれに常時従事する労働者に対して特別の項目について行う健康診断の項目の一部との組合せとして、法令上、正しいものは次のうちどれか。

□□

（1）有機溶剤業務 ……………… 尿中のデルタアミノレブリン酸の量の検査
（2）放射線業務 ………………… 尿中の潜血の有無の検査
（3）鉛業務 ……………………… 尿中のマンデル酸の量の検査
（4）石綿等を取り扱う業務 …… 尿中又は血液中の石綿の量の検査
（5）潜水業務 …………………… 四肢の運動機能の検査

R4.4-9

211 解説

（1）**誤り。**高圧室内業務の特殊健康診断の項目に尿中のウロビリノーゲンの検査はない（安衛法第 66 条第 2 項、高圧則第 38 条参照）。なお、高圧則においては、**四肢《しし》の運動機能**の検査、鼓膜および聴力の検査などが診断項目として定められている。

（2）**誤り。**有機溶剤業務の特殊健康診断の項目に赤血球中のプロトポルフィリンの量の検査はない（安衛法第 66 条第 2 項、有機則第 29 条第 2 項参照）。なお、有機則においては、作業条件の簡易な検査、有機溶剤の種類に応じて行う**尿中の代謝物量**の検査などが診断項目として定められている。

（3）**誤り。**放射線業務の特殊健康診断の項目に尿中の潜血の有無の検査はない（安衛法第 66 条第 2 項、電離則第 56 条の 2 参照）。なお、電離則においては、**白血球数等・赤血球数等**の検査、白内障に関する眼の検査、**皮膚**の検査などが診断項目として定められている。

（4）**誤り。**潜水業務の特殊健康診断の項目に血液中の尿酸の量の検査はない（安衛法第 66 条第 2 項、高圧則第 38 条参照）。

（5）**正しい。鉛業務**の特殊健康診断の項目として、**尿中のデルタアミノレブリン酸の量**の検査が定められている（安衛法第 66 条第 2 項、鉛則第 53 条第 1 項）。なお、鉛則では、ほかに、作業条件の簡易な検査、血液中の鉛の量の検査などが診断項目として定められている。

正答（5）

212 解説

（1）**誤り。**有機溶剤業務の特殊健康診断の項目に尿中のデルタアミノレブリン酸の量の検査はない（安衛法第 66 条第 2 項、有機則第 29 条第 2 項参照）。

（2）**誤り。**放射線業務の特殊健康診断の項目に尿中の潜血の有無の検査はない（安衛法第 66 条第 2 項、電離則第 56 条の 2 参照）。

（3）**誤り。**鉛業務の特殊健康診断の項目として、尿中のマンデル酸の量の検査はない（安衛法第 66 条第 2 項、鉛則第 53 条第 1 項参照）。

（4）**誤り。**石綿等を取り扱う業務の特殊健康診断の項目に尿中または血液中の石綿の量の検査はない（安衛法第 66 条第 2 項、石綿則第 40 条第 1 項参照）。なお、石綿則においては、**胸部のエックス線直接撮影**による検査などが診断項目として定められている。

（5）**正しい。潜水業務**の特殊健康診断の項目として、**四肢の運動機能**の検査、鼓膜および聴力の検査などが診断項目として定められている（安衛法第 66 条第 2 項、高圧則第 38 条参照）。

正答（5）

★★
213 有害業務とそれに常時従事する労働者に対して特別の項目について行う健康診断の項目の一部との組合せとして、法令上、正しいものは次のうちどれか。

□□

（1）鉛業務……………………………尿中のマンデル酸の量の検査
（2）放射線業務………………………尿中の潜血の有無の検査
（3）高圧室内業務……………………四肢の運動機能の検査
（4）有機溶剤業務……………………尿中のデルタアミノレブリン酸の量の検査
（5）石綿等を取り扱う業務…………尿中又は血液中の石綿の量の検査

H26.4-9

★★
214 次の物質のガス、蒸気又は粉じんを発散する場所における業務に常時従事する労働者に対し、法令に基づき、定期に、歯科医師による健康診断を行わなければならないものはどれか。

□□

（1）キシレン
（2）黄りん
（3）塩化ビニル
（4）コールタール
（5）酢酸エチル

H25.10-9

213 解説

（1）**誤り。**鉛業務の特殊健康診断の項目に尿中のマンデル酸の量の検査はない（安衛法第 66 条第 2 項、鉛則第 53 条第 1 項参照）。なお、鉛則では、**尿中のデルタアミノレブリン酸量**の検査、血液中の鉛の量の検査などが診断項目として定められている。

（2）**誤り。**放射線業務の特殊健康診断の項目に尿中の潜血の有無の検査はない（安衛法第 66 条第 2 項、電離則第 56 条の 2 参照）。なお、電離則においては、**白血球数等・赤血球数等**の検査、白内障に関する眼の検査、**皮膚**の検査などが診断項目として定められている。

（3）**正しい。高圧室内業務**の特殊健康診断の項目として、**四肢の運動機能**の検査が定められている（安衛法第 66 条第 2 項、高圧則第 38 条）。

（4）**誤り。**有機溶剤業務の特殊健康診断の項目に尿中のデルタアミノレブリン酸の量の検査はない（安衛法第 66 条第 2 項、有機則第 29 条第 2 項）。なお、有機則においては、作業条件の簡易な検査や有機溶剤の種類に応じて行う**尿中の代謝物量**の検査などが診断項目として定められている。

（5）**誤り。**石綿等を取り扱う業務の特殊健康診断の項目に尿中または血液中の石綿の量の検査はない（安衛法第 66 条第 2 項、石綿則第 40 条第 1 項参照）。なお、石綿則においては、**胸部のエックス線直接撮影**による検査などが診断項目として定められている。

正答（3）

214 解説

事業者は、塩酸、硝酸、硫酸、亜硫酸、弗《ふっ》化《か》水素、**黄りん**その他歯またはその支持組織に有害な物のガス、蒸気または粉じんを発散する場所における業務に従事する労働者に対し、歯科医師による健康診断を行わなければならない（安衛法第 66 条第 3 項、安衛令第 22 条第 3 項）。

したがって、選択肢（2）が正答となる。

正答（2）

★★
215 次の有害業務に従事した者のうち、離職の際に又は離職の後に、法令に基づく健康管理手帳の交付対象となるものはどれか。
□□

（1）ビス（クロロメチル）エーテルを取り扱う業務に３年以上従事した者
（2）硝酸を取り扱う業務に５年以上従事した者
（3）鉛化合物を製造する業務に７年以上従事した者
（4）ベンゼンを取り扱う業務に10年以上従事した者
（5）粉じん作業に従事した者で、じん肺管理区分が管理一の者

R1.10-9

★★
216 次の有害業務に従事した者のうち、離職の際に又は離職の後に、法令に基づく健康管理手帳の交付対象となるものはどれか。
□□

（1）ビス（クロロメチル）エーテルを取り扱う業務に３年以上従事した者
（2）硝酸を取り扱う業務に５年以上従事した者
（3）鉛化合物を製造する業務に７年以上従事した者
（4）メタノールを取り扱う業務に10年以上従事した者
（5）粉じん作業に従事した者で、じん肺管理区分が管理一の者

H31.4-9

★★
217 特定の有害業務に従事した者については、離職の際に又は離職の後に、法令に基づく健康管理手帳が交付されるが、次の者のうち、交付対象とならないものはどれか。
□□

（1）水銀を取り扱う業務に５年以上従事した者
（2）塩化ビニルを重合する業務に４年以上従事した者
（3）ベータ - ナフチルアミンを取り扱う業務に３か月以上従事した者
（4）ジアニシジンを取り扱う業務に３か月以上従事した者
（5）石綿等が吹き付けられた建築物の解体の作業に１年以上従事した者で、初めて石綿等の粉じんにばく露した日から10年以上経過しているもの

H28.10-5

215 解説

ビス（クロロメチル）エーテルを取り扱う業務に**3年以上**従事した者は、離職の際にまたは離職の後に、法令に基づく健康管理手帳の交付対象となる（安衛法第67条第1項、安衛令第23条第7号、安衛則第53条第1項）。

したがって、選択肢（1）が正答となる。

正答（1）

216 解説

ビス（クロロメチル）エーテルを取り扱う業務に**3年以上**従事した者は、離職の際にまたは離職の後に、法令に基づく健康管理手帳の交付対象となる（安衛法第67条第1項、安衛令第23条第7号、安衛則第53条第1項）。

したがって、選択肢（1）が正答となる。

正答（1）

217 解説

水銀を取り扱う業務に従事した者は、離職の際にまたは離職の後に、法令に基づく健康管理手帳の交付対象とならない（安衛法第67条第1項、安衛令第23条参照）。

したがって、選択肢（1）が正答となる。

正答（1）

チェック! ここが狙われる　よく出る健康管理手帳の交付要件

速 P.248

交付対象となる		交付対象とならない（ひっかけ選択肢）
• 塩化ビニルを重合する業務	4年以上従事した者	• 水銀を取り扱う業務 • 硝酸を取り扱う業務 • 鉛化合物を製造する業務 • メタノールを取り扱う業務
• ベータ - ナフチルアミンを取り扱う業務	3カ月以上従事した者	
• ジアニシジンを取り扱う業務	3カ月以上従事した者	
• ビス（クロロメチル）エーテルを製造しまたは取り扱う業務	3年以上従事した者	
• 石綿等の製造または取扱いに伴い石綿の粉じんを発散する場所における業務	1年以上従事した者で、初めて石綿等の粉じんにばく露した日から10年以上経過しているもの	
• 粉じん作業に係る作業	じん肺管理区分が管理二または管理三の者	

★★★
218 □□ **有機溶剤等を取り扱う場合の措置について、有機溶剤中毒予防規則に違反しているものは次のうちどれか。**
ただし、同規則に定める適用除外及び設備の特例はないものとする。

（1）地下室の内部で第一種有機溶剤等を用いて作業を行わせるとき、その作業場所に局所排気装置を設け、有効に稼働させているが、作業者に送気マスクも有機ガス用防毒マスクも使用させていない。

（2）屋内作業場で、第二種有機溶剤等が付着している物の乾燥の業務に労働者を従事させるとき、その作業場所に最大0.4m/sの制御風速を出し得る能力を有する側方吸引型外付け式フードの局所排気装置を設け、かつ、作業に従事する労働者に有機ガス用防毒マスクを使用させている。

（3）屋内作業場に設けた空気清浄装置のない局所排気装置の排気口で、厚生労働大臣が定める濃度以上の有機溶剤を排出するものの高さを、屋根から1.5 mとしている。

（4）屋外作業場において有機溶剤含有物を用いて行う塗装の業務に常時従事する労働者に対し、1年以内ごとに1回、定期に、有機溶剤等健康診断を行っている。

（5）有機溶剤等を入れてあった空容器で有機溶剤の蒸気が発散するおそれのあるものを、密閉して屋内の一定の場所に集積している。

R5.10-6

218 解説

（1）**違反していない。**屋内作業場等で第一種有機溶剤等を用いて作業を行う場所に、局所排気装置を設け有効に稼働させている場合（有機則第5条）、作業者に送気マスクまたは有機ガス用防毒マスクを使用させなければならないとする規定はない（有機則第33条参照）。したがって、有機則に違反していない。

（2）**違反している。**作業場所に設ける局所排気装置について、外付け式フードの場合、**側方吸引型**や下方吸引型で**0.5m/s**、上方吸引型で1.0 m/sの制御風速を出し得る能力を有するものでなければならない（有機則第16条第1項）。設問の最大0.4 m/sの制御風速を出し得る能力を有する側方吸引型外付け式フードの局所排気装置を設けていることは、この基準を満たしていない。したがって、有機則に違反している。

（3）**違反していない。**空気清浄装置を設けていない屋内作業場に設けた局所排気装置またはプッシュプル型換気装置等の**排気口の高さ**は**屋根から1.5 m以上**としなければならない（有機則第15条の2第2項）。設問の排気口の高さを、屋根から1.5 mとしていることは、この要件を満たしている。したがって、有機則に違反していない。

（4）**違反していない。**事業者は、**屋内作業場等**（第三種有機溶剤等にあっては、タンク等の内部に限る）における有機溶剤業務に常時従事する労働者に対し、原則として、雇入れの際、当該業務への配置替えの際およびその後**6カ月以内ごとに1回**、定期に、医師による健康診断（有機溶剤等健康診断）を行わなければならない（有機則第29条第1項・第2項）。しかし、設問の屋外作業場において有機溶剤含有物を用いて行う塗装の業務に常時従事する労働者に対しこのような規程はない。したがって、1年以内ごとに1回、定期に、有機溶剤等健康診断を行っていることは、有機則に違反していない。

（5）**違反していない。**事業者は、有機溶剤等を入れてあった空容器で有機溶剤の蒸気が発散するおそれのあるものについては、当該容器を密閉するか、または当該容器を屋外の一定の場所に集積しておかなければならない（有機則第36条）。したがって、有機則に違反していない。

正答（2）

★★★
219 □□ **屋内作業場において第一種有機溶剤等を使用して有機溶剤業務を行う場合の措置として、法令上、正しいものは次のうちどれか。**
ただし、有機溶剤中毒予防規則に定める適用除外及び設備の特例はないものとする。

（1）有機溶剤業務に常時従事する労働者に対し、原則として、1年以内ごとに1回、定期に、有機溶剤等健康診断を行う。
（2）有機溶剤業務を行う作業場所に設けた局所排気装置について、2年を超える期間使用しない場合を除き、2年以内ごとに1回、定期自主検査を行い、その結果を記録し3年間保存する。
（3）作業中の労働者が、有機溶剤等の区分を容易に知ることができるよう、見やすい場所に、赤色及び「第一種有機溶剤等」の文字の表示をする。
（4）第一種衛生管理者免許を有する者のうちから有機溶剤作業主任者を選任する。
（5）有機溶剤業務を行う屋内作業場について、有機溶剤作業主任者に、6か月以内ごとに1回、定期に、作業環境測定を実施させる。

H27.10-6 改題

219 解説

（1）**誤り**。屋内作業場等（**第三種有機溶剤等にあっては、タンク等の内部に限る**）における有機溶剤業務に常時従事する労働者に対し、原則として、雇入れの際、当該業務への配置替えの際およびその**後6カ月以内ごとに1回**、定期に、医師による健康診断（有機溶剤等健康診断）を行わなければならない（有機則第29条第1項・第2項）。1年以内ごとに1回ではない。なお、有機溶剤等健康診断の結果に基づき、有機溶剤等健康診断個人票を作成し、これを**5年間保存**しなければならない（有機則第30条）。

（2）**誤り**。局所排気装置については、1年を超える期間使用しない場合を除き、**1年以内ごとに1回**、定期自主検査を行わなければならない（有機則第20条第2項）。定期自主検査の頻度は、2年以内ごとに1回ではない。なお、事業者は、定期自主検査を行ったときは、その**結果を記録**して、これを**3年間保存**しなければならないとする点は、正しい（有機則第21条）。

（3）**正しい**。屋内作業場等において有機溶剤業務に労働者を従事させるときは、有機溶剤業務に係る有機溶剤等の区分を、作業中の労働者が容易に知ることができるよう、**色分け**および**色分け以外の方法**により、**見やすい場所に表示**しなければならない。そして、**第一種有機溶剤等の区分の表示**は、**赤**による（有機則第25条第1項・第2項）。

（4）**誤り**。有機溶剤作業主任者**技能講習**を修了した者のうちから、有機溶剤作業主任者を選任しなければならない（有機則第19条第2項）。第一種衛生管理者免許を有する者のうちから選任するのではない。

（5）**誤り**。事業者は、**第一種有機溶剤等**および**第二種有機溶剤等**を使用して有機溶剤業務を行う屋内作業場について、**6カ月以内ごとに1回**、定期に、当該有機溶剤の濃度を測定しなければならない（有機則第28条第1項・第2項）。この場合に、有機溶剤作業主任者に、作業環境測定を実施させるとする規定はない。なお、有機溶剤作業主任者の職務は、①作業の方法を決定し、労働者を指揮すること、②保護具の使用状況を監視することなどである（有機則第19条の2参照）。

正答（3）

★★★
220 □□ **有機溶剤中毒予防規則に関する次の記述のうち、誤っているものはどれか。ただし、同規則に定める適用除外及び設備の特例はないものとする。**

（1）有機溶剤含有物とは、有機溶剤と有機溶剤以外の物との混合物で、有機溶剤を当該混合物の重量の10%を超えて含有するものをいう。

（2）第一種有機溶剤等を総重量の４％、第二種有機溶剤等を総重量の８％含有し、残りは有機溶剤以外の物から成る混合物は、第二種有機溶剤等に区分される。

（3）有機溶剤等の区分を色分けにより表示するとき、第二種有機溶剤等については、黄色で行わなければならない。

（4）有機溶剤等を入れてあった空容器で有機溶剤の蒸気が発散するおそれのあるものについては、密閉するか、又は屋外の一定の場所に集積しておかなければならない。

（5）有機溶剤等を入れたことのあるタンクで有機溶剤の蒸気が発散するおそれのあるものの内部における業務に労働者を従事させるときは、当該労働者に送気マスクを使用させなければならない。

H26.10-7 改題

220 解説

（1）**誤り。**有機溶剤含有物とは、有機溶剤と有機溶剤以外の物との混合物で、有機溶剤を当該混合物の重量の**5％を超えて**含有するものをいう（有機則第1条第1項第2号）。10％ではない。

（2）**正しい。**第一種有機溶剤等を総重量の4％、第二種有機溶剤等を総重量の8％含有し、残りは有機溶剤以外の物からなる混合物は、第二種有機溶剤等に区分される（有機則第1条第1項第4号）。

（3）**正しい。**有機溶剤等の区分を色分けにより表示するとき、**第二種有機溶剤等**については、**黄色**で行わなければならない（有機則第25条第1項・第2項）。

（4）**正しい。**事業者は、有機溶剤等を入れてあった空容器で有機溶剤の蒸気が発散するおそれのあるものについては、当該容器を密閉するか、または当該容器を屋外の一定の場所に集積しておかなければならない（有機則第36条）。

（5）**正しい。**事業者は、有機溶剤等を入れたことのあるタンクで有機溶剤の蒸気が発散するおそれのあるものの内部における業務に労働者を従事させるときは、当該労働者に送気マスクを使用させなければならない（有機則第32条第1項第1号・第1条第1項第6号ヲ）。

正答（1）

チェック! ここが狙われる 有機則まとめ

速 P.252～P.256

	第1種	第2種	第3種
区分表示	赤	黄	青
作業主任者の選任	○		
作業環境測定	○		×
特殊健康診断（有機溶剤等健康診断）	○		タンク等内部のみ○

※○：必要、×：不要

★★★

221 □□ **屋内作業場において、第二種有機溶剤等を使用して常時洗浄作業を行う場合の措置として、法令上、誤っているものは次のうちどれか。**
ただし、有機溶剤中毒予防規則に定める適用除外及び設備の特例はないものとする。

（1）作業場所に設けた局所排気装置について、囲い式フードの場合は0.4m/sの制御風速を出し得る能力を有するものにする。
（2）有機溶剤等の区分の色分けによる表示を黄色で行う。
（3）作業中の労働者が見やすい場所に、有機溶剤の人体に及ぼす作用、有機溶剤等の取扱い上の注意事項及び有機溶剤による中毒が発生したときの応急処置を掲示する。
（4）作業に常時従事する労働者に対し、6か月以内ごとに1回、定期に、特別の項目について医師による健康診断を行い、その結果に基づき作成した有機溶剤等健康診断個人票を3年間保存する。
（5）労働者が有機溶剤を多量に吸入したときは、速やかに、当該労働者に医師による診察又は処置を受けさせる。

R5.4-5

221 解説

（1）**正しい。**作業場所に設ける局所排気装置について、**囲い式フード**の場合、**0.4m/s**の制御風速を出し得る能力を有するものでなければならない（有機則第16条第1項）。

（2）**正しい。**有機溶剤等の区分を色分けにより表示するとき、**第二種有機溶剤等**については、**黄色**で行わなければならない（有機則第25条第1項・第2項）。

（3）**正しい。**屋内作業場等において有機溶剤業務に労働者を従事させるときは、①有機溶剤により生ずるおそれのある疾病の種類およびその症状、②有機溶剤等の取扱い上の注意事項、③有機溶剤による中毒が発生したときの応急処置を、見やすい場所に掲示しなければならない（有機則第24条第1項）。

（4）**誤り。**作業に常時従事する労働者に対し、原則として6カ月以内ごとに1回、定期に、特別の項目について医師による健康診断を行い、その結果に基づき、有機溶剤等健康診断個人票を作成し、これを**5年間保存**しなければならない（有機則第30条）。3年間ではない。なお、屋内作業場等（第三種有機溶剤等にあっては、タンク等の内部に限る）における有機溶剤業務に常時従事する労働者に対し、雇入れの際、当該業務への配置替えの際およびその後**6カ月以内ごとに1回**、定期に、医師による健康診断（有機溶剤等健康診断）を行わなければならない（有機則第29条第1項・第2項）。

（5）**正しい。**労働者が有機溶剤により著しく汚染され、またはこれを多量に吸入したときは、速やかに、当該労働者に医師による診察または処置を受けさせなければならない（有機則第30条の4第1項）。

正答（4）

★★★
222 □□ **有機溶剤等を取り扱う場合の措置について、有機溶剤中毒予防規則に違反しているものは次のうちどれか。**
ただし、同規則に定める適用除外及び設備の特例はないものとする。

（1）屋内作業場で、第二種有機溶剤等が付着している物の乾燥の業務に労働者を従事させるとき、その作業場所の空気清浄装置を設けていない局所排気装置の排気口で、厚生労働大臣が定める濃度以上の有機溶剤を排出するものの高さを、屋根から２ｍとしている。
（2）第三種有機溶剤等を用いて払しょくの業務を行う屋内作業場について、定期に、当該有機溶剤の濃度を測定していない。
（3）屋内作業場で、第二種有機溶剤等が付着している物の乾燥の業務に労働者を従事させるとき、その作業場所に最大0.4m/sの制御風速を出し得る能力を有する側方吸引型外付け式フードの局所排気装置を設け、かつ、作業に従事する労働者に有機ガス用防毒マスクを使用させている。
（4）屋内作業場で、第二種有機溶剤等を用いる試験の業務に労働者を従事させるとき、有機溶剤作業主任者を選任していない。
（5）有機溶剤等を入れてあった空容器で有機溶剤の蒸気が発散するおそれのあるものを、屋外の一定の場所に集積している。

R4.10-9、R4.4-6、H31.4-5 類

222 解説

（1）**違反していない。**空気清浄装置を設けていない屋内作業場に設けた局所排気装置またはプッシュプル型換気装置等の**排気口の高さ**は**屋根から 1.5m 以上**としなければならない（有機則第 15 条の 2 第 2 項）。設問の排気口の高さを、屋根から 2 m としていることは、この要件を満たしている。したがって、有機則に違反していない。

A、B、Cはいずれも屋根から1. 5m以上で可
A′、B′、C′はいずれも不可
＊屋根から1.5m以上とは、屋根から垂直に1.5m上に引いた屋根との平行線より上であることをいいます。
＊排気口を側壁から出す場合においては、軒先から1.5m上に引いた水平線より上であることをいいます。

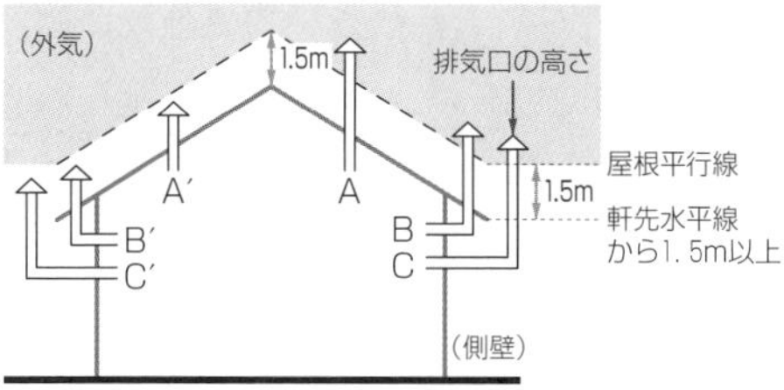

（2）**違反していない。**事業者は、**第一種有機溶剤等**および**第二種有機溶剤等**を使用して有機溶剤業務を行う屋内作業場について、**6カ月以内ごとに1回**、定期に、当該有機溶剤の濃度を**測定**しなければならない（有機則第 28 条第 1 項・第 2 項）。つまり、第三種有機溶剤等を用いて払しょくの業務を行う屋内作業場については、定期の有機溶剤濃度の測定は義務付けられていない。したがって、有機則に違反していない。

（3）**違反している。**作業場所に設ける局所排気装置について、外付け式フードの場合、**側方吸引型**や**下方吸引型**で **0.5m/s**、上方吸引型で 1.0 m/s の制御風速を出し得る能力を有するものでなければならない（有機則第 16 条第 1 項）。設問の最大 0.4 m/s の制御風速を出し得る能力を有する側方吸引型外付け式フードの局所排気装置を設けていることは、この基準を満たしていない。したがって、有機則に違反している。

（4）**違反していない。**屋内作業場等において有機溶剤業務を行う場合には、適用の除外に該当するときと有機溶剤等を用いて行う**試験または研究の業務を除き、**有機溶剤作業主任者技能講習を修了した者のうちから、有機溶剤作業主任者を選任しなければならない（有機則第 19 条第 2 項）。設問の第二種有機溶剤等を用いる試験の業務に労働者を従事させるときは、有機溶剤作業主任者を選任する必要はない。したがって、有機則に違反していない。

（5）**違反していない。**記述のとおり（有機則第 36 条）。したがって、有機則に違反していない。

正答（3）

6. 特定化学物質障害予防規則　速 第10章 LESSON 2

★★
223 次の文中の[　　]内に入れるA及びBの語句の組合せとして、正しいものは
□□ (1)～(5)のうちどれか

「特定化学物質障害予防規則には、特定化学物質の用後処理として、除じん、排ガス処理、[A]、残さい物処理及びぼろ等の処理の規定がある。その中の[A]については、シアン化ナトリウムの場合には、[B]方式若しくは活性汚泥方式による[A]装置又はこれらと同等以上の性能を有する[A]装置を設けなければならないと規定されている。」

	A	B
(1)	浄化処理	中和
(2)	浄化処理	吸収
(3)	浄化処理	凝集沈殿
(4)	排液処理	吸着
(5)	排液処理	酸化・還元

H30.10-5、H28.10-9、H27.4-5

★★★
224 特定化学物質の第一類物質に関する次の記述のうち、法令上、正しいものはど
□□ れか。

(1) 第一類物質は、「クロム酸及びその塩」をはじめとする7種の発がん性の認められた化学物質並びにそれらを一定量以上含有する混合物である。
(2) 第一類物質を製造しようとする者は、あらかじめ、物質ごとに、かつ、当該物質を製造するプラントごとに厚生労働大臣の許可を受けなければならない。
(3) 第一類物質を容器に入れ、容器から取り出し、又は反応槽等へ投入する作業を行うときは、発散源を密閉する設備、外付け式フードの局所排気装置又はプッシュプル型換気装置を設けなければならない。
(4) 第一類物質を取り扱う屋内作業場についての作業環境測定結果及びその評価の記録を保存すべき期間は、3年である。
(5) 第一類物質を取り扱う業務に常時従事する労働者に係る特定化学物質健康診断個人票を保存すべき期間は、5年である。

H30.4-3、H26.10-6

223 解説

特定化学物質障害予防規則には、特定化学物質の用後処理として、除じん、排ガス処理、A 排液処理、残さい物処理およびぼろ等の処理の規定がある（特化則第9条～第12条の2）。その中の A 排液処理 については、シアン化ナトリウムの場合には、B 酸化・還元 方式もしくは活性汚泥方式による A 排液処理 装置またはこれらと同等以上の性能を有する A 排液処理 装置を設けなければならないと規定されている。

したがって、選択肢（5）が正答となる。

正答（5）

224 解説

（1）**誤り。**「クロム酸及びその塩」は、第二類物質である（特化則第2条第1項第1号、安衛令別表第3）。なお、第一類物質は、7種の発がん性の認められた化学物質ならびにそれらを一定量以上含有する混合物であるとする点は、正しい。

（2）**正しい。**第一類物質を製造しようとする者は、あらかじめ、物質ごとに、かつ、当該物質を製造するプラントごとに厚生労働大臣の許可を受けなければならない（特化則第48条、安衛法第56条第1項）。

（3）**誤り。**第一類物質を容器に入れ、容器から取り出し、または反応槽等へ投入する作業を行うときは、当該作業所に、発散源を密閉する設備、**囲い式**フードの局所排気装置またはプッシュプル型換気装置を設けなければならない（特化則第3条第1項）。外付け式フードではない。

（4）**誤り。**第一類物質を取り扱う屋内作業場についての作業環境測定結果およびその評価の記録は、原則として3年間保存しなければならないが、第一類物質のうち**特別管理物質**を取り扱う屋内作業場については、**30年間保存**しなければならない（特化則第36条第3項）。

（5）**誤り。**第一類物質を取り扱う業務に常時従事する労働者に係る特定化学物質健康診断個人票は、原則として5年間保存しなければならないが、第一類物質のうち**特別管理物質**を取り扱う業務については、**30年間保存**しなければならない（特化則第40条第2項）。

正答（2）

★★
225 □□ **特定化学物質のうち第一類物質を製造し、又は取り扱う場合の措置に関する次の記述のうち、法令上、誤っているものはどれか。**

（1）第一類物質を製造しようとするときは、あらかじめ厚生労働大臣の許可を受けなければならない。

（2）第一類物質の粉じんを含有する気体を排出する局所排気装置又はプッシュプル型換気装置には、スクラバ又はサイクロンのいずれかの方式による除じん装置を設けなければならない。

（3）第一類物質を製造し、又は取り扱う屋内作業場については、6か月以内ごとに1回、定期に、作業環境測定を行わなければならない。

（4）第一類物質を製造し、又は取り扱う作業場については、関係者以外の者が立ち入ることを禁止し、かつ、その旨を見やすい箇所に表示しなければならない。

（5）第一類物質を製造し、又は取り扱う作業場については、労働者が喫煙し、又は飲食することを禁止し、かつ、その旨を作業場の見やすい箇所に表示しなければならない。

H25.10-4

★★
226 □□ **特定化学物質障害予防規則による特別管理物質を製造する事業者が事業を廃止しようとするとき、法令に基づき実施した措置等に関する次のAからEまでの記録等について、特別管理物質等関係記録等報告書に添えて、所轄労働基準監督署長に提出することが、法令上、義務付けられているものの組合せは（1）～（5）のうちどれか。**

A　特別管理物質を製造する作業場所に設けられた局所排気装置の定期自主検査の記録又はその写し

B　特別管理物質の粉じんを含有する気体を排出する製造設備の排気筒に設けられた除じん装置の定期自主検査の記録又はその写し

C　特別管理物質を製造する作業場において常時作業に従事した労働者の氏名、作業の概要及び当該作業に従事した期間等の記録又はその写し

D　特別管理物質を製造する屋内作業場について行った作業環境測定の記録又はその写し

E　特別管理物質を製造する業務に常時従事する労働者に対し行った特定化学物質健康診断の結果に基づく特定化学物質健康診断個人票又はその写し

（1）A，B，D　（2）A，B，E　（3）A，C，E

（4）B，C，D　（5）C，D，E

H27.10-4

225 解説

（1）**正しい。**第一類物質を製造しようとする者は、あらかじめ、物質ごとに、かつ、当該物質を製造するプラントごとに厚生労働大臣の許可を受けなければならない（特化則第48条、安衛法第56条第1項）。

（2）**誤り。**第一類物質の粉じんを含有する気体を排出する局所排気装置またはプッシュプル型換気装置には、**粉じんの粒径に応じた除じん装置**を設けなければならない（特化則第9条第1項）。スクラバまたはサイクロンのいずれかの方式による除じん装置を設けなければならないのではない。

（3）**正しい。**第一類物質を製造し、または取り扱う屋内作業場については、**6カ月以内ごとに1回**、定期に、**作業環境測定**を行わなければならない（特化則第36条第1項）。なお、測定を行ったときは、その都度一定の事項を記録し、これを**3年間**（特別管理物質は30年間）**保存**しなければならない（特化則第36条第2項）。

（4）**正しい。**事業者は、**第一類物質**または一部の第二類物質を製造し、または取り扱う作業場には、関係者以外の者が**立ち入ることを禁止**し、かつ、その旨を見やすい箇所に表示しなければならない（特化則第24条第1号）。

（5）**正しい。**事業者は、**第一類物質**または一部の第二類物質を製造し、または取り扱う作業場で労働者が**喫煙**し、または**飲食**することを**禁止**し、かつ、その旨を当該作業場の見やすい箇所に表示しなければならない（特化則第38条の2第1項）。

正答（2）

226 解説

特定化学物質障害予防規則による特別管理物質を製造する事業者が事業を廃止しようとするとき、特別管理物質等関係記録等報告書に添えて、所轄労働基準監督署長に提出することが義務付けられているのは、①**作業の記録**、②**作業環境測定の記録**、③**特定化学物質健康診断個人票**またはこれらの写しである（特化則第53条）。

以上から、特別管理物質等関係記録等報告書に添えて、所轄労働基準監督署長に提出することが義務付けられているものの組合せは、C、D、Eとなる。

したがって、選択肢（5）が正答となる。

正答（5）

7. 酸素欠乏症等防止規則

速 第10章 LESSON 3

★★
227 酸素欠乏症等の防止等に関する次の記述のうち、法令上、誤っているものはどれか。ただし、空気呼吸器等とは、空気呼吸器、酸素呼吸器又は送気マスクをいう。

□□

（1）第一種酸素欠乏危険作業については、その日の作業開始後速やかに、当該作業場における空気中の酸素の濃度を測定しなければならない。

（2）酸素欠乏危険作業に労働者を従事させる場合で、当該作業を行う場所において酸素欠乏等のおそれが生じたときは、直ちに作業を中止し、労働者をその場所から退避させなければならない。

（3）酸素欠乏症等にかかった労働者を酸素欠乏等の場所において救出する作業に労働者を従事させるときは、当該救出作業に従事する労働者に空気呼吸器等を使用させなければならない。

（4）タンク内部その他通風が不十分な場所において、アルゴン等を使用して行う溶接の作業に労働者を従事させるときは、作業を行う場所の空気中の酸素の濃度を18%以上に保つように換気し、又は労働者に空気呼吸器等を使用させなければならない。

（5）労働者が酸素欠乏症等にかかったときは、遅滞なく、その旨を当該作業を行う場所を管轄する労働基準監督署長に報告しなければならない。

H30.4-6、H29.10-8

227 解説

（1）**誤り。第一種酸素欠乏危険作業**を行う作業場について、その日の**作業を開始する前**に、作業場における空気中の**酸素**（第二種酸素欠乏危険作業を行う作業場にあっては、酸素および硫化水素）の**濃度を測定**しなければならない（酸欠則第3条、安衛令第21条第9号・別表第6）。

（2）**正しい。**酸素欠乏危険作業に労働者を従事させる場合で、作業を行う場所において酸素欠乏等のおそれが生じたときは、**直ちに作業を中止**し、労働者を**その場所から退避**させなければならない（酸欠則第14条第1項）。

（3）**正しい。**酸素欠乏症等にかかった労働者を酸素欠乏等の場所において救出する作業に労働者を従事させるときは、救出作業に従事する労働者に空気呼吸器等を使用させなければならない（酸欠則第16条第1項）。

（4）**正しい。**タンク内部その他通風が不十分な場所において、アルゴン等を使用して行う溶接の作業に労働者を従事させるときは、作業を行う場所の空気中の酸素の濃度を18%以上に保つように換気し、または労働者に空気呼吸器等を使用させなければならない（酸欠則第21条第1項）。

（5）**正しい。**労働者が酸素欠乏症等にかかったときは、遅滞なく、その旨を作業を行う場所を管轄する労働基準監督署長に報告しなければならない（酸欠則第29条）。

正答（1）

★★
228 □□ **酸素欠乏症等防止規則等に基づく措置に関する次の記述のうち、誤っているものはどれか。**

（1）汚水を入れたことのあるポンプを修理する場合で、これを分解する作業に労働者を従事させるときは、硫化水素中毒の防止について必要な知識を有する者のうちから指揮者を選任し、作業を指揮させなければならない。

（2）酒類を入れたことのある醸造槽の内部における清掃作業の業務に労働者を就かせるときは、酸素欠乏危険作業に係る特別の教育を行わなければならない。

（3）酸素欠乏危険作業を行う場所において、爆発、酸化等を防止するため換気を行うことができない場合には、送気マスク又は防毒マスクを備え、労働者に使用させなければならない。

（4）酸素欠乏危険作業に労働者を従事させるときは、常時作業の状況を監視し、異常があったときに直ちに酸素欠乏危険作業主任者及びその他の関係者に通報する者を置く等異常を早期に把握するために必要な措置を講じなければならない。

（5）第一鉄塩類を含有している地層に接する地下室の内部における作業に労働者を従事させるときは、酸素欠乏の空気が漏出するおそれのある箇所を閉そくし、酸素欠乏の空気を直接外部へ放出することができる設備を設ける等酸素欠乏の空気の流入を防止するための措置を講じなければならない。

R4.10-8

228 解説

（1）**正しい**。**し尿**、腐泥、**汚水**、パルプ液その他腐敗し、または分解しやすい物質を**入れたことのあるポンプ**・配管等の改造、修理、清掃等を行う場合において、これらの設備を分解する作業に労働者を従事させるときは、**硫化水素中毒**の防止について必要な知識を有する者のうちから指揮者を選任し、その者に当該作業を指揮させなければならない（酸欠則第25条の2第2号）。

（2）**正しい**。「酒類を入れたことのある醸造槽の内部における清掃作業」は、第一種酸素欠乏危険作業に該当する（酸欠則第2条第7号、安衛令別表第6）。そして、第一種酸素欠乏危険作業に係る業務に労働者を就かせるときは、当該労働者に対し、第一種酸素欠乏危険作業に係る特別の教育を行わなければならない（酸欠則第12条第1項）。

（3）**誤り**。爆発、酸化等を防止するため換気することができない場合または作業の性質上換気することが著しく困難な場合は、同時に就業する労働者の人数と同数以上の**空気呼吸器等**（空気呼吸器、酸素呼吸器または**送気マスク**をいう）を備え、労働者にこれを使用させなければならない（酸欠則第5条の2第1項）。防毒マスクを備え、使用させなければならないのではない。

（4）**正しい**。酸素欠乏危険作業に労働者を従事させるときは、常時作業の状況を監視し、異常があったときに直ちにその旨を酸素欠乏危険作業主任者およびその他の関係者に通報する者を置く等異常を早期に把握するために必要な措置を講じなければならない（酸欠則第13条第1項）。

（5）**正しい**。第一鉄塩類を含有している地層に接する地下室、ピット等の内部における作業に労働者を従事させるときは、酸素欠乏の空気が漏出するおそれのある箇所を閉そくし、酸素欠乏の空気を直接外部へ放出することができる設備を設ける等酸素欠乏の空気が作業を行なう場所に流入することを防止するための措置を講じなければならない（酸欠則第25条、令別表第6第1号ロ）。

正答（3）

★★ 229 次の作業のうち、法令上、第二種酸素欠乏危険作業に該当するものはどれか。

□□

（1）汚水その他腐敗しやすい物質を入れたことのある暗きょの内部における作業

（2）相当期間密閉されていた鋼製のタンクの内部における作業

（3）果菜の熟成のために使用している倉庫の内部における作業

（4）第一鉄塩類を含有している地層に接するたて坑の内部における作業

（5）ドライアイスを使用して冷蔵を行っている保冷貨物自動車の内部における作業

H30.10-8

★★ 230 次の作業のうち、法令上、第二種酸素欠乏危険作業に該当するものはどれか。

□□

（1）海水が滞留したことのあるピットの内部における作業

（2）ヘリウム、アルゴン等の不活性の気体を入れたことのあるタンクの内部における作業

（3）果菜の熟成のために使用している倉庫の内部における作業

（4）酒類を入れたことのある醸造槽の内部における作業

（5）第一鉄塩類を含有している地層に接するたて坑の内部における作業

H27.4-8

★★ 231 次の作業のうち、法令上、第二種酸素欠乏危険作業に該当するものはどれか。

□□

（1）雨水が滞留したことのあるピットの内部における作業

（2）ヘリウム、アルゴン等の不活性の気体を入れたことのあるタンクの内部における作業

（3）果菜の熟成のために使用している倉庫の内部における作業

（4）酒類を入れたことのある醸造槽の内部における作業

（5）汚水その他腐敗しやすい物質を入れたことのある暗きょの内部における作業

R3.4-8

229 解説

「**汚水**その他腐敗しやすい物質を入れたことのある暗きょの内部における作業」は、**第二種酸素欠乏危険作業に該当する**（酸欠則第２条第８号、安衛令別表第６）。

したがって、選択肢（1）が正答となる。

正答（1）

230 解説

「**海水**が滞留したことのあるピットの内部における作業」は、**第二種酸素欠乏危険作業に該当する**（酸欠則第２条第８号、安衛令別表第６）。

したがって、選択肢（1）が正答となる。

正答（1）

231 解説

「**汚水**その他腐敗しやすい物質を入れたことのある暗きょの内部における作業」は、**第二種酸素欠乏危険作業に該当する**（酸欠則第２条第８号、安衛令別表第６）。

したがって、選択肢（5）が正答となる。

正答（5）

合格エッセンス 第二種酸素欠乏危険場所

速 P.263

- **海水**が滞留しており、もしくは滞留したことのある熱交換器等（熱交換器、管、暗きょ、マンホール、溝、ピット）または**海水**を相当期間入れてあり、もしくは入れたことのある熱交換器等の内部
- し尿、腐泥、**汚水**、パルプ液その他腐敗し、または分解しやすい物質を入れてあり、または入れたことのあるタンク等（船倉、槽、管、暗きょ、マンホール、溝またはピット）の内部

8. 電離放射線障害防止規則

速 第10章 LESSON 4

★
232 □□ **電離放射線障害防止規則に基づく管理区域に関する次の文中の［　　］内に入れるAからCの語句又は数値の組合せとして、正しいものは（1）～（5）のうちどれか。**

「①　管理区域とは、外部放射線による実効線量と空気中の放射性物質による実効線量との合計が［ A ］間につき［ B ］を超えるおそれのある区域又は放射性物質の表面密度が法令に定める表面汚染に関する限度の10分の1を超えるおそれのある区域をいう。

②　①の外部放射線による実効線量の算定は、［ C ］線量当量によって行う。」

	A	B	C
（1）	1か月	1.3mSv	70 μm
（2）	3か月	1.3mSv	70 μm
（3）	3か月	1.3mSv	1cm
（4）	1か月	5mSv	1cm
（5）	3か月	5mSv	70 μm

R4.4-8類、R2.4-7類、H26.10-9

★
233 □□ **管理区域内において放射線業務に従事する労働者の被ばく限度に関する次の文中の［　　］内に入れるAからDの語句又は数値の組合せとして、法令上、正しいものは（1）～（5）のうちどれか。**

「男性又は妊娠する可能性がないと診断された女性が受ける実効線量の限度は、緊急作業に従事する場合を除き、［ A ］間につき［ B ］、かつ、［ C ］間につき［ D ］である。」

	A	B	C	D
（1）	1年	50mSv	1か月	5mSv
（2）	3年	100mSv	3か月	10mSv
（3）	3年	100mSv	1年	50mSv
（4）	5年	100mSv	1年	50mSv
（5）	5年	250mSv	1年	100mSv

R5.10-7、H28.10-8類、H26.4-8類

232 解説

① 管理区域とは、外部放射線による実効線量と空気中の放射性物質による実効線量との合計が A 3か月 間につき B 1.3mSv を超えるおそれのある区域または、放射性物質の表面密度が法令に定める表面汚染に関する限度の10分の1を超えるおそれのある区域をいう（電離則第3条第1項第1号）。

② ①の外部放射線による実効線量の算定は、C 1cm 線量当量によって行う（電離則第3条第2項）。

したがって、選択肢（3）が正答となる。

なお、1cm 線量当量は、放射線の種類およびエネルギーから一定の換算係数を用いて求める。

正答（3）

233 解説

男性または妊娠する可能性がないと診断された女性が受ける実効線量の限度は、緊急作業に従事する場合を除き、A 5年 間につき B 100mSv 、かつ、C 1年間 につき D 50mSv である（電離則第4条）。

したがって、選択肢（4）が正答となる。

正答（4）

★★
234 □□ **次のAからEの粉じん発生源について、法令上、特定粉じん発生源に該当するものの組合せは（1）～（5）のうちどれか。**

A　屋内において、耐火物を用いた炉を解体する箇所
B　屋内の、ガラスを製造する工程において、原料を溶解炉に投げ入れる箇所
C　屋内において、研磨材を用いて手持式動力工具により金属を研磨する箇所
D　屋内において、粉状の炭素製品を袋詰めする箇所
E　屋内において、固定の溶射機により金属を溶射する箇所

（1）A，B
（2）A，E
（3）B，C
（4）C，D
（5）D，E

R5.10-5

★★★
235 □□ **粉じん障害防止規則に基づく措置に関する次の記述のうち、誤っているものはどれか。**
ただし、同規則に定める適用除外及び特例はないものとする。

（1）常時特定粉じん作業を行う屋内作業場については、6か月以内ごとに1回、定期に、空気中の粉じんの濃度の測定を行い、測定結果等を記録して、これを7年間保存しなければならない。
（2）特定粉じん作業を行う屋内作業場については、当該粉じん作業に係る粉じんを減少させるため、全体換気装置による換気を実施しなければならない
（3）粉じん作業を行う屋内の作業場所については、毎日1回以上、清掃を行わなければならない。
（4）法令に基づき局所排気装置に設ける除じん装置は、ヒュームとヒューム以外の粉じんに応じて、除じん方式が定められている。
（5）除じん装置を付設すべき局所排気装置の排風機は、原則として、除じんをした後の空気が通る位置に設けなければならない。

H30.10-6

234 解説

「屋内において、粉状の炭素製品を袋詰めする箇所（D）」、「屋内において、固定の溶射機により金属を溶射する箇所（E）」は、**特定粉じん発生源**に該当する（粉じん則第2条第1項第3号・第2号・別表第2第9号・15号）。

したがって、選択肢（5）が正答となる。

正答（5）

235 解説

（1）**正しい。**常時**特定粉じん作業**を行う屋内作業場については、**6カ月以内ごとに1回**、定期に、空気中の粉じんの濃度を測定しなければならない（粉じん則第26条第1項・第25条）。また、測定結果等を記録して、これを**7年間保存**しなければならない（粉じん則第26条第8項）。

（2）**誤り。**屋内の**特定粉じん発生源**については、その区分に応じて**密閉する設備、局所排気装置、プッシュプル型換気装置**もしくは湿潤な状態に保つための設備の設置またはこれらと同等以上の措置を講じなければならない（粉じん則第4条）。全体換気装置による換気の実施は規定されていない。なお、**特定粉じん作業以外**の粉じん作業を行う屋内作業場については、当該粉じん作業に係る粉じんを減少させるため、全体換気装置による換気の実施またはこれと同等以上の措置を講じなければならない（粉じん則第5条）。

（3）**正しい。粉じん作業を行う屋内の作業場所**については、**毎日1回以上、清掃**を行わなければならない（粉じん則第24条第1項）。

（4）**正しい。**法令に基づき局所排気装置に設ける除じん装置は、ヒュームとヒューム以外の粉じんに応じて、除じん方式が定められている（粉じん則第13条第1項）。

（5）**正しい。**除じん装置を付設すべき局所排気装置の排風機は、原則として、**除じんをした後の空気が通る位置**に設けなければならない（粉じん則第11条第1項第3号）。

正答（2）

★★★

236 **粉じん障害防止規則に基づく措置に関する次の記述のうち、誤っているものはどれか。ただし、同規則に定める適用除外及び特例はないものとする。**

□□

（1）屋内の特定粉じん発生源については、その区分に応じて密閉する設備、局所排気装置、プッシュプル型換気装置若しくは湿潤な状態に保つための設備の設置又はこれらと同等以上の措置を講じなければならない。

（2）常時特定粉じん作業を行う屋内作業場については、6か月以内ごとに1回、定期に、空気中の粉じんの濃度の測定を行い、その測定結果等を記録して、これを7年間保存しなければならない。

（3）特定粉じん発生源に係る局所排気装置に、法令に基づき設ける除じん装置は、粉じんの種類がヒュームである場合には、サイクロンによる除じん方式のものでなければならない。

（4）特定粉じん作業以外の粉じん作業を行う屋内作業場については、全体換気装置による換気の実施又はこれと同等以上の措置を講じなければならない。

（5）粉じん作業を行う屋内の作業場所については、毎日1回以上、清掃を行わなければならない。

R3.10-9

236 解説

（1）**正しい。**屋内の**特定粉じん発生源**については、その区分に応じて**密閉する設備、局所排気装置、プッシュプル型換気装置**もしくは湿潤な状態に保つための設備の設置またはこれらと同等以上の措置を講じなければならない（粉じん則第4条）。

（2）**正しい。**常時**特定粉じん作業を行う屋内作業場**については、**6カ月以内ごとに1回**、定期に、**空気中の粉じんの濃度を測定**しなければならない（粉じん則第26条第1項・第25条）。また、測定結果等を記録して、これを**7年間保存**しなければならない（粉じん則第26条第8項）。

（3）**誤り。**法令に基づき局所排気装置に設ける除じん装置は、ヒュームとヒューム以外の粉じんに応じて、除じん方式が定められている（粉じん則第13条第1項）。そして、粉じんの種類が**ヒューム**である場合には、**ろ過除じん方式**または**電気除じん方式**でなければならない。サイクロンによる徐じん方式ではない。

（4）**正しい。特定粉じん作業以外**の粉じん作業を行う屋内作業場については、当該粉じん作業に係る粉じんを減少させるため、**全体換気装置**による換気の実施またはこれと同等以上の措置を講じなければならない（粉じん則第5条）。

（5）**正しい。粉じん作業を行う屋内の作業場所**については、**毎日1回以上、清掃**を行わなければならない（粉じん則第24条第1項）。

正答（3）

チェック！ ここが狙われる　よく出る粉じん作業の分類

速 P.273

特定粉じん作業	特定粉じん作業以外
• 屋内において、セメントを袋詰めする箇所における作業 • 屋内において、フライアッシュを袋詰めする箇所における作業 • 屋内において、粉状のアルミニウムを袋詰めする箇所における作業	• 屋内のガラスを製造する工程において、原料を溶解炉に投げ入れる作業 • 耐火物を用いた炉を解体する作業 • 屋内において、研磨材を用いて手持式動力工具により金属を研磨する箇所における作業 • タンクの内部において、金属をアーク溶接する作業

★★★
237 石綿障害予防規則に基づく措置に関する次の記述のうち、誤っているものはどれか。

□□

（1）石綿等を取り扱う屋内作業場については、6か月以内ごとに1回、定期に、作業環境測定を行うとともに、測定結果等を記録し、これを40年間保存しなければならない。

（2）石綿等の粉じんが発散する屋内作業場に設けた局所排気装置については、原則として、1年以内ごとに1回、定期に、自主検査を行うとともに、検査の結果等を記録し、これを3年間保存しなければならない。

（3）石綿等の取扱いに伴い石綿の粉じんを発散する場所における業務に常時従事する労働者に対し、雇入れ又は当該業務への配置替えの際及びその後6か月以内ごとに1回、定期に、特別の項目について医師による健康診断を行い、その結果に基づき、石綿健康診断個人票を作成し、これを当該労働者が当該事業場において常時当該業務に従事しないこととなった日から40年間保存しなければならない。

（4）石綿等の取扱いに伴い石綿の粉じんを発散する場所において、常時石綿等を取り扱う作業に従事する労働者については、1か月を超えない期間ごとに、作業の概要、従事した期間等を記録し、これを当該労働者が当該事業場において常時当該作業に従事しないこととなった日から40年間保存する必要がある。

（5）石綿等を取り扱う事業者が事業を廃止しようとするときは、石綿関係記録等報告書に、石綿等に係る作業の記録及び局所排気装置、除じん装置等の定期自主検査の記録を添えて所轄労働基準監督署長に提出しなければならない。

R4.10-6、R4.4-5、H28.4-6、H26.4-5

237 解説

（1）**正しい。**石綿等を取り扱う屋内作業場については、**6カ月以内ごとに1回**、定期に、石綿の空気中における濃度を測定しなければならない（石綿則第36条第1項）また、測定結果等を記録し、これを**40年間保存**しなければならない（石綿則第36条第2項）。

（2）**正しい。**石綿等の粉じんが発散する屋内作業場に設けた局所排気装置については、原則として、**1年以内ごとに1回**、定期に、自主検査を行わなければならない（石綿則第22条1項）。また、検査の結果等を記録し、これを**3年間保存**しなければならない（石綿則第23条）。

（3）**正しい。**石綿等の取扱いに伴い石綿の粉じんを発散する場所における業務に常時従事する労働者に対し、雇入れまたは当該業務への配置替えの際およびその後**6カ月以内ごとに1回**、定期に、特別の項目について医師による健康診断を行わなければならない（石綿則第40条第1項）。また、その結果に基づき、石綿健康診断個人票を作成し、これを当該労働者が当該事業場において常時当該業務に従事しないこととなった日から**40年間保存**しなければならない（石綿則第41条）。

（4）**正しい。**石綿等の取扱いに伴い石綿の粉じんを発散する場所において、常時石綿等を取り扱う作業に従事する労働者については、**1カ月を超えない期間ごと**に、作業の概要、従事した期間等を記録し、これを当該労働者が当該事業場において常時当該作業に従事しないこととなった日から**40年間保存**する必要がある（石綿則第35条）。

（5）**誤り。**石綿等を取り扱い、または試験研究のため製造する事業者が、事業を廃止しようとするときは、石綿関係記録等報告書に①作業の記録、②作業環境測定の記録、③石綿健康診断個人票またはこれらの写しを添えて所轄労働基準監督署長に提出しなければならない（石綿則第49条）。定期自主検査の記録の提出は必要ない。

正答（5）

★

238 じん肺法に関する次の記述のうち、法令上、誤っているものはどれか。

□□

（1）じん肺管理区分の管理一は、じん肺健康診断の結果、じん肺の所見がないと認められるものをいう。

（2）じん肺管理区分の管理二は、じん肺健康診断の結果、エックス線写真の像が第一型でじん肺による著しい肺機能の障害がないと認められるものをいう。

（3）常時粉じん作業に従事する労働者でじん肺管理区分が管理二であるものに対しては、１年以内ごとに１回、定期的に、じん肺健康診断を行わなければならない。

（4）都道府県労働局長は、事業者から、法令に基づいて、じん肺の所見があると診断された労働者についてのエックス線写真等が提出されたときは、これらを基礎として、地方じん肺診査医の診断又は審査により、当該労働者についてじん肺管理区分の決定をするものとする。

（5）じん肺管理区分が管理三と決定された者及び合併症にかかっていると認められる者は、療養を要するものとする。

R5.4-7

238 解説

（1）**正しい。**じん肺管理区分の**管理一**は、じん肺健康診断の結果、**じん肺の所見がない**と認められるものをいう（じん肺法第4条第2項）。

（2）**正しい。**じん肺管理区分の管理二は、じん肺健康診断の結果、エックス線写真の像が第一型でじん肺による著しい肺機能の障害がないと認められるものをいう（じん肺法第4条第2項）。

（3）**正しい。常時粉じん作業に従事**する労働者で**じん肺管理区分**が**管理二**または管理三であるものに対しては、**1年以内ごとに1回**、定期的に、じん肺健康診断を行わなければならない（じん肺法第8条第1項第2号）。

（4）**正しい。都道府県労働局長**は、事業者から、法令に基づいて、じん肺の所見があると診断された労働者についてのエックス線写真等が提出されたときは、これらを基礎として、地方じん肺診査医の診断又は審査により、当該労働者について**じん肺管理区分の決定**をするものとする（じん肺法第13条第2項・第12条）。

（5）**誤り。**じん肺管理区分が**管理四**と決定された者および**合併症にかかっている**と認められる者は、**療養を要する**ものとする（じん肺法第23条）。

正答（5）

★★
239 **労働安全衛生規則の衛生基準について、誤っているものは次のうちどれか。**
□□

（1）炭酸ガス（二酸化炭素）濃度が0.15％を超える場所には、関係者以外の者が立ち入ることを禁止し、かつ、その旨を見やすい箇所に表示しなければならない。

（2）強烈な騒音を発する屋内作業場においては、その伝ぱを防ぐため、隔壁を設ける等必要な措置を講じなければならない。

（3）多筒抄紙機により紙を抄《す》く業務を行う屋内作業場については、６か月以内ごとに１回、定期に、等価騒音レベルを測定しなければならない。

（4）著しく暑熱又は多湿の作業場においては、坑内等特殊な作業場でやむを得ない事由がある場合を除き、休憩の設備を作業場外に設けなければならない。

（5）屋内作業場に多量の熱を放散する溶融炉があるときは、加熱された空気を直接屋外に排出し、又はその放射するふく射熱から労働者を保護する措置を講じなければならない。

R5.10-8

★
240 **労働安全衛生規則に基づき、関係者以外の者が立ち入ることを禁止しなければならない場所に該当しないものは、次のうちどれか。**
□□

（1）ボイラー製造等強烈な騒音を発する場所

（2）著しく寒冷な場所

（3）病原体による汚染のおそれの著しい場所

（4）多量の高熱物体を取り扱う場所

（5）炭酸ガス（二酸化炭素）濃度が1.5％を超える場所

R1.10-7

239 解説

（1）**誤り**。**炭酸ガス（二酸化炭素）濃度**が **1.5%**を超える場所には、関係者以外の者が立ち入ることを禁止し、かつ、その旨を見やすい箇所に表示しなければならない（安衛則第585条第1項第4号）。0.15%を超える場所ではない。

（2）**正しい**。強烈な騒音を発する屋内作業場においては、その伝ぱを防ぐため、**隔壁を設ける等必要な措置**を講じなければならない（安衛則第584条）。

（3）**正しい**。多筒抄紙機により紙を抄く業務を行なう屋内作業場など著しい騒音を発する一定の屋内作業場については、**6カ月以内ごとに1回**、定期に、**等価騒音レベルを測定**しなければならない（安衛則第590条第1項・588条第8号）。

（4）**正しい**。**著しく暑熱**、寒冷または**多湿**の作業場、有害なガス、蒸気または粉じんを発散する作業場その他有害な作業場においては、坑内等特殊な作業場でやむを得ない事由がある場合を除き、**休憩の設備**を**作業場外に設けなければならない**（安衛則第614条）。

（5）**正しい**。屋内作業場に多量の熱を放散する溶融炉があるときは、加熱された空気を直接屋外に排出し、またはその放射するふく射熱から労働者を保護する措置を講じなければならない（安衛則第608条第1項）。

正答（1）

240 解説

強烈な騒音を発する場所は、関係者以外の者が**立ち入ることを禁止**し、かつ、その旨を**見やすい箇所に表示**しなければならない場所に**該当しない**（安衛則第585条）。

したがって、選択肢（1）が正答となる。

正答（1）

関係法令 害

11. 安衛法の横断問題

★★
241 事業者が、法令に基づく次の措置を行ったとき、その結果について所轄労働基準監督署長に報告することが義務付けられているものはどれか。

□□

（1）特定化学設備についての定期自主検査
（2）定期の有機溶剤等健康診断
（3）雇入時の特定化学物質健康診断
（4）石綿作業主任者の選任
（5）鉛業務を行う屋内作業場についての作業環境測定

H30.4-9

★★
242 事業者が、法令に基づく次の措置を行ったとき、その結果について所轄労働基準監督署長に報告することが義務付けられているものはどれか。

□□

（1）高圧室内作業主任者の選任
（2）特定化学設備についての定期自主検査
（3）定期の有機溶剤等健康診断
（4）雇入時の特定化学物質健康診断
（5）鉛業務を行う屋内作業場についての作業環境測定

R3.4-6

★★
243 事業者が、法令に基づく次の措置を行ったとき、その結果について所轄労働基準監督署長に報告することが義務付けられているものはどれか。

□□

（1）雇入時の有機溶剤等健康診断
（2）定期に行う特定化学物質健康診断
（3）特定化学設備についての定期自主検査
（4）高圧室内作業主任者の選任
（5）鉛業務を行う屋内作業場についての作業環境測定

R3.10-6

241 解説

有機溶剤等健康診断などの**特殊健康診断**を**定期**で行ったときは、健康診断結果報告書を提出し、その**結果**を所轄労働基準監督署長へ**報告**することが**義務付けられている**（安衛法第66条第2項、有機則第30条の3）。

したがって、選択肢（2）が正答となる。

正答（2）

242 解説

有機溶剤等健康診断などの**特殊健康診断**を**定期**で行ったときは、健康診断結果報告書を提出し、その**結果**を所轄労働基準監督署長へ**報告**することが**義務付けられている**（安衛法第66条第2項、有機則第30条の3）。

したがって、選択肢（3）が正答となる。

正答（3）

243 解説

特定化学物質健康診断などの**特殊健康診断**を**定期**で行ったときは、健康診断結果報告書を提出し、その**結果**を所轄労働基準監督署長へ**報告**することが**義務付けられている**（安衛法第66条第2項、特化則第41条）。

したがって、選択肢（2）が正答となる。

正答（2）

★★
244 □□ 労働基準法に基づく時間外労働に関する協定を締結し、これを所轄労働基準監督署長に届け出る場合においても、労働時間の延長が１日２時間を超えてはならない業務は次のうちどれか。

（1）異常気圧下における業務
（2）多湿な場所における業務
（3）腰部に負担のかかる立ち作業の業務
（4）病原体によって汚染された物を取り扱う業務
（5）鋼材やくず鉄を入れてある船倉の内部における業務

R1.10-10

★★
245 □□ 次のＡからＤの業務について、労働基準法に基づく時間外労働に関する協定を締結し、これを所轄労働基準監督署長に届け出た場合においても、労働時間の延長が１日２時間を超えてはならないものの組合せは（1）～（5）のうちどれか。

Ａ　病原体によって汚染された物を取り扱う業務
Ｂ　腰部に負担のかかる立ち作業の業務
Ｃ　多量の低温物体を取り扱う業務
Ｄ　鉛の粉じんを発散する場所における業務

（1）Ａ，Ｂ
（2）Ａ，Ｃ
（3）Ｂ，Ｃ
（4）Ｂ，Ｄ
（5）Ｃ，Ｄ

R3.4-10

244 解説

異常気圧下における業務は、労働基準法に基づく時間外労働に関する協定を締結し、所轄労働基準監督署長に届け出る場合においても、労働時間の延長が1日**2時間を超えてはならない業務**である(労基法第36条第6項第1号、規則第18条第5号)。

したがって、選択肢(1)が正答となる。

正答 (1)

245 解説

多量の低温物体を取り扱う業務および**鉛**、水銀、一酸化炭素、その他これに準ずる有害物の**粉じん**、蒸気またはガスを発散する場所における業務は、労働基準法に基づく時間外労働に関する協定を締結し、所轄労働基準監督署長に届け出る場合においても、労働時間の延長が1日**2時間を超えてはならない業務**である(労基法第36条第6項第1号、労基則第18条第2号・第9号)。

したがって、選択肢(5)が正答となる。

正答 (5)

合格エッセンス 労働時間延長の制限業務 速 P.299、P.329

試験によく出る該当業務	非該当(ひっかけ選択肢)
• 多量の高熱物体を取り扱う業務 • 多量の低温物体を取り扱う業務及び著しく寒冷な場所における業務 • 異常気圧下における業務 • ボイラー製造等強烈な騒音を発する場所における業務	• 病原体によって汚染された物を取り扱う業務 • 大部分の労働時間が立作業である業務 • 情報機器作業における受注、予約等の拘束型の業務

13. 年少者および女性の保護 速 第11章 LESSON 5

★★

246 □□ **労働基準法に基づく有害業務への就業制限に関する次の記述のうち、誤っているものはどれか。**

（1）満18歳未満の者は、多量の低温物体を取り扱う業務に就かせてはならない。

（2）妊娠中の女性は、異常気圧下における業務に就かせてはならない。

（3）満18歳以上で産後8週間を経過したが1年を経過しない女性から、著しく暑熱な場所における業務に従事しない旨の申出があった場合には、当該業務に就かせてはならない。

（4）満18歳以上で産後8週間を経過したが1年を経過しない女性から、さく岩機、鋲《びょう》打機等身体に著しい振動を与える機械器具を用いて行う業務に従事したい旨の申出があった場合には、当該業務に就かせることができる。

（5）満18歳以上で産後1年を経過した女性は、多量の低温物体を取り扱う業務に就かせることができる。

R5.4-10

246 解説

（1）**正しい。**満 18 歳未満の者は、**多量の低温物体を取り扱う業務**および著しく寒冷な場所における業務に就かせてはならない（労基法第 62 条第 1 項、年少者則第 8 条 37 号）。

（2）**正しい。妊娠中の女性**は、**異常気圧下における業務**に**就かせてはならない**（労基法第 64 条の 3 第 1 項、女性則第 2 条第 1 項第 23 号）。

（3）**正しい。産後 1 年を経過しない女性**から、著しく暑熱な場所における業務に従事しない旨の**申出があった場合**には、当該業務に**就かせてはならない**（労基法第 64 条の 3 第 1 項、女性則第 2 条第 2 項但書・第 1 項第 20 号）。

（4）**誤り。産後 1 年を経過しない女性**から、さく岩機、鋲打機等身体に著しい振動を与える機械器具を用いる業務に従事したい旨の**申出があった場合でも、**当該業務に**就かせてはならない**（労基法第 64 条の 3 第 1 項、女性則第 2 条第 2 項本文・第 1 項第 24 号）。

（5）**正しい。**満 18 歳未満の者は、**多量の低温物体を取り扱う業務**および著しく寒冷な場所における業務に就かせてはならない（労基法第 62 条第 1 項、年少者則第 8 条 37 号）。また、**産後 1 年を経過しない女性**から、多量の低温物体を取り扱う業務に従事しない旨の**申出があった場合**には、当該業務に**就かせてはならない**（労基法第 64 条の 3 第 1 項、女性則第 2 条第 2 項但書・第 1 項第 21 号）。したがって、満 18 歳以上で産後 1 年を経過した女性については、多量の低温物体を取り扱う業務に就かせることができる。

正答（4）

合格エッセンス 危険有害業務の規制

速 P.315

妊娠中の女性	有害業務（24 業務）全部について就業禁止	
産後 1 年を経過しない女性	申し出た場合に就業禁止	著しく寒冷な場所における業務など 19 業務
	就業禁止	①重量物を取り扱う業務 ②一定の有害物質を発散する場所における業務 ③さく岩機、鋲打機等身体に著しい振動を与える業務
すべての女性	①重量物を取り扱う業務 ②一定の有害物質を発散する場所における業務	

★★
247 労働基準法に基づき、満 18 歳に満たない者を就かせてはならない業務に該当しないものは次のうちどれか。

□□

(1) さく岩機、鋲《びょう》打機等身体に著しい振動を与える機械器具を用いて行う業務
(2) 著しく寒冷な場所における業務
(3) 20kg の重量物を継続的に取り扱う業務
(4) 超音波にさらされる業務
(5) 強烈な騒音を発する場所における業務

R5.10-10

★★
248 労働基準法に基づき、満 17 歳の女性を就かせてはならない業務に該当しないものは次のうちどれか。

□□

(1) 異常気圧下における業務
(2) 20kg の重量物を断続的に取り扱う業務
(3) 多量の高熱物体を取り扱う業務
(4) 著しく寒冷な場所における業務
(5) 土石、獣毛等のじんあい又は粉末を著しく飛散する場所における業務

R4.10-10

247 解説

満 18 歳に満たない者については、労働基準法により、危険な業務など一定の業務に就かせてはならないとされている（労基法第 62 条第 1 項、年少則第 7 条・第 8 条）。しかし、「超音波にさらされる業務」はこの一定の業務に該当しない。

したがって、選択肢（4）が正答となる。

正答（4）

248 解説

満 18 歳に満たない者については、労働基準法により、年齢および性の区分に応じそれぞれ下表に掲げる重量以上の重量物を取り扱う業務に就かせてはならないとされている（労基法第 62 条第 1 項、年少則第 7 条）。

年齢および性		重量（単位 kg）	
		断続作業の場合	継続作業の場合
満 16 歳未満	女	12	8
	男	15	10
満 16 歳以上 満 18 歳未満	女	**25**	15
	男	30	20

以上から、20kg の重量物を断続的に取り扱う業務は、満 17 歳の女性を就かせてはならない業務に該当しない。

したがって、選択肢（2）が正答となる。

正答（2）

チェック! ここが狙われる　満 18 歳に満たない者を就かせてはならない業務

速 P.313

該当（試験によく出る業務）	非該当（ひっかけ選択肢）
• さく岩機、鋲打機等身体に著しい振動を与える機械器具を用いて行う業務 • 多量の高熱物体を取り扱う業務 • 著しく寒冷な場所における業務 • 強烈な騒音を発する場所における業務	• 赤外線または紫外線にさらされる業務 • 超音波にさらされる業務

★★
249 女性については、労働基準法に基づく危険有害業務の就業制限により次の表の左欄の年齢に応じ右欄の重量以上の重量物を取り扱う業務に就かせてはならないとされているが、同表に入れるAからCの数値の組合せとして、正しいものは（1）～（5）のうちどれか。

□□

年齢	重量（単位 kg）	
	断続作業の場合	継続作業の場合
満 16 歳未満	A	8
満 16 歳以上 満 18 歳未満	B	15
満 18 歳以上	30	C

	A	B	C
（1）	10	20	20
（2）	10	20	25
（3）	10	25	20
（4）	12	20	25
（5）	12	25	20

R3.10-10、H27.4-10 類

★★
250 労働基準法に基づき、全ての女性労働者について、就業が禁止されている業務は次のうちどれか。

□□

（1）20kg 以上の重量物を継続的に取り扱う業務
（2）さく岩機等の使用によって身体に著しい振動を与える業務
（3）異常気圧下における業務
（4）著しく寒冷な場所における業務
（5）病原体によって汚染された物の取扱いの業務

H31.4-10

249 解説

女性については、労働基準法により、年齢に応じそれぞれ下表に掲げる重量以上の重量物を取り扱う業務に就かせてはならないとされている（労基法第64条の3、女性則第3条・第2条第1項第1号）。

年齢	重量（単位kg）	
	断続作業の場合	継続作業の場合
満16歳未満	A **12**	8
満16歳以上 満18歳未満	B **25**	15
満18歳以上	30	C **20**

したがって、選択肢（5）が正答となる。

正答（5）

250 解説

20kg以上の重量物を継続作業で取り扱う業務は、**すべての女性労働者**について、**就業が禁止**されている（労基法第64条の3、女性則第2条第1項第1号・第3条）。

したがって、選択肢（1）が正答となる。

正答（1）

★
251 労働安全衛生法の目的に関する次の文中の［　　］内に入れるAからCの語句の組合せとして、法令上、正しいものは（1）～（5）のうちどれか。

□□

「この法律は、労働基準法と相まって、労働災害の防止のための危害防止基準の確立、［ A ］の明確化及び［ B ］の促進の措置を講ずる等その防止に関する総合的計画的な対策を推進することにより職場における労働者の安全と健康を確保するとともに、［ C ］の形成を促進することを目的とする。」

	A	B	C
（1）	責任体制	安全衛生管理	安全文化
（2）	責任体制	自主的活動	快適な職場環境
（3）	事業者責任	健康管理	快適な職場環境
（4）	管理体制	自主的活動	安全文化
（5）	管理体制	安全衛生管理	安全文化

H25.10-21

251　解説

労働安全衛生法は、労働基準法と相まって、労働災害の防止のための危害防止基準の確立、A　**責任体制**の明確化およびB　**自主的活動**の促進の措置を講ずる等その防止に関する総合的計画的な対策を推進することにより職場における労働者の安全と健康を確保するとともに、C　**快適な職場環境**の形成を促進することを目的とする（安衛法第１条）。

したがって、選択肢（２）が正答となる。

正答（2）

★★★
252 常時使用する労働者数が 300 人で、次の業種に属する事業場のうち、法令上、
□□ 総括安全衛生管理者の選任が義務付けられていない業種はどれか。

（1）通信業
（2）各種商品小売業
（3）旅館業
（4）ゴルフ場業
（5）医療業

R3.10-21、R2.4-21、H31.4-21

★★★
253 常時使用する労働者数が 100 人で、次の業種に属する事業場のうち、法令上、
□□ 総括安全衛生管理者の選任が義務付けられていないものの業種はどれか。

（1）林業
（2）清掃業
（3）燃料小売業
（4）建設業
（5）運送業

R5.4-21

252 解説

常時300人以上の労働者を使用する**通信業、各種商品小売業、旅館業、ゴルフ場業の事業場**では、法令上、総括安全衛生管理者の**選任**が**義務付けられている**。しかし、常時300人の労働者を使用する医療業の事業場は、法令上、総括安全衛生管理者の選任が義務付けられていない（安衛法第10条第1項、安衛令第2条）。

したがって、選択肢（5）が正答となる。

正答（5）

253 解説

常時100人以上の労働者を使用する**林業**、鉱業、**建設業**、**運送業**および**清掃業**の事業場では、法令上、総括安全衛生管理者の選任が義務付けられている。しかし、常時100人の労働者を使用する燃料小売業の事業場は、法令上、総括安全衛生管理者の選任が義務付けられていない（安衛法第10条第1項、安衛令第2条）。なお、燃料小売業の事業場では、常時300人以上の労働者を使用する場合に安全衛生管理者の選任が必要となる。

したがって、選択肢（3）が正答となる。

正答（3）

★★★
254 **総括安全衛生管理者に関する次の記述のうち、法令上、誤っているものはどれか。**

□□

（1）総括安全衛生管理者は、事業場においてその事業の実施を統括管理する者又はこれに準ずる者を充てなければならない。

（2）都道府県労働局長は、労働災害を防止するため必要があると認めるときは、総括安全衛生管理者の業務の執行について事業者に勧告することができる。

（3）総括安全衛生管理者は、選任すべき事由が発生した日から14日以内に選任しなければならない。

（4）総括安全衛生管理者を選任したときは、遅滞なく、選任報告書を、所轄労働基準監督署長に提出しなければならない。

（5）危険性又は有害性等の調査及びその結果に基づき講ずる措置に関することは、総括安全衛生管理者が統括管理する業務のうちの一つである。

R4.10-21

254 解説

（1）**誤り。**総括安全衛生管理者は、当該事業場においてその**事業の実施を統括管理する者**をもって充てなければならない（安衛法第10条第2項）。これに準ずる者を充てることはできない。

（2）**正しい。**都道府県労働局長は、労働災害を防止するため必要があると認めるときは、総括安全衛生管理者の業務の執行について事業者に**勧告**することができる（安衛法第10条第3項）。

（3）**正しい。**総括安全衛生管理者の選任は、**選任すべき事由が発生した日から14日以内**に行わなければならない（安衛法第10条第1項、安衛則第2条第1項）。

（4）**正しい。**総括安全衛生管理者を選任したときは、遅滞なく、選任報告書を、所轄労働基準監督署長に提出しなければならない（安衛法第10条第1項、安衛則第2条第2項）。

（5）**正しい。**危険性または有害性等の調査及びその結果に基づき講ずる措置に関することは、総括安全衛生管理者が統括管理する業務のうちの一つである（安衛法第10条第1項5号、安衛則第3条の2第2号）。

正答（1）

合格エッセンス 総括安全衛生管理者の選任条件

速 P.214

業　種		事業場の規模（常時使用する労働者数）
第1号	林業、鉱業、建設業、運送業、清掃業	100人以上
第2号	製造業（物の加工業を含む）、各種商品卸売業、旅館業、通信業、ゴルフ場業など	300人以上
第3号	その他の業種（金融業、医療業など）	1,000人以上

★★★

255 □□ **衛生管理者の職務又は業務として、法令上、定められていないものは次のうちどれか。**

ただし、次のそれぞれの業務は衛生に関する技術的事項に限るものとする。

（1）健康診断の実施その他健康の保持増進のための措置に関すること。

（2）労働災害の原因の調査及び再発防止対策に関すること。

（3）安全衛生に関する方針の表明に関すること。

（4）少なくとも毎週1回作業場等を巡視し、衛生状態に有害のおそれがあるときは、直ちに、労働者の健康障害を防止するため必要な措置を講ずること。

（5）労働者の健康を確保するため必要があると認めるとき、事業者に対し、労働者の健康管理等について必要な勧告をすること。

R3.4-21

★★★

256 □□ **事業者が衛生管理者に行わせるべき業務として、法令上、誤っているものは次のうちどれか。**

（1）安全衛生に関する方針の表明に関する業務のうち、衛生に係る技術的事項を管理すること。

（2）健康診断の実施その他健康の保持増進のための措置に関する業務のうち、衛生に係る技術的事項を管理すること。

（3）労働者の安全又は衛生のための教育の実施に関する業務のうち、衛生に係る技術的事項を管理すること。

（4）労働災害の原因の調査及び再発防止対策に関する業務のうち、衛生に係る技術的事項を管理すること。

（5）労働者の健康を確保するため必要があると認めるとき、事業者に対し、労働者の健康管理等について必要な勧告をすること。

H30.4-21、H29.10-21

255 解説

（1）～（3）**定められている。**事業者は、衛生管理者を選任し、その者に次の業務のうち衛生に係る技術的事項を管理させなければならない（安衛法第12条第1項・第10条第1項、安衛則第3条の2）。

① 労働者の危険または健康障害を防止するための措置に関すること。
② 労働者の安全または衛生のための教育の実施に関すること。
③ **健康診断の実施その他健康の保持増進のための措置に関すること。**（1）
④ **労働災害の原因の調査および再発防止対策に関すること。**（2）
⑤ ①～④のほか、労働災害を防止するため必要な業務で、以下のもの。
　ⅰ）**安全衛生に関する方針の表明に関すること。**（3）
　ⅱ）危険性または有害性等の調査およびその結果に基づき講ずる措置に関すること。
　ⅲ）安全衛生に関する計画の作成、実施、評価および改善に関すること。

（4）**定められている。**衛生管理者は、少なくとも毎週1回作業場等を巡視し、設備、作業方法または衛生状態に有害のおそれがあるときは、ただちに、労働者の健康障害を防止するため必要な措置を講じなければならない（安衛則第11条第1項）。

（5）**定められていない。**「労働者の健康を確保するため必要があると認めるとき、事業者に対し、労働者の健康管理等について必要な勧告をすること」は、事業者が衛生管理者に行わせるべき業務として、法令上、定められていない。なお、法令上、産業医の職務として「事業者に対し、労働者の健康管理等について必要な勧告をすることができる」と定められている（安衛法第13条第5項）。

正答（5）

256 解説

事業者が衛生管理者に行わせるべき業務は、問255の解説で述べたとおりである。

「事業者に対して行う労働者の健康管理等についての必要な勧告に関すること」は、事業者が衛生管理者に行わせるべき業務として、法令上、定められていない。

したがって、選択肢（5）が正答となる。

正答（5）

★★★
257 **衛生管理者に関する次の記述のうち、法令上、誤っているものはどれか。**

□□

（1）事業者は、衛生管理者に、労働者の危険又は健康障害を防止するための措置に関すること等の業務のうち衛生に係る技術的事項を管理させなければならない。

（2）事業者は、衛生管理者に対し、衛生に関する措置をなし得る権限を与えなければならない。

（3）衛生管理者は、少なくとも毎月1回作業場等を巡視し、設備、作業方法等に有害のおそれがあるときは、直ちに、労働者の健康障害を防止するため必要な措置を講じなければならない。

（4）事業者は、衛生管理者を選任すべき事由が発生した日から14日以内に選任しなければならない。

（5）所轄労働基準監督署長は、労働災害を防止するため必要があると認めるときは、事業者に対し、衛生管理者の増員又は解任を命ずることができる。

H28.4-21、H27.4-21

★★★
258 **産業医に関する次の記述のうち、法令上、誤っているものはどれか。**

□□ **ただし、産業医の選任の特例はないものとする。**

（1）常時使用する労働者数が50人以上の事業場において、厚生労働大臣の指定する者が行う産業医研修の修了者等の所定の要件を備えた医師であっても、当該事業場においてその事業の実施を統括管理する者は、産業医として選任することはできない。

（2）産業医が、事業者から、毎月1回以上、所定の情報の提供を受けている場合であって、事業者の同意を得ているときは、産業医の作業場等の巡視の頻度を、毎月1回以上から2か月に1回以上にすることができる。

（3）事業者は、産業医が辞任したとき又は産業医を解任したときは、遅滞なく、その旨及びその理由を衛生委員会又は安全衛生委員会に報告しなければならない。

（4）事業者は、専属の産業医が旅行、疾病、事故その他やむを得ない事由によって職務を行うことができないときは、代理者を選任しなければならない。

（5）事業者が産業医に付与すべき権限には、労働者の健康管理等を実施するために必要な情報を労働者から収集することが含まれる。

R4.10-22

257 解説

（1）**正しい。**事業者は、衛生管理者に、**労働者の危険または健康障害を防止するための措置に関すること**等の業務のうち**衛生に係る技術的事項**を管理させなければならない（安衛法第12条第1項・第10条第1項）。

（2）**正しい。**事業者は、衛生管理者に対し、衛生に関する措置をなし得る権限を与えなければならない（安衛則第11条第2項）。

（3）**誤り。衛生管理者**は、少なくとも**毎週1回**作業場等を**巡視**し、設備、作業方法等に有害のおそれがあるときは、直ちに、労働者の健康障害を防止するため必要な措置を講じなければならない(安衛則第11条第1項)。毎月1回ではない。

（4）**正しい。**事業者は、衛生管理者を**選任すべき事由が発生した日から14日以内**に選任しなければならない（安衛則第7条第1項第1号）。

（5）**正しい。**所轄労働基準監督署長は、労働災害を防止するため必要があると認めるときは、事業者に対し、衛生管理者の増員または解任を命ずることができる（安衛法第12条第2項・第11条第2項）。

正答 (3)

258 解説

（1）**正しい。**常時使用する労働者数が**50人以上**の事業場においては産業医を選任しなければならない（安衛法第13条1項、安衛令第5条）。もっとも、産業医研修の修了者等の所定の要件を備えた医師であっても、当該事業場においてその事業の実施を統括管理する者は、産業医として選任することはできない（安衛則第13条第1項第2号ハ）。

（2）**正しい。**産業医は、**少なくとも毎月1回**作業場等を**巡視**し、作業方法または衛生状態に有害のおそれがあるときは、直ちに、労働者の健康障害を防止するため必要な措置を講じなければならない。ただし、産業医が、事業者から、**毎月1回以上、所定の情報の提供を受けている場合**であって、**事業者の同意を得ているとき**は、作業場等の巡視の頻度を**少なくとも2カ月に1回以上**とすることができる（安衛則第15条）。

（3）**正しい。**事業者は、産業医が**辞任**したときまたは産業医を**解任**したときは、遅滞なく、その旨およびその理由を**衛生委員会または安全衛生委員会に報告**しなければならない（安衛則第13条第4項）。

（4）**誤り。**産業医については、代理者を選任しなければならないとする規定はない。

（5）**正しい。**事業者が産業医に付与すべき権限には、労働者の健康管理等を実施するために必要な情報を労働者から収集することが含まれる（安衛則第14条の4第2項第2号）。

正答 (4)

関係法令

★★★

259 **産業医に関する次の記述のうち、法令上、誤っているものはどれか。**
□□ **ただし、産業医の選任の特例はないものとする。**

（1）産業医を選任しなければならない事業場は、常時 50 人以上の労働者を使用する事業場である。
（2）産業医は、労働者の健康管理等を行うのに必要な医学に関する知識について一定の要件を備えた医師のうちから選任しなければならない。
（3）事業者は、選任した産業医に、労働者の健康管理等を行わせなければならない。
（4）常時 3,000 人を超える労働者を使用する事業場では、２人以上の産業医を選任しなければならない。
（5）産業医は、選任すべき事由が発生した日から 30 日以内に選任しなければならない。

H30.10-22

★★★

260 **産業医の職務として、法令に定められていない事項は次のうちどれか。**
□□ **ただし、次のそれぞれの事項のうち医学に関する専門的知識を必要とするものに限るものとする。**

（1）衛生教育に関すること。
（2）作業環境の維持管理に関すること。
（3）作業の管理に関すること。
（4）労働者の健康障害の原因の調査及び再発防止のための措置に関すること。
（5）安全衛生に関する方針の表明に関すること。

H31.4-22

259 解説

（1）**正しい。**産業医を選任しなければならない事業場は、**常時 50 人以上**の労働者を使用する事業場である（安衛法第 13 条第 1 項、安衛令第 5 条）。

（2）**正しい。**産業医は、労働者の健康管理等を行うのに必要な医学に関する知識について一定の要件を備えた医師のうちから選任しなければならない（安衛法第 13 条第 2 項）。

（3）**正しい。**事業者は、選任した産業医に、**労働者の健康管理等**を行わせなければならない（安衛法第 13 条第 1 項）。

（4）**正しい。常時 3,000 人を超える**労働者を使用する事業場では、**2 人以上**の産業医を選任しなければならない（安衛則第 13 条第 1 項第 4 号）。

（5）**誤り。**産業医は、**選任すべき事由が発生した日から 14 日以内**に選任しなければならない（安衛則第 13 条第 1 項第 1 号）。30 日以内ではない。

正答（5）

260 解説

安全衛生に関する方針の表明に関することは、産業医の職務として、法令に定められていない。

したがって、選択肢（5）が正答となる。

なお、事業者は、産業医に、P. 420 に掲載する労働者の健康管理等に関する事項で、医学に関する専門的知識を必要とするものを行わせなければならない（安衛法第 13 条第 1 項、安衛則第 14 条第 1 項）。

正答（5）

合格エッセンス　産業医の選任

速 P.220

事業場の規模（常時使用する労働者数）	産業医数
50 人以上	1 人以上
3,000 人を超える場合	2 人以上

★★★

261 産業医に関する次の記述のうち、法令上、誤っているものはどれか。

□□

（1）産業医を選任した事業者は、産業医に対し、労働者の業務に関する情報であって産業医が労働者の健康管理等を適切に行うために必要と認めるものを提供しなければならない。

（2）産業医を選任した事業者は、その事業場における産業医の業務の具体的な内容、産業医に対する健康相談の申出の方法、産業医による労働者の心身の状態に関する情報の取扱いの方法を、常時各作業場の見やすい場所に掲示し、又は備え付ける等の方法により、労働者に周知させなければならない。

（3）産業医は、衛生委員会に対して労働者の健康を確保する観点から必要な調査審議を求めることができる。

（4）産業医は、衛生委員会を開催した都度作成する議事概要を、毎月１回以上、事業者から提供されている場合には、作業場等の巡視の頻度を、毎月１回以上から２か月に１回以上にすることができる。

（5）事業者は、産業医から労働者の健康管理等について勧告を受けたときは、当該勧告の内容及び当該勧告を踏まえて講じた措置の内容（措置を講じない場合にあっては、その旨及びその理由）を記録し、これを３年間保存しなければならない。

R3.10-22

261 解説

（1）**正しい。**産業医を選任した事業者は、産業医に対し、労働者の業務に関する情報であって産業医が労働者の健康管理等を適切に行うために必要と認めるものを提供しなければならない（安衛法第13条第4項、安衛則第14条の2第1項第3号）。

（2）**正しい。**産業医を選任した事業者は、その事業場における産業医の業務の具体的な内容、産業医に対する健康相談の申出の方法、産業医による労働者の心身の状態に関する情報の取扱いの方法を、常時各作業場の見やすい場所に掲示し、または備え付けることその他の厚生労働省令で定める方法により、労働者に周知させなければならない（安衛法第101条第2項、安衛則第98条の2第2項）。

（3）**正しい。**産業医は、衛生委員会に対して労働者の健康を確保する観点から必要な調査審議を求めることができる（安衛則第23条第5項）。

（4）**誤り。**産業医は、**少なくとも毎月1回**作業場等を**巡視**し、作業方法または衛生状態に有害のおそれがあるときは、直ちに、労働者の健康障害を防止するため必要な措置を講じなければならない。ただし、産業医が、事業者から、**毎月1回以上、所定の情報の提供を受けている場合**であって、**事業者の同意を得ているときは**、作業場等の巡視の頻度を**少なくとも2カ月に1回以上**とすることができる（安衛則第15条）。そして、所定の情報とは、次の①と②である。

①**衛生管理者が行う巡視の結果**

②労働者の健康障害を防止し、または労働者の健康を保持するために必要な情報であって、衛生委員会における調査審議を経て事業者が産業医に提供することとしたもの

したがって「衛生委員会を開催した都度作成する議事概要」を提供しても巡視頻度を減らすことはできない。

（5）**正しい。**事業者は、産業医から労働者の健康管理等について勧告を受けたときは、①当該勧告の内容、②当該勧告を踏まえて講じた措置の内容（措置を講じない場合にあっては、その旨およびその理由）を記録し、これを**3年間保存**しなければならない（安衛則第14条の3第2項）。

正答（4）

★★★
262 衛生委員会に関する次の記述のうち、法令上、正しいものはどれか。

□□

（1）衛生委員会の議長は、衛生管理者である委員のうちから、事業者が指名しなければならない。

（2）産業医のうち衛生委員会の委員として指名することができるのは、当該事業場に専属の産業医に限られる。

（3）衛生管理者として選任しているが事業場に専属でない労働衛生コンサルタントを、衛生委員会の委員として指名することはできない。

（4）当該事業場の労働者で、作業環境測定を実施している作業環境測定士を衛生委員会の委員として指名することができる。

（5）衛生委員会は、毎月１回以上開催するようにし、議事で重要なものに係る記録を作成して、これを５年間保存しなければならない。

R5.4-22

★★★
263 衛生委員会に関する次の記述のうち、法令上、誤っているものはどれか。

□□

（1）衛生委員会の議長を除く全委員については、事業場に労働者の過半数で組織する労働組合がないときは、労働者の過半数を代表する者の推薦に基づき指名しなければならない。

（2）衛生委員会の議長は、原則として、総括安全衛生管理者又は総括安全衛生管理者以外の者で事業場においてその事業の実施を統括管理するもの若しくはこれに準ずる者のうちから事業者が指名した委員がなる。

（3）事業場に専属ではないが、衛生管理者として選任している労働衛生コンサルタントを、衛生委員会の委員として指名することができる。

（4）衛生委員会の開催の都度、遅滞なく、委員会における議事の概要を、書面の交付等一定の方法によって労働者に周知させなければならない。

（5）衛生委員会の議事で重要なものについては、記録を作成し、３年間保存しなければならない。

H29.10-22、H29.4-22、H28.10-22、H28.4-22 類

262 解説

（1）**誤り。**衛生委員会の議長は、**総括安全衛生管理者**または**総括安全衛生管理者以外の者で当該事業場においてその事業の実施を統括管理するもの**もしくは**これに準ずる者**のうちから事業者が指名した者がなる（安衛法第 18 条第 4 項・第 17 条第 3 項）。衛生管理者のうちから指名するのではない。

（2）**誤り。産業医のうちから事業者が指名した者**は、衛生委員会の委員となる（安衛法第 18 条第 2 項第 3 号）。つまり、産業医であれば、専属の産業医でなくても指名できる。したがって、衛生委員会の委員として指名することができるのは、専属の産業医に限られない。

（3）**誤り。衛生管理者のうちから事業者が指名した者**は、衛生委員会の委員となる（安衛法第 18 条第 2 項第 2 号）。したがって、衛生管理者として選任しているが事業場に専属ではない労働衛生コンサルタントを、衛生委員会の委員として指名することができる。

（4）**正しい。当該事業場の労働者で、作業環境測定を実施している作業環境測定士**であるものを衛生委員会の委員として**指名**することが**できる**（安衛法第 18 条第 3 項）。

（5）**誤り。**衛生委員会は、**毎月１回以上**開催し、重要な議事の記録等を作成して、**３年間保存**しなければならない（安衛則第 23 条第 1 項・第 4 項）。5 年間ではない。

正答（4）

263 解説

（1）**誤り。**衛生委員会の**議長を除く委員の半数**については、事業場に労働者の過半数で組織する労働組合があるときはその労働組合、その労働組合がないときは労働者の過半数を代表する者の推薦に基づき指名しなければならない（安衛法第 18 条第 4 項・第 17 条第 4 項）。議長を除く全委員ではない。

（2）**正しい。**記述のとおり（安衛法第 18 条第 4 項・第 17 条第 3 項）。

（3）**正しい。**事業場に専属ではないが、衛生管理者として選任している労働衛生コンサルタントを、衛生委員会の委員として指名することができる（安衛法第 18 条第 2 項第 2 号）。

（4）**正しい。**衛生委員会における議事の概要は、**委員会開催の都度、遅滞なく**、所定の方法によって**労働者に周知**させなければならない（安衛則第 23 条第 3 項）。

（5）**正しい。**衛生委員会の議事で重要なものについては、記録を作成し、**３年間保存**しなければならない（安衛則第 23 条第 4 項第 2 号）。

正答（1）

★★★

264 衛生委員会に関する次の記述のうち、法令上、正しいものはどれか。

□□

（1）衛生委員会は、工業的業種の事業場では常時50人以上、非工業的業種の事業場では常時80人以上の労働者を使用する事業場において設置しなければならない。

（2）衛生委員会及び安全委員会の設置に代えて安全衛生委員会を設置することはできない。

（3）事業場で選任している衛生管理者は、すべて衛生委員会の委員としなければならない。

（4）衛生委員会の議長となる委員は、原則として、衛生管理者のうちから事業者が指名した者である。

（5）衛生委員会の委員として指名する産業医は、その事業場に専属の者でなくてもよい。

H27.10-22

264 解説

（1）**誤り。常時50人以上**の労働者を使用する事業場では、衛生委員会を設けなければならない（安衛法第18条第1項、安衛令第9条）。したがって、**使用する労働者の人数が常時50人以上**である事業場は、**業種を問わず**、一律に衛生委員会を設置しなければならない。

（2）**誤り。**安全委員会および衛生委員会を設けなければならないときは、**それぞれの委員会の設置に代えて、安全衛生委員会を設置**することが**できる**（安衛法第19条第1項）。したがって、衛生委員会と安全委員会を兼ねて安全衛生委員会として設置することができる。

（3）**誤り。衛生管理者のうちから事業者が指名した者**は、衛生委員会の委員となる（安衛法第18条第2項第2号）。したがって、事業場で選任している衛生管理者を、すべて衛生委員会の委員とする必要はない。

（4）**誤り。**衛生委員会の議長は、**総括安全衛生管理者**または**総括安全衛生管理者以外の者で当該事業場においてその事業の実施を統括管理するもの**もしくは**これに準ずる者**のうちから事業者が指名した者がなる（安衛法第18条第4項・第17条第3項）。衛生管理者のうちから指名するのではない。

（5）**正しい。産業医のうちから事業者が指名した者**は、衛生委員会の委員となる（安衛法第18条第2項第3号）。つまり、産業医であれば、専属の産業医でなくても指名できる。したがって、事業場に**専属でない産業医**を衛生委員会の委員として指名することができる。

正答（5）

★★★
265 衛生委員会に関する次の記述のうち、法令上、正しいものはどれか。

□□

（1）衛生委員会の議長は、衛生管理者である委員のうちから、事業者が指名しなければならない。

（2）衛生委員会の議長を除く全委員は、事業場に労働者の過半数で組織する労働組合がないときは、労働者の過半数を代表する者の推薦に基づき指名しなければならない。

（3）衛生管理者として選任しているが事業場に専属ではない労働衛生コンサルタントを、衛生委員会の委員として指名することはできない。

（4）当該事業場の労働者で、衛生に関し経験を有するものを衛生委員会の委員として指名することができる。

（5）作業環境測定を作業環境測定機関に委託している場合、衛生委員会の委員として、当該機関に所属する作業環境測定士を指名しなければならない。

R2.10-23

265 解説

（1）**誤り。**衛生委員会の議長は、**総括安全衛生管理者**または**総括安全衛生管理者以外の者で当該事業場においてその事業の実施を統括管理するもの**もしくは**これに準ずる者**のうちから事業者が指名した者がなる（安衛法第18条第4項・第17条第3項）。衛生管理者である委員のうちから指名するのではない。

（2）**誤り。**衛生委員会の**議長を除く委員の半数**については、事業場に労働者の過半数で組織する労働組合があるときはその労働組合、その労働組合がないときは労働者の過半数を代表する者の推薦に基づき指名しなければならない（安衛法第18条第4項・第17条第4項）。議長を除く全委員ではない。

（3）**誤り。衛生管理者のうちから事業者が指名した者**は、衛生委員会の委員となる（安衛法第18条第2項第2号）。したがって、衛生管理者として選任しているが事業場に専属ではない労働衛生コンサルタントを、衛生委員会の委員として指名することができる。

（4）**正しい。当該事業場の労働者で、衛生に関し経験を有するもののうちから事業者が指名した者**は、衛生委員会の委員となる（安衛法第18条第2項第4号）。したがって、当該事業場の労働者で、衛生に関し経験を有するものを衛生委員会の委員として指名することができる。

（5）**誤り。当該事業場の労働者で、作業環境測定を実施している作業環境測定士であるもの**を衛生委員会の委員として**指名**することが**できる**（安衛法第18条第3項）。指名することができるのであって、指名しなければならないのではない。

正答（4）

★★★
266 □□ 労働安全衛生規則に基づく次のAからEの定期健康診断項目のうち、厚生労働大臣が定める基準に基づき、医師が必要でないと認めるときは、省略することができる項目に該当しないものの組合せは（1）～（5）のうちどれか。

A　尿検査
B　血圧の測定
C　肝機能検査
D　心電図検査
E　血中脂質検査

（1）A，B
（2）A，C
（3）B，D
（4）C，E
（5）D，E

H30.10-23

266 解説

事業者は、常時使用する労働者に対し、1年以内ごとに1回、定期に、以下の項目について医師による健康診断を行わなければならない（安衛法第66条第1項、安衛則第44条第1項）。

① **既往歴および業務歴の調査**
② **自覚症状および他覚症状の有無の検査**
③ 身長、体重、腹囲、視力および聴力（1,000ヘルツおよび4,000ヘルツの音に係る聴力をいう）の検査
④ 胸部エックス線検査および喀痰《かくたん》検査
⑤ **血圧の測定**
⑥ 貧血検査（血色素量および赤血球数の検査）
⑦ 肝機能検査（GOT、GPTおよびγ-GTPの検査）
⑧ 血中脂質検査（LDLコレステロール、HDLコレステロールおよび血清トリグリセライドの量の検査）
⑨ 血糖検査
⑩ **尿検査（尿中の糖および蛋《たん》白の有無の検査）**
⑪ 心電図検査

このうち、**①既往歴および業務歴の調査**、**②自覚症状および他覚症状の有無の検査**、**⑤血圧の測定**、**⑩尿検査（尿中の糖および蛋白の有無の検査）**については、医師が必要でないと認めるときは、省略することができる項目に該当しない（安衛則第44条第2項）。つまり、この4つの項目については、**検査を省略**することは**できない**。

したがって、尿検査（A）と血圧（B）の測定が省略することができる項目に該当せず、選択肢（1）が正答となる。

正答（1）

チェック！ ここが狙われる 省略できない検査項目 4つ

速 P.241

- 既往歴および業務歴の調査
- 自覚症状および他覚症状の有無の検査
- 血圧の測定
- 尿検査（尿中の糖および蛋白の有無の検査）

★★★
267 労働安全衛生規則に基づく次の定期健康診断の項目のうち、厚生労働大臣が定める基準に基づき、医師が必要でないと認めるときに省略することができる項目に該当しないものはどれか。

□□

(1) 身長の検査
(2) 肝機能検査
(3) 尿検査
(4) 心電図検査
(5) 血中脂質検査

H29.10-23

★★★
268 労働安全衛生規則に基づく次の定期健康診断項目のうち、厚生労働大臣が定める基準に基づき、医師が必要でないと認めるときは、省略することができる項目に該当しないものはどれか。

□□

(1) 自覚症状の有無の検査
(2) 腹囲の検査
(3) 胸部エックス線検査
(4) 心電図検査
(5) 血中脂質検査

R4.10-23

267 解説

定期健康診断の項目のうち、**既往歴および業務歴の調査、自覚症状および他覚症状の有無の検査、血圧の測定、尿検査**については、医師が必要でないと認めるときは、省略することができる項目に該当しない（安衛則第44条第2項）。

したがって、選択肢（3）が正答となる。

正答（3）

268 解説

定期健康診断の項目のうち、**既往歴および業務歴の調査、自覚症状および他覚症状の有無の検査、血圧の測定、尿検査**については、医師が必要でないと認めるときは、省略することができる項目に該当しない（安衛則第44条第2項）。

したがって、選択肢（1）が正答となる。

正答（1）

★★★
269 労働安全衛生規則に基づく医師による健康診断に関する次の記述のうち、誤っているものはどれか。

□□

（1）深夜業を含む業務に常時従事する労働者に対し、６か月以内ごとに１回、定期に、健康診断を行わなければならないが、胸部エックス線検査については、１年以内ごとに１回、定期に、行うことができる。

（2）雇入時の健康診断の項目のうち、聴力の検査は、1,000Hz 及び 4,000Hz の音について行わなければならない。

（3）雇入時の健康診断において、医師による健康診断を受けた後３か月を経過しない者が、その健康診断結果を証明する書面を提出したときは、その健康診断の項目に相当する項目を省略することができる。

（4）定期健康診断を受けた労働者に対し、健康診断を実施した日から３か月以内に、当該健康診断の結果を通知しなければならない。

（5）定期健康診断の結果に基づき健康診断個人票を作成して、これを５年間保存しなければならない。

R5.10-23 類、R5.4-23

269 解説

（1）**正しい。**深夜業を含む業務に常時従事する労働者に対し、6カ月以内ごとに1回、定期に、健康診断を行わなければならないが、胸部エックス線検査については、1年以内ごとに1回、定期に、行うことができる。深夜業など一定の業務に常時従事する労働者に対し、当該業務への配置替えの際および**6カ月以内ごとに1回**、定期に、医師による健康診断を行わなければならない。この場合において、**胸部エックス線検査**については、**1年以内ごとに1回**、定期に、行えば足りる（安衛則第45条第1項・第44条第1項各号）。

（2）**正しい。**雇入れ時の健康診断における聴力の検査は、**1,000ヘルツおよび4,000ヘルツ**の音に係る聴力について行わなければならない（安衛則第43条第3号）。

（3）**正しい。**常時使用する労働者を雇い入れるときは、当該労働者に対し、一定の項目について医師による健康診断を行わなければならない。ただし、医師による健康診断を受けた後、**3カ月を経過しない者**を雇い入れる場合において、その者がその**健康診断の結果を証明する書面を提出したとき**は、その**健康診断の項目に相当する項目**については**省略**することが**できる**（安衛則第43条）。

（4）**誤り。**定期健康診断を受けた労働者に対し、**遅滞なく**、当該健康診断の結果を通知しなければならない（安衛則第51条の4・第44条）。健康診断を実施した日から3カ月以内ではない。

（5）**正しい。**定期健康診断の結果に基づき健康診断個人票を作成して、これを**5年間**保存しなければならない（安衛則第51条・第44条）。

正答（4）

チェック！ **ここが狙われる**

定期健康診断と雇入れ時の健康診断の比較

速 P.240～P.241

	定期健康診断	雇入れ時の健康診断
健診項目について医師による省略基準	あり	**なし**
健康診断個人票の保存期間	5年	5年
健康診断結果報告書の提出	常時50人以上の労働者を使用する事業者にあり	**なし**

★★★
270 □□ **労働安全衛生規則に基づく医師による雇入時の健康診断に関する次の記述のうち、誤っているものはどれか。**

（1）医師による健康診断を受けた後３か月を経過しない者を雇い入れる場合、その健康診断の結果を証明する書面の提出があったときは、その健康診断の項目に相当する雇入時の健康診断の項目は省略することができる。

（2）雇入時の健康診断では、40 歳未満の者について医師が必要でないと認めるときは、貧血検査、肝機能検査等一定の検査項目を省略することができる。

（3）事業場において実施した雇入時の健康診断の項目に異常の所見があると診断された労働者については、その結果に基づき、健康を保持するために必要な措置について、健康診断が行われた日から３か月以内に、医師の意見を聴かなければならない。

（4）雇入時の健康診断の結果に基づき、健康診断個人票を作成して、これを５年間保存しなければならない。

（5）常時 50 人以上の労働者を使用する事業場であっても、雇入時の健康診断の結果については、所轄労働基準監督署長に報告する必要はない。

R4.4-23、H28.10-23

270 **解説**

（1）**正しい。**常時使用する労働者を雇い入れるときは、当該労働者に対し、一定の項目について医師による健康診断を行わなければならない。ただし、医師による健康診断を受けた後、**3カ月を経過しない者を雇い入れる場合**において、その者がその**健康診断の結果を証明する書面を提出**したときは、その**健康診断の項目に相当する項目**については**省略**することが**できる**（安衛則第43条）。

（2）**誤り。**常時使用する労働者を雇い入れるときは、当該労働者に対し、一定の項目について医師による健康診断を行わなければならない（安衛則第43条本文）。この雇入れ時の健康診断の検査項目に、**医師の判断による省略基準はない。**

（3）**正しい。**健康診断の結果に基づく医師または歯科医師からの意見聴取は、**健康診断が行われた日から3カ月以内**に行わなければならない（安衛法第66条の4、安衛則第51条の2第1号）。

（4）**正しい。**雇入れ時の健康診断の結果に基づいて作成した健康診断個人票は、**5年間保存**しなければならない（安衛則第51条・第43条）。

（5）**正しい。雇入れ時の健康診断の結果**については、対象労働者数および事業場の規模にかかわらず、所轄労働基準監督署長に**報告する義務はない**（安衛則第52条参照）。したがって、常時50人以上の労働者を使用する事業場であっても、雇入れ時の健康診断の結果については、所轄労働基準監督署長に報告する必要はない。

正答（2）

★★★
271 □□ **労働安全衛生規則に基づく医師による健康診断について、法令に違反しているものは次のうちどれか。**

（1）雇入時の健康診断において、医師による健康診断を受けた後3か月を経過しない者が、その健康診断結果を証明する書面を提出したときは、その健康診断の項目に相当する項目を省略している。

（2）雇入時の健康診断の項目のうち、聴力の検査は、35歳及び40歳の者並びに45歳以上の者に対しては、1,000Hz及び4,000Hzの音について行っているが、その他の年齢の者に対しては、医師が適当と認めるその他の方法により行っている。

（3）深夜業を含む業務に常時従事する労働者に対し、6か月以内ごとに1回、定期に、健康診断を行っているが、胸部エックス線検査は、1年以内ごとに1回、定期に、行っている。

（4）事業場において実施した定期健康診断の結果、健康診断項目に異常所見があると診断された労働者については、健康を保持するために必要な措置について、健康診断が行われた日から3か月以内に、医師から意見聴取を行っている。

（5）常時50人の労働者を使用する事業場において、定期健康診断の結果については、遅滞なく、所轄労働基準監督署長に報告を行っているが、雇入時の健康診断の結果については報告を行っていない。

R3.10-23、R2.10-22、R2.4-22、R1.10-23

271 解説

(1) **違反していない。**常時使用する労働者を雇い入れるときは、当該労働者に対し、一定の項目について医師による健康診断を行わなければならない。ただし、医師による健康診断を受けた後、**3カ月を経過しない者を雇い入れる場合**において、その者がその**健康診断の結果を証明する書面を提出**したときは、その**健康診断の項目に相当する項目**については**省略**することが**できる**（安衛則第43条）。

(2) **違反している。**雇入れ時の健康診断における聴力の検査は、**1,000ヘルツおよび4,000ヘルツ**の音に係る聴力について行わなければならない（安衛則第43条第3号）。この雇入れ時の健康診断の聴力検査については、年齢により**医師が適当と認めるその他の方法により行うことができるとする規定はない**。

(3) **違反していない。深夜業など一定の業務**に常時従事する労働者に対し、当該業務への配置替えの際および**6カ月以内ごとに1回**、定期に、医師による**健康診断**を行わなければならない。この場合において、**胸部エックス線検査**については、**1年以内ごとに1回**、定期に、行えば**足りる**（安衛則第45条第1項・第44条第1項各号）。

(4) **違反していない。**健康診断の結果に基づく医師または歯科医師からの意見聴取は、**健康診断が行われた日から3カ月以内**に行わなければならない（安衛法第66条の4、安衛則第51条の2第1号）。

(5) **違反していない。雇入れ時の健康診断の結果**については、対象労働者数および事業場の規模にかかわらず、所轄労働基準監督署長に**報告する義務はない**（安衛則第52条参照）。

正答 (2)

★★★
272 労働安全衛生規則に規定されている医師による健康診断について、法令に違反しているものは次のうちどれか。

□□

（1）雇入時の健康診断において、35歳未満の者については、医師の意見を聴いて、貧血検査及び心電図検査を省略している。

（2）深夜業を含む業務に常時従事する労働者に対し、6か月以内ごとに1回、定期に健康診断を行っているが、胸部エックス線検査については、1年以内ごとに1回しか行っていない。

（3）海外に6か月以上派遣して帰国した労働者について、国内の業務に就かせるとき、一時的な就業の場合を除いて、海外派遣労働者健康診断を行っている。

（4）常時50人の労働者を使用する事業場において、雇入時の健康診断の結果について、所轄労働基準監督署長に報告を行っていない。

（5）常時40人の労働者を使用する事業場において、定期健康診断の結果について、所轄労働基準監督署長に報告を行っていない。

H27.10-23、H26.10-23

272 解説

（1）**違反している。**常時使用する労働者を雇い入れるときは、当該労働者に対し、一定の項目について医師による健康診断を行わなければならない（安衛則第43条本文）。この雇入れ時の健康診断の検査項目に、**医師の判断による省略基準はない。**したがって、雇入れ時の健康診断において、医師の意見を聴いて、貧血検査および心電図検査を省略していることは、法令に違反している。

（2）**違反していない。深夜業など一定の業務**に常時従事する労働者に対し、当該業務への配置替えの際および**6カ月以内ごとに1回**、定期に、医師による**健康診断**を行わなければならない。この場合において、**胸部エックス線検査**については、**1年以内ごとに1回**、定期に、行えば**足りる**（安衛則第45条第1項・第44条各号）。したがって、深夜業を含む業務に常時従事する労働者に対し、6カ月以内ごとに1回、定期に健康診断を行っているが、胸部エックス線検査については、1年以内ごとに1回しか行っていないことは、法令に違反していない。

（3）**違反していない。**海外に6カ月以上派遣した労働者を国内における業務に就かせるとき（**一時的に就かせるときを除く**）は、その労働者に対し、医師による健康診断を行わなければならない（安衛則第45条の2第2項）。したがって、海外に6カ月以上派遣して帰国した労働者について、国内の業務に就かせるとき、一時的な就業の場合を除いて、海外派遣労働者健康診断を行っていることは、法令に違反していない。

（4）**違反していない。雇入れ時の健康診断の結果**については、対象労働者数および事業場の規模にかかわらず、所轄労働基準監督署長に**報告する義務はない**（安衛則第52条参照）。したがって、常時50人の労働者を使用する事業場において、雇入れ時の健康診断の結果について、所轄労働基準監督署長に報告を行っていないことは、法令に違反していない。

（5）**違反していない。常時50人以上の労働者を使用する事業者**は、**定期健康診断**、特定業務従事者の健康診断（定期のものに限る）を行ったときは、遅滞なく、定期健康診断結果報告書を所轄労働基準監督署長に提出しなければならない（安衛則第52条）。したがって、常時40人の労働者を使用する事業場において、定期健康診断の結果について、所轄労働基準監督署長に報告を行っていないことは、法令に違反していない。

正答（1）

★
273 □□ **労働時間の状況等が一定の要件に該当する労働者に対して、法令により実施することとされている医師による面接指導の結果に基づく記録に記載しなければならない事項として定められていないものは、次のうちどれか。**

（1）面接指導を行った医師の氏名
（2）面接指導を受けた労働者の氏名
（3）面接指導を受けた労働者の家族の状況
（4）面接指導を受けた労働者の疲労の蓄積の状況
（5）面接指導の結果に基づき、労働者の健康を保持するために必要な措置について医師から聴取した意見

H31.4-24

★★
274 □□ **労働時間の状況等が一定の要件に該当する労働者に対して、法令により実施することが義務付けられている医師による面接指導に関する次の記述のうち、正しいものはどれか。**
ただし、新たな技術、商品又は役務の研究開発に係る業務に従事する者及び高度プロフェッショナル制度の対象者はいないものとする。

（1）面接指導の対象となる労働者の要件は、原則として、休憩時間を除き1週間当たり40時間を超えて労働させた場合におけるその超えた時間が1か月当たり80時間を超え、かつ、疲労の蓄積が認められる者であることとする。
（2）事業者は、面接指導を実施するため、タイムカードによる記録等の客観的な方法その他の適切な方法により、監督又は管理の地位にある者を除き、労働者の労働時間の状況を把握しなければならない。
（3）面接指導を行う医師として事業者が指定することのできる医師は、当該事業場の産業医に限られる。
（4）事業者は、面接指導の対象となる労働者の要件に該当する労働者から面接指導を受ける旨の申出があったときは、申出の日から3か月以内に、面接指導を行わなければならない。
（5）事業者は、面接指導の結果に基づき、当該面接指導の結果の記録を作成して、これを3年間保存しなければならない。

R5.4-24

273 解説

原則として、休憩時間を除き**1週間当たり40時間を超え**て労働させた場合における**その超えた時間が1カ月当たり80時間を超え、かつ、疲労の蓄積が認められる**労働者から申出があったときは、医師による面接指導を行わなければならず、以下の事項を記載した記録を作成しなければならない（安衛法第66条の8、安衛則第52条の5・52条の6第2項）。

① 実施年月日
② 面接指導を受けた**労働者の氏名**
③ 面接指導を行った**医師の氏名**
④ 面接指導を受けた労働者の**疲労の蓄積の状況**
⑤ ①～④のほか、当該労働者の**心身の状況**
⑥ **面接指導の結果に基づき、労働者の健康を保持するために必要な措置について医師から聴取した意見**

したがって、選択肢（3）が正答となる。 **正答**（3）

274 解説

（1）**正しい。**面接指導の対象となる労働者の要件は、原則として、**休憩時間を除き1週間当たり40時間を超え**て労働させた場合におけるその超えた時間が**1カ月当たり80時間を超え**、かつ、**疲労の蓄積が認められる者**であることとする（安衛法第66条の8、安衛則第52条の2）。

（2）**誤り。**事業者は、面接指導を実施するため、タイムカードによる記録等の客観的な方法その他の適切な方法により、労働者の労働時間の状況を把握しなければならない（安衛法第66条の8の3・4、安衛則第52条の7の3）が、その対象から監督または管理の地位にある者は除かれていない。

（3）**誤り。**面接指導を行う医師として指名するものは、**「医師」**であればよく、当該事業場の産業医を指名しなければならないのではない（安衛則第66条の8第1項）。

（4）**誤り。**事業者は、面接指導の結果に基づき、当該労働者の健康を保持するために必要な措置について、**面接指導が行われた後遅滞なく**、医師の意見を聴かなければならない（安衛法第66条の8第4項、安衛則第52条の7）。面接指導が行われた日から3カ月以内ではない。

（5）**誤り。**事業者は、面接指導の結果の記録を作成して、これを**5年間**保存しなければならない（安衛法第66条の8第3項、安衛則第52条の6）。3年間ではない。

正答（1）

★★
275 労働安全衛生法に基づく心理的な負担の程度を把握するための検査について、医師及び保健師以外の検査の実施者として、次のAからDの者のうち正しいものの組合せは（1）～（5）のうちどれか。
ただし、実施者は、法定の研修を修了した者とする。

□□

A　公認心理師
B　歯科医師
C　衛生管理者
D　産業カウンセラー

（1）A，B
（2）A，D
（3）B，C
（4）B，D
（5）C，D

R5.4-25

★★
276 労働安全衛生法に基づく労働者の心理的な負担の程度を把握するための検査（以下「ストレスチェック」という。）及びその結果等に応じて実施される医師による面接指導に関する次の記述のうち、法令上、正しいものはどれか。

□□

（1）ストレスチェックを受ける労働者について解雇、昇進又は異動に関して直接の権限を持つ監督的地位にある者は、ストレスチェックの実施の事務に従事してはならない。
（2）事業者は、ストレスチェックの結果が、衛生管理者及びストレスチェックを受けた労働者に通知されるようにしなければならない。
（3）面接指導を行う医師として事業者が指名できる医師は、当該事業場の産業医に限られる。
（4）面接指導の結果は、健康診断個人票に記載しなければならない。
（5）事業者は、面接指導の結果に基づき、当該労働者の健康を保持するため必要な措置について、面接指導が行われた日から３か月以内に、医師の意見を聴かなければならない。

R5.10-25

275 解説

労働安全衛生法に基づく心理的な負担の程度を把握するための検査について、医師および保健師以外の検査の実施者として、検査を行うために必要な知識についての研修であって厚生労働大臣が定めるものを修了した**歯科医師**（B）、看護師、精神保健福祉士または**公認心理師**（A）がある（安衛則第52条の10第1項）。

したがって、選択肢（1）が正答となる。

正答（1）

276 解説

（1）**正しい。**心理的な負担の程度を把握するための検査（以下、ストレスチェックという）を受ける労働者について解雇、昇進または異動に関して直接の権限を持つ監督的地位にある者は、検査の実施の事務に従事してはならない（安衛法第66条の10第1項、安衛則第52条の10第2項）。

（2）**誤り。**事業者は、**ストレスチェックを受けた労働者に対し**、ストレスチェックを行った医師等からストレスチェックの**結果が通知**されるようにしなければならない（安衛法第66条の10第2項）。ストレスチェックの結果は、衛生管理者に対しては、通知されない。

（3）**誤り。**面接指導は**当該事業場の産業医等が実施することが望ましい**とされている（心理的な負担の程度を把握するための検査及び面接指導の実施並びに面接指導結果に基づき事業者が講ずべき措置に関する指針）。したがって、面接指導を行う医師として指名するものは、「医師」であればよく、当該事業場の産業医に限られない。

（4）**誤り。**事業者は、面接指導の結果に基づき、当該**面接指導の結果の記録を作成**して、これを**5年間保存**しなければならない（安衛則第52条の18第1項）。健康診断個人票に記載しなければならないのではない。

（5）**誤り。**面接指導の結果に基づき、医師からの意見聴取は、**面接指導が行われた後、遅滞なく**行わなければならない（安衛法第66条の10第5項、安衛則第52条の19）。面接指導が行われた日から3か月以内に、医師の意見を聴かなければならないのではない。

正答（1）

★★

277 □□ **労働安全衛生法に基づく労働者の心理的な負担の程度を把握するための検査（以下「ストレスチェック」という。）及びその結果等に応じて実施される医師による面接指導に関する次の記述のうち、法令上、正しいものはどれか。**

（1）常時50人以上の労働者を使用する事業場においては、６か月以内ごとに１回、定期に、ストレスチェックを行わなければならない。

（2）事業者は、ストレスチェックの結果が、衛生管理者及びストレスチェックを受けた労働者に通知されるようにしなければならない。

（3）労働者に対して行うストレスチェックの事項は、「職場における当該労働者の心理的な負担の原因」、「当該労働者の心理的な負担による心身の自覚症状」及び「職場における他の労働者による当該労働者への支援」に関する項目である。

（4）事業者は、ストレスチェックの結果、心理的な負担の程度が高い労働者全員に対し、医師による面接指導を行わなければならない。

（5）事業者は、医師による面接指導の結果に基づき、当該面接指導の結果の記録を作成して、これを３年間保存しなければならない。

R4.4-25、R3.10-24

277 解説

（1）**誤り**。事業者は、常時使用する労働者に対し、**1年以内ごとに1回**、定期に、心理的な負担の程度を把握するための検査（以下「ストレスチェック」という）を行わなければならない（安衛法第66条の10第1項、安衛則第52条の9）。6カ月以内ごとに1回ではない。なお、常時使用する労働者数が50人未満の小規模事業場においては、当分の間、ストレスチェックの実施は努力義務とされている。

（2）**誤り**。事業者は、**ストレスチェックを受けた労働者**に対し、ストレスチェックを行った医師等からストレスチェックの**結果が通知**されるようにしなければならない（安衛法第66条の10第2項）。ストレスチェックの結果は、衛生管理者に対しては、通知されない。

（3）**正しい**。労働者に対して行うストレスチェックの事項は、①職場における当該労働者の心理的な負担の原因に関する項目、②当該労働者の心理的な負担による心身の自覚症状に関する項目、③職場における他の労働者による当該労働者への支援に関する項目である（安衛則第52条の9）。

（4）**誤り**。事業者は、ストレスチェックの結果、心理的な負担の程度が高い者であって、**面接指導を受ける必要があるとストレスチェックを行った医師等が認めたもの**が、医師による面接指導を受けることを希望する旨を**申し出たとき**は、その申出をした労働者に対し、医師による面接指導を行わなければならない（安衛法第66条の10第3項、安衛則第52条の15）。心理的な負担の程度が高い労働者全員に対し面接指導を行わなければならないのではない。

（5）**誤り**。事業者は、面接指導の結果に基づき、その**面接指導の結果の記録を作成**して、これを**5年間保存**しなければならない（安衛則第52条の18第1項）。3年間ではない。

正答（3）

17. 衛生基準関係法令　速 第10章 LESSON 6

★

278 □□ **ある屋内作業場の床面から4mをこえない部分の容積が150m^3であり、かつ、このうちの設備の占める分の容積が55m^3であるとき、法令上、常時就業させることのできる最大の労働者数は次のうちどれか。**

（1） 4人

（2） 9人

（3）10人

（4）15人

（5）19人

R3.4-25

★★★

279 □□ **事業場の建築物、施設等に関する措置について、労働安全衛生規則の衛生基準に違反していないものは次のうちどれか。**

（1）常時男性35人、女性10人の労働者を使用している事業場で、労働者が臥《が》床することのできる男女別々の休養室又は休養所を設けていない。

（2）常時50人の労働者を就業させている屋内作業場の気積が、設備の占める容積及び床面から4mを超える高さにある空間を除き450m^3となっている。

（3）日常行う清掃のほか、毎年1回、12月下旬の平日を大掃除の日と決めて大掃除を行っている。

（4）事業場に附属する食堂の床面積を、食事の際の1人について、0.5m^2としている。

（5）労働衛生上の有害業務を有しない事業場において、窓その他の開口部の直接外気に向かって開放することができる部分の面積が、常時床面積の25分の1である屋内作業場に、換気設備を設けていない。

R5.10-24

278 解説

事業者は、労働者を常時就業させる屋内作業場の気積を、**設備の占める容積**および**床面から4mを超える高さにある空間を除き**、労働者1人について、**10m^3 以上**としなければならない（安衛則第600条）。設問の屋内作業場では、床面から4mを超えない部分の容積（150m^3）から設備の占める容積（55m^3）を除いた容積は、95m^{3}であり、当該作業場で法令上、常時就業させることのできる最大の労働者数は、9人となる。したがって、選択肢（2）が正答となる。

正答（2）

279 解説

（1）**違反していない。常時50人以上または常時女性30人以上**の労働者を使用するときは、労働者が臥床することのできる休養室または休養所を、**男性用と女性用に区別**して設けなければならない（安衛則第618条）。設問の常時男性35人、女性10人の労働者を使用している事業場は、常時50人以上を使用する場合にも、常時女性30人以上を使用する場合にも当たらない。したがって、衛生基準に違反していない。

（2）**違反している**。屋内作業場の気積は、問278の解説で述べたとおりである。設問の常時50人の労働者を就業させている屋内作業場では、設備の占める容積および床面から4mを超える高さにある空間を除き、500m^{3}以上としなければならない。したがって、450m^{3}となっていることは、衛生基準に違反している。

（3）**違反している**。日常行う清掃のほか、大掃除を、**6カ月以内ごとに1回**、定期に、**統一的に行う**こととされている（安衛則第619条第1号）。したがって、1年ごとに1回大掃除を行っていることは、衛生基準に違反している。

（4）**違反している**。事業場に附属する食堂の床面積は、食事の際の1人について、**1m^2 以上**とすることとされている（安衛則第630条第2号）。したがって、食堂の床面積を、食事の際の1人について、0.5m^{2}としていることは、衛生基準に違反している。

（5）**違反している**。労働者を常時就業させる屋内作業場においては、**換気が十分行われる性能を有する設備を設けたときを除き**、窓その他の開口部の直接外気に向って開放することができる部分の面積が、**常時床面積の20分の1以上**になるようにしなければならない（安衛則第601条第1項）。設問の窓その他の開口部の面積が、常時床面積の25分の1である屋内作業場は、常時床面積の20分の1以上としなければならないとする衛生基準を満たしていない。したがって、衛生基準に違反している。

正答（1）

関係法令

★★★

280 □□ **事業場の建築物、施設等に関する措置について、労働安全衛生規則の衛生基準に違反しているものは次のうちどれか。**

（1）常時60人の労働者を就業させている屋内作業場の気積が、設備の占める容積及び床面から4mを超える高さにある空間を除き600m^{3}となっている。

（2）ねずみ、昆虫等の発生場所、生息場所及び侵入経路並びにねずみ、昆虫等による被害の状況について、6か月以内ごとに1回、定期に、統一的に調査を実施し、その調査結果に基づき、必要な措置を講じている。

（3）常時男性5人と女性25人の労働者が就業している事業場で、女性用の臥《が》床できる休養室を設けているが、男性用には、休養室の代わりに休憩設備を利用させている。

（4）有害業務を行っていない屋内作業場で、窓その他の開口部の直接外気に向かって開放することができる部分の面積が、常時床面積の1/15であるものに、換気設備を設けていない。

（5）事業場に附属する食堂の炊事従業員について、専用の便所を設けているが、専用の休憩室は設けていない。

H29.10-25

280 解説

（1）**違反していない。**事業者は、労働者を常時就業させる屋内作業場の気積を、**設備の占める容積**および**床面から4mを超える高さにある空間を除き**、労働者1人について、**$10m^3$以上**としなければならない（安衛則第600条）。常時60人の労働者を就業させている屋内作業場では、設備の占める容積および床面から4mを超える高さにある空間を除き、$600m^3$以上としなければならない。したがって、設問は衛生基準に違反していない。

（2）**違反していない。**ねずみ、昆虫等の発生場所、生息場所および侵入経路ならびにねずみ、昆虫等による被害の状況について、**6カ月以内ごとに1回**、定期に、**統一的に調査を実施**し、当該調査の結果に基づき、ねずみ、昆虫等の発生を防止するため**必要な措置を講ずる**こととされている（安衛則第619条第2号）。したがって、設問は衛生基準に違反していない。

（3）**違反していない。**事業者は、**常時50人以上または常時女性30人以上**の労働者を使用するときは、労働者が臥床することのできる休養室または休養所を、**男性用と女性用に区別**して設けなければならない（安衛則第618条）。設問の常時、男性5人、女性25人の労働者を使用している事業場は、常時50人以上を使用する場合にも、常時女性30人以上を使用する場合にも当たらない。したがって、設問は衛生基準に違反していない。

（4）**違反していない。**労働者を常時就業させる屋内作業場においては、**換気が十分行われる性能を有する設備を設けたときを除き、**窓その他の開口部の直接外気に向って開放することができる部分の面積が、**常時床面積の20分の1以上**になるようにしなければならない（安衛則第601条第1項）。設問の窓その他の開口部の面積が、常時床面積の15分の1である屋内作業場は、常時床面積の20分の1以上としなければならないとする衛生基準を満たしている。したがって、換気設備を設けていないことは、衛生基準に違反していない。

（5）**違反している。**事業場に附属する食堂については、炊事従業員**専用の休憩室および便所を設けること**とされている（安衛則第630条第11号）。便所だけでなく、休憩室についても専用のものを設けなければならない。したがって、専用の休憩室は設けていないことは、衛生基準に違反している。

正答（5）

★★★
281 □□ **事業場の建築物、施設等に関する措置について、労働安全衛生規則の衛生基準に違反していないものは次のうちどれか。**

（1）事業場に附属する食堂の床面積を、食事の際の１人について、0.5m^2としている。

（2）男性５人及び女性30人の労働者を常時使用している事業場で、休憩の設備を設けているが、労働者が臥《が》床することのできる休養室又は休養所を男女別に設けていない。

（3）事業場に附属する食堂の炊事従業員について、専用の便所を設けているほか、一般従業員と共用の休憩室を設けている。

（4）60人の労働者を常時就業させている屋内作業場の気積を、設備の占める容積及び床面から３ｍを超える高さにある空間を除き600m^3としている。

（5）日常行う清掃のほか、１年ごとに１回、定期に、統一的に大掃除を行っている。

R1.10-25

281 解説

（1）**違反している。**事業場に附属する食堂の床面積は、食事の際の1人について、**1m^2以上**とすることとされている（安衛則第630条第2号）。したがって、食堂の床面積を、食事の際の1人について、0.5m^2としていることは、衛生基準に違反している。

（2）**違反している。常時50人以上または常時女性30人以上**の労働者を使用するときは、労働者が、臥床することのできる休養室または休養所を、**男性用と女性用に区別**して設けなければならない（安衛則第618条）。したがって、設問の男性5人、女性30人の労働者を常時使用している事業場において、労働者が臥床することのできる休養室または休養所を男女別に設けていないことは、衛生基準に違反している。

（3）**違反している。**事業場に附属する食堂については、炊事従業員**専用の休憩室および便所を設けること**とされている（安衛則第630条第11号）。便所だけでなく、休憩室についても専用のものを設けなければならない。したがって、休憩室について一般従業員と共用のもののみを設けていることは、衛生基準に違反している。

（4）**違反していない。**労働者を常時就業させる屋内作業場の気積を、**設備の占める容積**および**床面から4mを超える高さにある空間を除き**、労働者1人について、**10m^3以上**としなければならない（安衛則第600条）。常時60人の労働者を就業させている屋内作業場では、設備の占める容積および床面から4mを超える高さにある空間を除き、600m^3以上としなければならない。したがって、設備の占める容積および床面から3mを超える高さにある空間を除き600m^3としていることは、衛生基準に違反していない。

（5）**違反している。**日常行う清掃のほか、大掃除を、**6カ月以内ごとに1回**、定期に、**統一的に行う**こととされている（安衛則第619条第1号）。したがって、日常行う清掃のほか、1年ごとに1回、定期に、大掃除を行っていることは、衛生基準に違反している。

正答（4）

★★★

282 □□ **事業場の建築物、施設等に関する措置について、労働安全衛生規則の衛生基準に違反していないものは次のうちどれか。**

（1）日常行う清掃のほか、1年に1回、定期に、統一的に大掃除を行っている。

（2）男性25人、女性25人の労働者を常時使用している事業場で、労働者が臥《が》床することのできる休養室又は休養所を男性用と女性用に区別して設けていない。

（3）坑内等特殊な作業場以外の作業場において、男性用小便所の箇所数は、同時に就業する男性労働者50人以内ごとに1個以上としている。

（4）事業場に附属する食堂の床面積を、食事の際の1人について、$0.8m^2$ としている。

（5）労働衛生上の有害業務を有しない事業場において、窓その他の開口部の直接外気に向かって開放することができる部分の面積が、常時床面積の15分の1である屋内作業場に、換気設備を設けていない。

R3.10-25

★★★

283 □□ **事務室の空気環境の調整に関する次の文中の［　　］内に入れるA及びBの数値の組合せとして、法令上、正しいものは（1）～（5）のうちどれか。**

「①　空気調和設備又は機械換気設備を設けている場合は、室に供給される空気が、1気圧、温度25℃とした場合の当該空気中に占める二酸化炭素の含有率が100万分の［　A　］以下となるように、当該設備を調整しなければならない。

②　①の設備により室に流入する空気が、特定の労働者に直接、継続して及ばないようにし、かつ、室の気流を［　B　］m/s以下としなければならない。」

	A	B
（1）	1,000	0.3
（2）	1,000	0.5
（3）	2,000	0.5
（4）	5,000	0.3
（5）	5,000	0.5

R2.4-24

282 解説

（1）**違反している。**日常行う清掃のほか、大掃除を、**6カ月以内ごとに1回**、定期に、**統一的に行う**こととされている（安衛則第619条第1号）。したがって、衛生基準に違反している。

（2）**違反している。常時50人以上または常時女性30人以上**の労働者を使用するときは、労働者が臥床することのできる休養室または休養所を、**男性用と女性用に区別**して設けなければならない（安衛則第618条）。設問の常時男性25人、女性25人の労働者を使用している事業場は、常時50人以上を使用する場合に該当する。したがって、衛生基準に違反している。

（3）**違反している。**坑内等特殊な作業場以外の作業場において、男性用小便所の箇所数は、原則として、同時に就業する男性労働者**30人以内ごとに1個以上**としなければならない（安衛則第628条第1項第3号）。50人以内ごとに1個以上とすることは、衛生基準を満たしていない。したがって、衛生基準に違反している。

（4）**違反している。**事業場に附属する食堂の床面積は、食事の際の1人について、**1 m^2 以上**とすることとされている（安衛則第630条第2号）。したがって、衛生基準に違反している。

（5）**違反していない。**労働者を常時就業させる屋内作業場においては、**換気が十分行われる性能を有する設備を設けたときを除き**、窓その他の開口部の直接外気に向って開放することができる部分の面積が、**常時床面積の20分の1以上**になるようにしなければならない（安衛則第601条第1項）。設問の窓その他の開口部の面積が、常時床面積の15分の1である屋内作業場は、常時床面積の20分の1以上としなければならないとする衛生基準を満たしている。したがって、換気設備を設けていないことは、衛生基準に違反していない。 **正答**（5）

283 解説

① 空気調和設備または機械換気設備を設けている場合は、室に供給される空気が、1気圧、温度25℃とした場合の当該空気中に占める二酸化炭素の含有率が100万分の［A　**1,000**］以下となるように、当該設備を調整しなければならない（事務所則第5条第1項第2号）。

② ①の設備により室に流入する空気が、特定の労働者に直接、継続して及ばないようにし、かつ、室の気流を［B　**0.5**］m/s以下としなければならない（事務所則第5条第2項）。

したがって、選択肢（2）が正答となる。 **正答**（2）

★★★
284 □□ **事務室の空気環境の測定、設備の点検等に関する次の記述のうち、法令上、誤っているものはどれか。**

（1）中央管理方式の空気調和設備を設けた建築物内の事務室については、空気中の一酸化炭素及び二酸化炭素の含有率を、６か月以内ごとに１回、定期に、測定しなければならない。

（2）事務室の建築、大規模の修繕又は大規模の模様替を行ったときは、その事務室における空気中のホルムアルデヒドの濃度を、その事務室の使用を開始した日以後所定の時期に１回、測定しなければならない。

（3）燃焼器具を使用するときは、発熱量が著しく少ないものを除き、毎日、異常の有無を点検しなければならない。

（4）事務室において使用する機械による換気のための設備については、２か月以内ごとに１回、定期に、異常の有無を点検しなければならない。

（5）空気調和設備内に設けられた排水受けについては、原則として、１か月以内ごとに１回、定期に、その汚れ及び閉塞の状況を点検しなければならない。

R4.10-25

284 解説

（1）**誤り。**中央管理方式の空気調和設備を設けた建築物内の事務室については、空気中の**一酸化炭素**および**二酸化炭素の含有率**を、原則として、**2カ月以内ごとに1回**、定期に、**測定**しなければならない（事務所則第7条第1項）。6カ月以内ごとに1回ではない。

（2）**正しい。**事務室の建築、大規模の修繕または大規模の模様替を行ったときは、その事務室における空気中のホルムアルデヒドの濃度を、その事務室の使用開始後所定の時期（室の使用を開始した日以後最初に到来する6月から9月までの期間）に1回、測定しなければならない（事務所則第7条の2）。

（3）**正しい。**燃焼器具を使用するときは、発熱量が著しく少ないものを除き、**毎日、異常の有無を点検**しなければならない（事務所則第6条第2項）。

（4）**正しい。**事務室において使用する機械による換気のための設備については、**2カ月以内ごとに1回**、定期に、**異常の有無を点検**しなければならない（事務所則第9条）。

（5）**正しい。**空気調和設備内に設けられた排水受けについては、原則として、**1カ月以内ごとに1回**、定期に、その**汚れおよび閉塞の状況を点検**し、必要に応じ、その**清掃等**を行わなければならない（事務所則第9条の2第4号）。

正答（1）

18. 労働時間・休憩・休日

速 第11章 LESSON 2

★★
285 労働基準法における労働時間等に関する次の記述のうち、正しいものはどれか。

□□

（1）１日８時間を超えて労働させることができるのは、時間外労働の協定を締結し、これを所轄労働基準監督署長に届け出た場合に限られている。

（2）労働時間が８時間を超える場合においては、少なくとも 45 分の休憩時間を労働時間の途中に与えなければならない。

（3）機密の事務を取り扱う労働者に対する労働時間に関する規定の適用の除外については、所轄労働基準監督署長の許可を受けなければならない。

（4）フレックスタイム制の清算期間は、３か月以内の期間に限られる。

（5）満 20 歳未満の者については、時間外·休日労働をさせることはできない。

R5.4-26

285 解説

（1）**誤り。災害その他避けることのできない事由**によって、**臨時の必要がある場合**においては、使用者は、行政官庁（**所轄労働基準監督署長**）の**許可を受けて、**その必要の限度において労働時間を延長し、または休日に労働させることができる（労基法第36条）。また、**公務のために臨時の必要がある場合**においても労働時間を延長し、または休日に労働させることができる（労基法第33条第1項・第3項）。したがって、1日8時間を超えて労働させることができるのは、時間外労働の労使協定を締結し、届け出た場合に限られているのではない。

（2）**誤り。**労働時間が6時間を超える場合においては少なくとも45分、**8時間を超える場合**においては**少なくとも1時間**の休憩時間を労働時間の途中に与えなければならない（労基法第34条第1項）。少なくとも45分ではない。

（3）**誤り。**労働時間に関する規定は、①農業または水産業に従事する者、②**監督もしくは管理の地位にある者**または**機密の事務を取り扱う者**、③監視または断続的労働に従事する者で、使用者が行政官庁の許可を受けたものについては適用しない（労基法第41条）。機密の事務を取り扱う労働者については、所轄労働基準監督署長の許可を受けなくても当然に、労働時間に関する規定の適用が除外される。

（4）**正しい。**フレックスタイム制の清算期間は、**3カ月以内**の期間に限るものとする（労基法第32条の3第1項第2号）。

（5）**誤り。満18歳未満の者**については、労使協定による時間外・休日労働をさせることはできない（労基法第60条第1項）。満20歳未満の者ではない。

正答（4）

★★★
286 □□ **労働基準法における労働時間等に関する次の記述のうち、正しいものはどれか。ただし、労使協定とは、「労働者の過半数で組織する労働組合（その労働組合がない場合は労働者の過半数を代表する者）と使用者との書面による協定」をいうものとする。**

（1）１日８時間を超えて労働させることができるのは、時間外労働の労使協定を締結し、これを所轄労働基準監督署長に届け出た場合に限られている。

（2）労働時間に関する規定の適用については、事業場を異にする場合は労働時間を通算しない。

（3）所定労働時間が7時間30分である事業場において、延長する労働時間が１時間であるときは、少なくとも45分の休憩時間を労働時間の途中に与えなければならない。

（4）監視又は断続的労働に従事する労働者であって、所轄労働基準監督署長の許可を受けたものについては、労働時間、休憩及び休日に関する規定は適用されない。

（5）フレックスタイム制の清算期間は、６か月以内の期間に限られる。

R3.4-26、R2.10-26

286 解説

（1）**誤り。災害その他避けることのできない事由**によって、**臨時の必要がある場合**においては、使用者は、行政官庁（**所轄労働基準監督署長**）の**許可を受けて、**その必要の限度において労働時間を延長し、または休日に労働させることができる（労基法第36条）。また、**公務のために臨時の必要がある場合**においても労働時間を延長し、または休日に労働させることができる（労基法第33条第1項・第3項）。したがって、1日8時間を超えて労働させることができるのは、時間外労働の労使協定を締結し、届け出た場合に限られているのではない。

（2）**誤り。**労働時間は、**事業場を異にする場合**においても、**労働時間**に関する規定の適用については**通算する**（労基法第38条第1項）。

（3）**誤り。**労働時間が**6時間を超える場合**においては**少なくとも45分、8時間を超える場合**においては**少なくとも1時間**の休憩時間を**労働時間の途中**に与えなければならない（労基法第34条第1項）。したがって、所定労働時間が7時間30分である事業場において、延長する労働時間が1時間であるときは、少なくとも1時間の休憩時間を与えなければならない。少なくとも45分ではない。

（4）**正しい。労働時間、休憩**および**休日**に関する規定は、①農業または水産業に従事する者、②**監督もしくは管理の地位にある者**または**機密の事務を取り扱う者、③監視または断続的労働に従事する者で、**使用者が**行政官庁（所轄労働基準監督署長）の許可を受けたもの**については**適用しない**（労基法第41条）。

（5）**誤り。**フレックスタイム制の清算期間は、**3カ月以内**の期間に限るものとする（労基法第32条の3第1項第2号）。6カ月以内の期間に限られるのではない。

正答（4）

★★
287
□□

労働基準法に基づくフレックスタイム制に関する次の記述のうち、誤っているものはどれか。
ただし、常時使用する労働者数が10人以上の規模の事業場におけるフレックスタイム制とし、以下の文中において労使協定とは、「労働者の過半数で組織する労働組合（その労働組合がない場合は労働者の過半数を代表する者）と使用者との書面による協定」をいう。

（1）フレックスタイム制を採用するためには、就業規則により始業及び就業の時刻を労働者の決定に委ねる旨を定め、かつ、労使協定により対象となる労働者の範囲、清算期間、清算期間における総労働時間等を定める必要がある。
（2）フレックスタイム制を採用した場合には、清算期間を平均し1週間当たりの労働時間が40時間を超えない範囲において、1日8時間又は1週40時間を超えて労働させることができる。
（3）フレックスタイム制に係る労使協定は、清算期間が1か月以内のものであるときは、所轄労働基準監督署長に届け出る必要はない。
（4）フレックスタイム制の清算期間は、3か月以内の期間に限るものとする。
（5）妊娠中又は産後1年を経過しない女性については、フレックスタイム制による労働をさせることはできない。

H30.4-27 改題

287 解説

（1）**正しい。**フレックスタイム制を採用するためには、**就業規則**その他これに準じるものにより**始業および就業の時刻を労働者の決定に委ねる**旨を定め、かつ、**労使協定**により**対象となる労働者の範囲、清算期間、清算期間における総労働時間等**を定める必要がある（労基法第32条の3第1項）。

（2）**正しい。**フレックスタイム制を採用した場合には、清算期間として定められた期間を平均し1週間当たりの労働時間が40時間を超えない範囲内において、1日8時間または1週40時間を超えて労働させることができる（労基法第32条の3第1項）。

（3）**正しい。**フレックスタイム制に係る労使協定は、**清算期間が1カ月以内のものであるときは、**所轄労働基準監督署長に**届け出る必要はない**（労基法第32条の3第4項、労基則第12条の3第2項）。

（4）**正しい。**フレックスタイム制の清算期間は、**3カ月以内**の期間に限るものとする（労基法第32条の3第1項第2号）。

（5）**誤り。妊娠中または産後1年を経過しない女性**について、**フレックスタイム制による労働をさせることができる**（労基法第66条第1項参照）。

正答（5）

★★
288 □□ 1か月単位の変形労働時間制に関する次の記述のうち、労働基準法上、誤っているものはどれか。

ただし、常時使用する労働者数が10人以上の規模の事業場の場合とし、「労使協定」とは、「労働者の過半数で組織する労働組合（その労働組合がない場合は労働者の過半数を代表する者）と使用者との書面による協定」をいう。

（1）この制度を採用する場合には、労使協定又は就業規則により、1か月以内の一定の期間を平均し1週間当たりの労働時間が40時間を超えないこと等、この制度に関する定めをする必要がある。

（2）この制度を採用した場合には、この制度に関する定めにより特定された週又は日において1週40時間又は1日8時間を超えて労働させることができる。

（3）この制度に関する定めをした労使協定は所轄労働基準監督署長に届け出る必要はないが、就業規則は届け出る必要がある。

（4）この制度を採用した場合であっても、妊娠中又は産後1年を経過しない女性が請求した場合には、監督又は管理の地位にある者等労働時間に関する規定の適用除外者を除き、当該女性に対して法定労働時間を超えて労働させることはできない。

（5）この制度で労働させる場合には、育児を行う者等特別な配慮を要する者に対して、これらの者が育児等に必要な時間を確保できるような配慮をしなければならない。

H28.4-26

288 解説

（1）**正しい。** 1カ月単位の変形労働時間制を採用する場合には、労使協定または就業規則により、1カ月以内の一定の期間を平均し1週間当たりの労働時間が40時間を超えないこと等、この制度に関する定めをする必要がある（労基法第32条の2第1項）。

（2）**正しい。** 1カ月単位の変形労働時間制を採用した場合には、特定された週または日において1週40時間または1日8時間を超えて労働させることができる（労基法第32条の2第1項）。

（3）**誤り。** 使用者は、1カ月単位の変形労働時間制に関する定めをした**労使協定**を行政官庁に**届け出なければならない**（労基法第32条の2第2項）。なお、設問は、**常時使用する労働者数が10人以上**の規模の事業場であり、**就業規則**を行政官庁に**届け出なければならない**とする点は、正しい（労基法第89条）。

（4）**正しい。** 1カ月単位の変形労働時間制を採用した場合であっても、妊娠中または産後1年を経過しない女性が請求した場合には、当該女性に対して法定労働時間を超えて労働させることはできない（労基法第66条第1項）。また、労働時間に関する規定は、①農業または水産業に従事する者、②**監督もしくは管理の地位にある者**または**機密の事務を取り扱う者**、③**監視または断続的労働に従事する者で**、使用者が**行政官庁の許可を受けたもの**については**適用しない**（労基法第41条）。したがって、1カ月単位の変形労働時間制を採用した場合であっても、妊娠中または産後1年を経過しない女性が請求した場合には、監督または管理の地位にある者等労働時間に関する規定の適用除外者を除き、当該女性に対して法定労働時間を超えて労働させることはできない。

（5）**正しい。** 1カ月単位の変形労働時間制で労働させる場合には、育児を行う者等特別な配慮を要する者に対して、これらの者が育児等に必要な時間を確保できるような配慮をしなければならない（労基則第12条の6）。

正答（3）

20. 年次有給休暇　速 第11章 LESSON 4

★★★
289 □□ 週所定労働時間が30時間以上の労働者の年次有給休暇に関する次の記述のうち、労働基準法上、正しいものはどれか。
ただし、労使協定とは、「労働者の過半数で組織する労働組合（その労働組合がない場合は労働者の過半数を代表する者）と使用者との書面による協定」をいう。

（1）6年6か月継続勤務し、直近の1年間に、全労働日の8割以上出勤した労働者に新たに与えなければならない年次有給休暇の日数は、18日である。
（2）労使協定により、時間単位で年次有給休暇を与える対象労働者の範囲、その日数（5日以内に限る。）等を定めた場合において、対象労働者が請求したときは、年次有給休暇の日数のうち当該協定で定める日数について時間単位で与えることができる。
（3）法令に基づく育児休業又は介護休業で休業した期間は、出勤率の算定に当たっては、出勤しなかったものとして算出することができる。
（4）年次有給休暇の請求権は、これを1年間行使しなければ時効によって消滅する。
（5）年次有給休暇の期間については、原則として、最低賃金又は平均賃金の100分の60の額の手当を支払わなければならない。

H29.10-26

289 解説

（1）誤り。**週所定労働時間が30時間以上**の労働者は比例付与の対象とはならない。したがって、雇入れの日から起算して**6年6カ月以上継続勤務**し、**直近の1年間**に、**全労働日の8割以上出勤**したときには、**「20日」**の年次有給休暇を新たに与えなければならない（労基法第39条第2項、労基則第24条の3）。18日ではない。

（2）**正しい。**年次有給休暇は、原則として1日を単位として付与されるが、使用者は、労使協定により、①時間を単位として年次有給休暇を与えることができることとされる労働者の範囲、②時間を単位として与えることができることとされる年次有給休暇の日数（5日以内に限る）等を定めた場合において、対象労働者が年次有給休暇を時間を単位として請求したときは、年次有給休暇の日数のうち当該協定で定める日数については、時間を単位として与えることができる（労基法第39条第4項）。

（3）**誤り。**①労働者が業務上負傷し、または疾病にかかり療養のために休業した期間、②**法令に基づく育児休業または介護休業をした期間**、③産前産後の女性が休業した期間は、出勤率の算定に当たっては、これを**出勤したものとみなす**（労基法第39条第10項）。出勤しなかったものとして算出するのではない。

（4）**誤り。**年次有給休暇の請求権は、**2年間**行使しないときは、**時効によって消滅**する（労基法第115条）。1年間ではない。

（5）**誤り。**年次有給休暇の期間または年次有給休暇の時間については、原則として、**平均賃金**もしくは**所定労働時間労働した場合に支払われる通常の賃金**またはこれらの額を基準として厚生労働省令で定めるところにより算定した額の賃金を支払わなければならない（労基法第39条第9項）。最低賃金または平均賃金の100分の60の額ではない。

正答（2）

合格エッセンス　年次有給休暇の付与日数〔短時間労働者以外〕

速 P.307

継続勤務年数	6カ月	1年6カ月	2年6カ月	3年6カ月	4年6カ月	5年6カ月	6年6カ月以上
付与日数	10日	11日	12日	14日	16日	18日	20日

★★★
290 □□ 週所定労働時間が32時間で、週所定労働日数が４日である労働者であって、雇入れの日から起算して３年６か月継続勤務した労働者に対して、その後１年間に新たに与えなければならない年次有給休暇日数として、法令上、正しいものは（1）～（5）のうちどれか。
ただし、その労働者はその直前の１年間に全労働日の８割以上出勤したものとする。

（1）10日
（2）11日
（3）12日
（4）13日
（5）14日

H29.4-26

★★★
291 □□ 年次有給休暇（以下「休暇」という。）に関する次の記述のうち、労働基準法上、正しいものはどれか。

（1）法令に基づく育児休業又は介護休業で休業した期間は、出勤率の算定に当たっては、全労働日から除外して算出することができる。
（2）休暇の期間については、原則として、最低賃金又は平均賃金の100分の60の額の手当を支払わなければならない。
（3）労働者の過半数で組織する労働組合（その労働組合がない場合は労働者の過半数を代表する者）と使用者との書面による協定により休暇を与える時季に関する定めをした場合は、休暇のうち３日を超える部分については、その定めにより休暇を与えることができる。
（4）休暇の請求権は、これを１年間行使しなければ時効によって消滅する。
（5）一週間の所定労働時間が25時間で、一週間の所定労働日数が４日である労働者であって、雇入れの日から起算して３年６か月間継続勤務し、直近の１年間に、全労働日の８割以上出勤したものには、継続し、又は分割した10労働日の休暇を新たに与えなければならない。

H30.10-27

290 解説

週所定労働時間が32時間で、**週所定労働日数が4日**である労働者は比例付与の対象とならない。設問の雇入れの日から起算して**3年6カ月継続勤務**し、直前の1年間に全労働日の8割以上出勤した場合には、法令上、短時間労働者以外の労働者と同様に**14日**の年次有給休暇を与えなければならない（労基法第39条第2項、労基則第24条の3）。

したがって、選択肢（5）が正答となる。

正答（5）

291 解説

（1）**誤り。**①労働者が業務上負傷し、または疾病にかかり療養のために休業した期間、②**法令に基づく育児休業または介護休業をした期間**、③産前産後の女性が休業した期間は、出勤率の算定に当たっては、これを**出勤したものとみなす**（労基法第39条第10項）。全労働日から除外して算出するのではない。

（2）**誤り。**年次有給休暇の期間または年次有給休暇の時間については、原則として、**平均賃金**もしくは**所定労働時間労働した場合に支払われる通常の賃金**またはこれらの額を基準として厚生労働省令で定めるところにより算定した額の賃金を支払わなければならない（労基法第39条第9項）。最低賃金または平均賃金の100分の60の額ではない。

（3）**誤り。**使用者は、労働者の過半数で組織する労働組合（その労働組合がない場合においては労働者の過半数を代表する者）との書面による協定により、年次有給休暇を与える時季に関する定めをしたときは、年次有給休暇の日数のうち**5日を超える部分**については、その定めにより年次有給休暇を与えることができる（労基法第39条第6項）。3日を超える部分ではない。

（4）**誤り。**年次有給休暇の請求権は、**2年間**行使しないときは、**時効によって消滅**する（労基法第115条）。1年間ではない。

（5）**正しい。所定労働時間が週30時間未満**で、かつ、**週所定労働日数が4日以下**または年間の所定労働日数が216日以下の所定労働日数が少ない労働者については、年次有給休暇の日数は所定労働日数に応じて比例付与される。設問の雇入れの日から起算して**3年6カ月間継続勤務**し、直近の1年間に、全労働日の8割以上出勤したものには、継続し、または分割した**10労働日**の休暇を新たに与えなければならない（労基法第39条第3項、労基則第24条の3）。

正答（5）

関係法令

★★★
292 週所定労働時間が25時間、週所定労働日数が4日である労働者であって、雇入れの日から起算して4年6か月継続勤務したものに対して、その後1年間に新たに与えなければならない年次有給休暇日数として、法令上、正しいものは次のうちどれか。
ただし、その労働者はその直前の1年間に全労働日の8割以上出勤したものとする。

□□

（1） 9日
（2）10日
（3）11日
（4）12日
（5）13日

R5.4-27

★★★
293 週所定労働時間が25時間、週所定労働日数が4日である労働者であって、雇入れの日から起算して5年6か月継続勤務したものに対して、その後1年間に新たに与えなければならない年次有給休暇日数として、法令上、正しいものは次のうちどれか。
ただし、その労働者はその直前の1年間に全労働日の8割以上出勤したものとする。

□□

（1）12日
（2）13日
（3）14日
（4）15日
（5）16日

R5.10-27

292 解説

週所定労働時間が 25 時間で、**週所定労働日数が４日**である労働者は比例付与の対象となるため、雇入れの日から起算して**４年６カ月継続勤務**し、直前の１年間に全労働日の８割以上出勤した場合には、法令上、**12 日**の年次有給休暇を与えなければならない（労基法第 39 条第３項、労基則第 24 条の３）。

したがって、選択肢（4）が正答となる。

正答（4）

293 解説

所定労働時間が**週 30 時間未満**で、**かつ**、**週所定労働日数が４日以下**または年間の所定労働日数が 216 日以下の所定労働日数が少ない労働者については、年次有給休暇の日数は所定労働日数に応じて比例付与される。設問の雇入れの日から起算して**５年６カ月継続勤務**し、直近の１年間に、全労働日の８割以上出勤したものには、継続し、または分割した **13 日**の年次有給休暇を与えなければならない（労基法第 39 条第３項、労基則第 24 条の３）。

したがって、選択肢（2）が正答となる。

正答（2）

合格エッセンス　年次有給休暇の付与日数〔短時間労働者（比例付与による日数）〕

速 P.308

週所定労働日数	１年間の所定労働日数	雇入れの日から起算した継続勤務期間						
		６カ月	１年６カ月	２年６カ月	３年６カ月	４年６カ月	５年６カ月	６年６カ月以上
４日	169 日～ 216 日まで	７日	８日	９日	10 日	12 日	13 日	15 日
３日	121 日～ 168 日まで	５日	６日	６日	８日	９日	10 日	11 日
２日	73 日～ 120 日まで	３日	４日	４日	５日	６日	６日	７日
１日	48 日～ 72 日まで	１日	２日	２日	２日	３日	３日	３日

★
294 労働基準法に基づく労使協定による時間外・休日労働に関する次の記述のうち、誤っているものはどれか。
□□
ただし、「労使協定」とは、「労働者の過半数で組織する労働組合（その労働組合がない場合は労働者の過半数を代表する者）と使用者との書面による協定」をいう。

（1）時間外・休日労働に関する労使協定には、時間外・休日労働をさせることができる労働者の範囲などについて、定めなければならない。
（2）時間外・休日労働に関する労使協定には、労働協約による場合を除き、有効期間の定めをする必要がある。
（3）時間外・休日労働に関する労使協定の内容は、厚生労働大臣が定める指針に適合したものとなるようにしなければならない。
（4）労使協定による時間外・休日労働をさせる場合、満18歳未満の者については、休日労働はさせることはできないが、満15歳以上の者であれば時間外労働を1日2時間を超えない範囲内でさせることができる。
（5）労使協定による時間外・休日労働をさせる場合、妊娠中又は産後1年を経過しない女性が請求したときには、監督又は管理の地位にある者等労働時間等に関する規定の適用除外者を除き、当該女性に対して時間外・休日労働をさせることはできない。

H27.4-27 改題

294 解説

（1）**正しい。**時間外・休日労働に関する労使協定には、以下の事項を定めるとされている（労基法第36条第2項）。

① 労働時間を延長し、または休日に労働させることができることとされる**労働者の範囲**
② 対象期間（1年間に限るものとする）
③ 労働時間を延長し、または休日に労働させることができる場合
④ 対象期間における1日、1カ月および1年のそれぞれの期間について労働時間を延長して労働させることができる時間または労働させることができる休日の日数
⑤ 労働時間の延長および休日の労働を適正なものとするために必要な事項として厚生労働省令で定める事項 （例）労使協定の有効期間の定めなど

（2）**正しい。**時間外・休日労働に関する労使協定には、有効期間の定めをする必要がある（労基法第36条第1項、労基則第17条第1項第1号）。

（3）**正しい。**時間外・休日労働に関する労使協定の内容は、厚生労働大臣が定める指針に適合したものとなるようにしなければならない（労基法第36条第8項）。

（4）**誤り。**満18歳未満の者については、労使協定による時間外・休日労働をさせることはできない（労基法第60条第1項）。

（5）**正しい。**労使協定による時間外・休日労働をさせる場合、妊娠中または産後1年を経過しない女性が請求した場合には、当該女性に対して法定労働時間を超えて労働させることはできない（労基法第66条第1項）。また、労働時間に関する規定は、①農業または水産業に従事する者、②**監督もしくは管理の地位にある者**または**機密の事務を取り扱う者**、③**監視または断続的労働に従事する者で**、使用者が**行政官庁の許可を受けたもの**については**適用しない**（労基法第41条）。したがって、労使協定による時間外・休日労働をさせる場合、妊娠中または産後1年を経過しない女性が請求したときには、監督または管理の地位にある者等労働時間等に関する規定の適用除外者を除き、当該女性に対して時間外・休日労働をさせることはできない。

正答（4）

★★★
295 労働基準法に基づく産前産後の休業に関する次の文中の ［　　］ 内に入れるAからDの数字の組合せとして、正しいものは（1）～（5）のうちどれか。

「使用者は、［ A ］週間（多胎妊娠の場合にあっては、［ B ］週間）以内に出産する予定の女性が休業を請求した場合においては、その者を就業させてはならない。

使用者は、産後［ C ］週間を経過しない女性を就業させてはならない。ただし、産後［ D ］週間を経過した女性が請求した場合において、その者について医師が支障がないと認めた業務に就かせることは、差し支えない。」

	A	B	C	D
（1）	6	10	6	5
（2）	6	14	8	6
（3）	8	10	6	5
（4）	8	10	8	6
（5）	8	14	8	5

H27.4-26、H25.10-27 類

295 解説

使用者は、[A 6]週間（多胎妊娠の場合にあっては、[B 14]週間）以内に出産する予定の女性が休業を請求した場合においては、その者を就業させてはならない。また、使用者は、産後[C 8]週間を経過しない女性を就業させてはならない。ただし、産後[D 6]週間を経過した女性が請求した場合において、その者について医師が支障がないと認めた業務に就かせることは、差し支えない（労基法第65条第1項・第2項）。

したがって、選択肢（2）が正答となる。

正答（2）

★★★
296 労働基準法に定める妊産婦等に関する次の記述のうち、法令上、誤っているものはどれか。

□□

ただし、常時使用する労働者数が 10 人以上の規模の事業場の場合とし、管理監督者等とは、「監督又は管理の地位にある者等、労働時間、休憩及び休日に関する規定の適用除外者」をいうものとする。

（1）時間外・休日労働に関する協定を締結し、これを所轄労働基準監督署長に届け出ている場合であっても、妊産婦が請求した場合には、管理監督者等の場合を除き、時間外・休日労働をさせてはならない。

（2）1か月単位の変形労働時間制を採用している場合であっても、妊産婦が請求した場合には、管理監督者等の場合を除き、1週40時間、1日8時間を超えて労働させてはならない。

（3）1年単位の変形労働時間制を採用している場合であっても、妊産婦が請求した場合には、管理監督者等の場合を除き、1週40時間、1日8時間を超えて労働させてはならない。

（4）妊娠中の女性が請求した場合には、管理監督者等の場合を除き、他の軽易な業務に転換させなければならない。

（5）生理日の就業が著しく困難な女性が休暇を請求したときは、その者を生理日に就業させてはならない。

R4.10-26

296 解説

（1）**正しい。**労使協定による**時間外・休日労働**をさせる場合、**妊娠中または産後1年を経過しない女性が請求した場合には、**当該女性に対して法定労働時間を超えて労働させることはできない（労基法第66条第1項）。また、管理監督者等には、労働時間、休憩および休日に関する規定は適用されない（労基法第41条）。したがって、時間外・休日労働に関する労使協定を締結し、これを所轄労働基準監督署長に届け出ている場合であっても、妊産婦が請求した場合には、**管理監督者等の場合を除き、時間外・休日労働をさせてはならない。**

（2）**正しい。1カ月単位の変形労働時間制**を採用している場合、**妊娠中または産後1年を経過しない女性が請求した場合には、**当該女性に対して法定労働時間を超えて労働させることはできない（労基法第66条第1項）。また、管理監督者等には、労働時間、休憩および休日に関する規定は適用されない（労基法第41条）。したがって、1カ月単位の変形労働時間制を採用している場合であっても、妊産婦が請求した場合には、**管理監督者等の場合を除き、1週40時間および1日8時間を超えて労働させてはならない。**

（3）**正しい。1年単位の変形労働時間制**を採用している場合、**妊娠中または産後1年を経過しない女性が請求した場合には、**当該女性に対して法定労働時間を超えて労働させることはできない（労基法第66条第1項）。また、管理監督者等には、労働時間、休憩および休日に関する規定は適用されない（労基法第41条）。したがって、1年単位の変形労働時間制を採用している場合であっても、妊産婦が請求した場合には、**管理監督者等の場合を除き、1週40時間および1日8時間を超えて労働させてはならない。**

（4）**誤り。妊娠中の女性が請求した場合においては、管理監督者等の場合であっても、他の軽易な業務に転換させなければならない**（労基法第65条第3項）。

（5）**正しい。**生理日の就業が著しく困難な女性が休暇を請求したときは、その者を生理日に就業させてはならない（労基法第68条）。

正答（4）

関係法令

★★★
297 **労働基準法に定める妊産婦等に関する次の記述のうち、法令上、誤っているものはどれか。**

□□

ただし、常時使用する労働者数が 10 人以上の規模の事業場の場合とし、管理監督者等とは、「監督又は管理の地位にある者等、労働時間、休憩及び休日に関する規定の適用除外者」をいうものとする。

（1）妊産婦とは、妊娠中の女性及び産後1年を経過しない女性をいう。

（2）妊娠中の女性が請求した場合においては、他の軽易な業務に転換させなければならない。

（3）1年単位の変形労働時間制を採用している場合であっても、妊産婦が請求した場合には、管理監督者等の場合を除き、1週 40 時間、1日8時間を超えて労働させてはならない。

（4）フレックスタイム制を採用している場合であっても、妊産婦が請求した場合には、管理監督者等の場合を除き、1週 40 時間、1日8時間を超えて労働させてはならない。

（5）生理日の就業が著しく困難な女性が休暇を請求したときは、その者を生理日に就業させてはならない。

R4.4-27

★★★
298 **労働基準法に定める妊産婦等に関する次の記述のうち、法令上、誤っているものはどれか。**

□□

ただし、常時使用する労働者数が 10 人以上の規模の事業場の場合とし、管理監督者等とは、「監督又は管理の地位にある者等、労働時間、休憩及び休日に関する規定の適用除外者」をいうものとする。

（1）時間外・休日労働に関する協定を締結し、これを所轄労働基準監督署長に届け出ている場合であっても、妊産婦が請求した場合には、管理監督者等の場合を除き、時間外・休日労働をさせてはならない。

（2）フレックスタイム制を採用している場合であっても、妊産婦が請求した場合には、管理監督者等の場合を除き、1週 40 時間、1日8時間を超えて労働させてはならない。

（3）妊産婦が請求した場合には、深夜業をさせてはならない。

（4）妊娠中の女性が請求した場合においては、他の軽易な業務に転換させなければならない。

（5）原則として、産後8週間を経過しない女性を就業させてはならない。

R5.10-26

297 解説

（1）**正しい。**妊産婦とは、**妊娠中**の女性および**産後1年を経過しない**女性をいう（労基法第64条の3第1項）。

（2）**正しい。**妊娠中の女性が**請求**した場合においては、他の軽易な業務に転換させなければならない（労基法第65条第3項）。

（3）**正しい。****1年単位の変形労働時間制**を採用している場合、**妊産婦が請求**した場合には、当該女性に対して**法定労働時間を超えて労働させることはできない**（労基法第66条第1項）。また、**管理監督者等**には、**労働時間、休憩**および**休日に関する規定は適用されない**（労基法第41条）。したがって、設問の場合であっても、妊産婦が請求したときには、管理監督者等の場合を除き、1週40時間および1日8時間を超えて労働させてはならない。

（4）**誤り。**妊産婦が請求した場合に、フレックスタイム制による労働をさせてはならないとする規定はない（労基法第66条第1項参照）。したがって、妊産婦について、**フレックスタイム制**による**労働**を**させることができる**。

（5）**正しい。**生理日の就業が著しく困難な女性が休暇を**請求**したときは、その者を生理日に就業させてはならない（労基法第68条）。

正答（4）

関係法令

298 解説

（1）**正しい。**労使協定による時間外・休日労働をさせる場合、妊娠中または産後1年を経過しない女性が**請求**した場合には、当該女性に対して法定労働時間を超えて労働させることはできない（労基法第66条第1項）。また、**管理監督者等には、労働時間、休憩および休日に関する規定は適用されない**（労基法第41条）。したがって、設問の場合であっても、妊産婦が請求したときには、管理監督者等の場合を除き、時間外・休日労働をさせてはならない。

（2）**誤り。**妊産婦が請求した場合に、フレックスタイム制による労働をさせてはならないとする規定はない（労基法第66条第1項参照）。

（3）**正しい。**妊産婦が**請求**した場合においては、**深夜業をさせてはならない**（労基法第66条第3項）。

（4）**正しい。**妊娠中の女性が**請求**した場合においては、他の軽易な業務に転換させなければならない（労基法第65条第3項）。

（5）**正しい。**原則として、産後8週間を経過しない女性を就業させてはならない（労基法第65条第2項本文）。なお、産後6週間を経過した女性が**請求**した場合において、その者について医師が支障がないと認めた業務に就かせることは、差し支えない（労基法第65条第2項但書）。

正答（2）

★★
299 **労働基準法に定める育児時間に関する次の記述のうち、誤っているものはどれか。**

□□

（1）生後満1年を超え、満2年に達しない生児を育てる女性労働者は、育児時間を請求することができる。

（2）育児時間は、必ずしも有給としなくてもよい。

（3）育児時間は、1日2回、1回当たり少なくとも30分の時間を請求することができる。

（4）育児時間を請求しない女性労働者に対しては、育児時間を与えなくてもよい。

（5）育児時間中は、育児時間を請求した女性労働者を使用してはならない。

R2.10-27

★★
300 **労働基準法に定める育児時間に関する次の記述のうち、誤っているものはどれか。**

□□

（1）生後満1年に達しない生児を育てる女性労働者は、育児時間を請求できる。

（2）育児時間は、休憩時間とは別の時間として請求できる。

（3）育児時間は、原則として、1日2回、1回当たり少なくとも30分の時間を請求できる。

（4）育児時間を請求しない女性労働者に対しても、育児時間を与えなければならない。

（5）育児時間は、育児時間を請求できる女性労働者が請求した時間に与えなければならない。

R1.10-27類、H29.4-27

299 解説

生後**満1年に達しない生児**を育てる女性は、**休憩時間のほか、1日2回**各々少なくとも 30 分、その生児を育てるための時間を**請求**することが**できる**（労基法第 67 条第1項）。

（1）**誤り。**上記のとおり、生後満1年を超えた生児は、育児時間の対象となる生児に該当しない。したがって、生後満1年を超え、満2年に達しない生児を育てる女性労働者は、育児時間を請求できない。

（2）**正しい。**育児時間中の賃金を有給とするか無給とするかは、労使当事者の自由に委ねられるため、必ずしも有給としなくてもよい（昭 33. 6 .25 基収 4317 号）。

（3）**正しい。**上記のとおり、育児時間は、1日2回、1回当たり少なくとも 30 分の時間を請求できる。

（4）**正しい。**上記のとおり、生後満1年に達しない生児を育てる女性は、育児時間を**請求することができる**。したがって、育児時間を請求しない女性労働者に対しては、育児時間を与えなくてもよい。

（5）**正しい。**使用者は、育児時間中は、その女性を使用してはならない（労基法第 67 条第2項）。

正答（1）

300 解説

生後**満1年に達しない生児**を育てる女性は、**休憩時間のほか、1日2回**各々少なくとも 30 分、その生児を育てるための時間を**請求**することが**できる**（労基法第 67 条第1項）。

（1）**正しい。**上記のとおり、生後満1年に達しない生児を育てる女性労働者は、育児時間を請求できる。

（2）**正しい。**上記のとおり、生後満1年に達しない生児を育てる女性は、**休憩時間のほか、**育児時間を請求することができる。したがって、育児時間は、休憩時間とは別の時間として請求できる。

（3）**正しい。**上記のとおり、育児時間は、原則として、1日2回、1回当たり少なくとも 30 分の時間を請求できる。

（4）**誤り。**上記のとおり、生後満1年に達しない生児を育てる女性は、育児時間を**請求することができる**。したがって、育児時間は、請求をしない女性労働者に対して与える義務はない。

（5）**正しい。**育児時間は、育児時間を請求できる女性労働者が請求した時間に与えなければならない（昭 33. 6 . 25 基収 4317 号）。

正答（4）

★
301 労働基準法により作成が義務付けられている就業規則に関する次の記述のうち、誤っているものはどれか。
□□

（1）就業規則の作成又は変更の手続きとして、事業場の労働者の過半数で組織する労働組合（その労働組合がない場合は労働者の過半数を代表する者）の同意が必要である。

（2）退職に関する事項（解雇の事由を含む。）については、必ず就業規則に定めておく必要がある。

（3）休日及び休暇に関する事項については、必ず就業規則に定めておく必要がある。

（4）安全及び衛生に関する事項については、これに関する定めをする場合には就業規則に定めておく必要がある。

（5）就業規則は、常時作業場の見やすい場所へ掲示すること、各労働者に書面を交付すること等の一定の方法によって、労働者に周知させなければならない。

H28.10-27、H27.10-26

301 解説

（1）**誤り。**就業規則の作成または変更については、当該事業場の労働者の過半数で組織する労働組合（その労働組合がない場合は労働者の過半数を代表する者）の**意見を聴かなければならない**（労基法第90条第1項）。同意までは必要ない。

（2）**正しい。退職**に関する事項（解雇の事由を含む）については、**必ず**就業規則に**定めておく必要がある**（労基法第89条第3号）。

（3）**正しい。休日および休暇**に関する事項については、**必ず**就業規則に**定めておく必要がある**（労基法第89条第1号）。

（4）**正しい。安全および衛生**に関する事項については、これに関する**定めをする場合**には就業規則に**定めておく必要がある**（労基法第89条第5号）。

（5）**正しい。**就業規則は、常時作業場の見やすい場所へ掲示すること、各労働者に書面を交付すること等の一定の方法によって、労働者に周知させなければならない（労基法第106条第1項）。

正答（1）

チェック！ ここが狙われる よく出る就業規則の記載事項

速 P.321

必ず就業規則に定める	定めをする場合には就業規則に定める
• 退職に関する事項（解雇の事由を含む） • 賃金（臨時の賃金等を除く）の決定、昇給に関する事項 • 始業および終業の時刻、休憩時間、休日ならびに休暇に関する事項　等	• 安全および衛生に関する事項　等

過去問題
[令和６年４月公表試験問題]

論点別問題での学習を終えたら、実際の過去問題で実力確認をしましょう。演習する際には、時間を計り、別冊 P.41 の解答用紙を利用するなど、実際に受験する要領で行うようにしましょう。

第一種衛生管理者試験は、各科目で 40％以上（有害、非有害に範囲が分かれている科目はそれぞれを１科目とする）、合計得点 60％以上で合格となります。

「解答・解説」は別冊に収録しています。

科　目	問題数	試験時間
関係法令（有害業務に係るもの）	10 問	３時間※
労働衛生（有害業務に係るもの）	10 問	
関係法令（有害業務に係るもの以外のもの）	7問	
労働衛生（有害業務に係るもの以外のもの）	7問	
労働生理	10 問	

※特例第一種衛生管理者試験は２時間、船員法による科目免除者については２時間 15 分となる

〔関係法令（有害業務に係るもの）〕

問１　常時600人の労働者を使用する製造業の事業場における衛生管理体制に関する（１）～（５）の記述のうち、法令上、誤っているものはどれか。

ただし、600人中には、製造工程において次の業務に常時従事する者がそれぞれに示す人数含まれているが、試験研究の業務はなく、他の有害業務はないものとし、衛生管理者及び産業医の選任の特例はないものとする。

深夜業を含む業務 ………………………………………… 300人

多量の低温物体を取り扱う業務 …………………… 100人

特定化学物質のうち第三類物質を製造する業務 … 20人

（１）総括安全衛生管理者を選任しなければならない。

（２）衛生管理者のうち１人を、衛生工学衛生管理者免許を受けた者のうちから選任しなければならない。

（３）衛生管理者のうち少なくとも１人を、専任の衛生管理者としなければならない。

（４）産業医としての法定の要件を満たしている医師で、この事業場に専属でないものを産業医として選任することができる。

（５）特定化学物質作業主任者を選任しなければならない。

問２　厚生労働大臣が定める規格を具備しなければ、譲渡し、貸与し、又は設置してはならない機械等に該当しないものは、次のうちどれか。

（１）排気量40cm³以上の内燃機関を内蔵するチェーンソー

（２）放射線測定器

（３）アンモニア用防毒マスク

（４）ろ過材及び面体を有する防じんマスク

（５）再圧室

問３　次の装置のうち、法令上、定期自主検査の実施義務が規定されているものはどれか。

（1）木材加工用丸のこ盤を使用する屋内の作業場所に設けた局所排気装置

（2）塩酸を使用する屋内の作業場所に設けた局所排気装置

（3）エタノールを使用する作業場所に設けた局所排気装置

（4）トルエンを重量の10%含有する塗料を用いて塗装する屋内の作業場所に設けた局所排気装置

（5）アンモニアを使用する屋内の作業場所に設けたプッシュプル型換気装置

問４　次の作業を行うとき、法令上、作業主任者の選任が義務付けられているものはどれか。

（1）水深10 m以上の場所における潜水の作業

（2）チェーンソーを用いて行う立木の伐木の作業

（3）製造工程において硝酸を用いて行う洗浄の作業

（4）セメント製造工程においてセメントを袋詰めする作業

（5）強烈な騒音を発する場所における作業

問５　法令に基づき定期に行う作業環境測定とその測定頻度との組合せとして、誤っているものは次のうちどれか。

（1）通気設備が設けられている坑内の作業場における通気量の測定
………………………………………………… 半月以内ごとに１回

（2）非密封の放射性物質を取り扱う作業室における空気中の放射性物質の濃度の測定 ………………………………………… １か月以内ごとに１回

（3）溶融ガラスからガラス製品を成型する業務を行う屋内作業場における気温、湿度及びふく射熱の測定 ……………………… １か月以内ごとに１回

（4）チッパーによりチップする業務を行う屋内作業場における等価騒音レベルの測定 ………………………………………… ６か月以内ごとに１回

（5）鉛蓄電池の解体工程において鉛等を切断する業務を行う屋内作業場における空気中の鉛の濃度の測定 ……………………… １年以内ごとに１回

問６　有害物質等に係る作業とこれを規制している労働衛生関係規則との組合せとして、正しいものは次のうちどれか。

（１）ホルムアルデヒドを取り扱う作業 ……………………… 有機溶剤中毒予防規則

（２）レーザー光線による金属の加工の作業 ……………… 電離放射線障害防止規則

（３）ドライアイスを使用して冷凍を行う冷凍庫の内部における作業 ……………………………………………………………… 酸素欠乏症等防止規則

（４）窒素を入れたことのある化学設備のタンク内を点検する作業 ………………………………………………………… 高気圧作業安全衛生規則

（５）自然換気が不十分な場所におけるはんだ付けの作業 …………………………………………………………………… 粉じん障害防止規則

問７　有機溶剤作業主任者の職務として、法令上、定められていないものは次のうちどれか。

ただし、有機溶剤中毒予防規則に定める適用除外及び設備の特例はないものとする。

（１）作業に従事する労働者が有機溶剤により汚染され、又はこれを吸入しないように、作業の方法を決定し、労働者を指揮すること。

（２）保護具の使用状況を監視すること。

（３）タンクの内部において有機溶剤業務に労働者が従事するときは、退避設備の整備等法定の措置が講じられていることを確認すること。

（４）局所排気装置、プッシュプル型換気装置又は全体換気装置を１か月を超えない期間ごとに点検すること。

（５）第一種有機溶剤等又は第二種有機溶剤等に係る有機溶剤業務を行う屋内作業場について、作業環境測定を実施すること。

問８　酸素欠乏症等防止規則に関する次の記述のうち、誤っているものはどれか。

（1）酸素欠乏とは、空気中の酸素の濃度が18%未満である状態をいう。

（2）第二種酸素欠乏危険作業を行う作業場については、その日の作業を開始する前に、当該作業場における空気中の酸素及び硫化水素の濃度を測定しなければならない。

（3）酸素欠乏危険作業に労働者を従事させるときは、労働者を当該作業を行う場所に入場させ、及び退場させる時に、人員を点検しなければならない。

（4）汚水を入れたことのあるポンプを修理する場合で、これを分解する作業に労働者を従事させるときは、硫化水素中毒の防止について必要な知識を有する者のうちから指揮者を選任し、作業を指揮させなければならない。

（5）パルプ液を入れたことのある槽の内部における作業については、酸素欠乏危険作業主任者技能講習を修了した者のうちから、酸素欠乏危険作業主任者を選任しなければならない。

問９　特定化学物質障害予防規則による特別管理物質を製造する事業者が事業を廃止しようとするとき、事業者が実施した措置に関する次のＡからＥの記録等について、特別管理物質等関係記録等報告書に添えて、所轄労働基準監督署長に提出することが、法令上、定められているものの組合せは（1）～（5）のうちどれか。

Ａ　特別管理物質を製造する屋内作業場について行った作業環境測定の記録又はその写し

Ｂ　特別管理物質の製造プロセス等の運転条件及び製造量の記録又はその写し

Ｃ　特別管理物質を製造する作業場において、労働者が常時従事した作業の概要及び当該作業に従事した期間等の記録又はその写し

Ｄ　特別管理物質を製造する作業場所に設けられた局所排気装置の定期自主検査の記録又はその写し

Ｅ　特別管理物質を製造する業務に常時従事する労働者に対し行った特定化学物質健康診断の結果に基づく特定化学物質健康診断個人票又はその写し

（1）Ａ，Ｂ，Ｄ

（2）Ａ，Ｂ，Ｅ

（3）Ａ，Ｃ，Ｅ

（4）Ｂ，Ｃ，Ｄ

（5）Ｃ，Ｄ，Ｅ

問10　次のAからDの業務について、労働基準法に基づく時間外労働に関する協定を締結し、これを所轄労働基準監督署長に届け出た場合においても、労働時間の延長が1日2時間を超えてはならないものの組合せは（1）～（5）のうちどれか。

A　病原体によって汚染された物を取り扱う業務

B　鋼材やくず鉄を入れてある船倉の内部における業務

C　多量の低温物体を取り扱う業務

D　重量物の取扱い等重激なる業務

（1）A，B

（2）A，C

（3）B，C

（4）B，D

（5）C，D

〔労働衛生（有害業務に係るもの）〕

問11　特殊健康診断に関する次の記述のうち、誤っているものはどれか。

（1）有害業務への配置替えの際に行う特殊健康診断には、業務適性の判断と、その後の業務による影響を調べるための基礎資料を得るという目的がある。

（2）特殊健康診断において適切な健診デザインを行うためには、作業内容と有害要因へのばく露状況を把握する必要がある。

（3）情報機器作業に係る健康診断では、眼科学的検査などとともに、上肢及び下肢の運動機能の検査を行う。

（4）マンガンを取り扱う業務に常時従事する労働者に対して行う特殊健康診断の項目として、握力の測定がある。

（5）有機溶剤は、生物学的半減期が短いので、有機溶剤等健康診断における尿中の代謝物の量の検査のための採尿の時刻は、厳重に管理する必要がある。

問 12　厚生労働省の「作業環境測定基準」及び「作業環境評価基準」に基づく作業環境測定及びその結果の評価に関する次の記述のうち、誤っているものはどれか。

（１）管理濃度は、有害物質に関する作業環境の状態を単位作業場所の作業環境測定結果から評価するための指標として設定されたものである。

（２）Ａ測定は、単位作業場所における有害物質の気中濃度の平均的な分布を知るために行う測定である。

（３）Ｂ測定は、単位作業場所中の有害物質の発散源に近接する場所で作業が行われる場合において、空気中の有害物質の最高濃度を知るために行う測定である。

（４）Ａ測定の第二評価値が管理濃度を超えている単位作業場所の管理区分は、Ｂ測定の結果に関係なく第三管理区分になる。

（５）Ｂ測定の測定値が管理濃度を超えている単位作業場所の管理区分は、Ａ測定の結果に関係なく第三管理区分になる。

問 13　化学物質による健康障害に関する次の記述のうち、誤っているものはどれか。

（１）シアン化水素による中毒では、細胞内での酸素利用の障害による呼吸困難、けいれんなどがみられる。

（２）硫化水素による中毒では、意識消失、呼吸麻痺《ひ》などがみられる。

（３）弗《ふっ》化水素による慢性中毒では、骨の硬化、斑状歯などがみられる。

（４）二酸化硫黄による慢性中毒では、慢性気管支炎、歯牙酸蝕《しょく》症などがみられる。

（５）二酸化窒素による中毒では、末梢《しょう》神経障害などがみられる。

問 14　電離放射線による健康影響に関する次の記述のうち、誤っているものはどれか。

（１）電離放射線の被ばくによる生体への影響には、身体的影響と遺伝的影響がある。

（２）造血器、消化管粘膜など細胞分裂の頻度の高い細胞が多い組織・臓器は、一般に、電離放射線の影響を受けやすい。

（３）電離放射線に被ばく後、30 日以内に現れる造血器障害は、急性障害に分類される。

（４）電離放射線の被ばくによる身体的影響のうち、白内障は晩発障害に分類される。

（５）電離放射線の被ばくによる発がんと遺伝的影響は、確率的影響に分類され、症状の程度は線量に依存する。

問15　有機溶剤に関する次の記述のうち、正しいものはどれか。

（１）有機溶剤の多くは、揮発性が高く、その蒸気は空気より軽い。

（２）有機溶剤は、脂溶性が低いため、脂肪の多い脳などには入りにくい。

（３）メタノールによる障害として顕著なものには、網膜の微細動脈瘤《りゅう》を伴う脳血管障害がある。

（４）二硫化炭素は、動脈硬化を進行させたり、精神障害を生じさせることがある。

（５）*N,N*-ジメチルホルムアミドによる障害として顕著なものには、視力低下を伴う視神経障害がある。

問16　化学物質とその常温・常圧（25℃、１気圧）での空気中における状態との組合せとして、誤っているものは次のうちどれか。

ただし、ガスとは、常温・常圧で気体のものをいい、蒸気とは、常温・常圧で液体又は固体の物質が蒸気圧に応じて揮発又は昇華して気体となっているものをいうものとする。

（１）アセトン ……………………… ガス

（２）塩素 ……………………… ガス

（３）テトラクロロエチレン ……………………… 蒸気

（４）ナフタレン ……………………… 蒸気

（５）フェノール ……………………… 蒸気

問17　化学物質と、それにより発症するおそれのある主たるがんとの組合せとして、正しいものは次のうちどれか。

（１）塩化ビニル ……………………… 肝血管肉腫

（２）ベンジジン ……………………… 皮膚がん

（３）ビス（クロロメチル）エーテル ……………… 膀胱《ぼうこう》がん

（４）クロム酸 ……………………… 大腸がん

（５）石綿 ……………………… 胃がん

問 18　厚生労働省の「化学物質等による危険性又は有害性等の調査等に関する指針」に関する次の記述のうち、誤っているものはどれか。

（1）リスクアセスメントの基本的手順のうち最初に実施するのは、労働者の就業に係る化学物質等による危険性又は有害性を特定することである。

（2）ハザードは、労働災害発生の可能性と負傷又は疾病の重大性（重篤度）の組合せであると定義される。

（3）化学物質等による疾病のリスク低減措置の検討では、化学物質等の有害性に応じた有効な保護具の使用よりも作業手順の改善、立入禁止等の管理的対策を優先する。

（4）化学物質等による疾病のリスク低減措置の検討では、法令に定められた事項を除けば、危険性又は有害性のより低い物質への代替等を最優先する。

（5）化学物質等による疾病のリスク低減措置の検討に当たっては、より優先順位の高い措置を実施することにした場合であって、当該措置により十分にリスクが低減される場合には、当該措置よりも優先順位の低い措置の検討は必要ない。

問 19　局所排気装置に関する次の記述のうち、正しいものはどれか。

（1）キャノピ型フードは、発生源からの熱による上昇気流を利用して捕捉するもので、レシーバ式フードに分類される。

（2）スロット型フードは、作業面を除き周りが覆われているもので、囲い式フードに分類される。

（3）囲い式フードの排気効果を型別に比較すると、ドラフトチェンバ型は、カバー型より排気効果が大きい。

（4）ダクトの形状には円形、角形などがあり、その断面積を大きくするほど、ダクトの圧力損失が増大する。

（5）空気清浄装置を付設する局所排気装置を設置する場合、排風機は、一般に、フードに接続した吸引ダクトと空気清浄装置の間に設ける。

問20　呼吸用保護具に関する次の記述のうち、誤っているものはどれか。

（1）隔離式防毒マスクは、直結式防毒マスクよりも有害ガスの濃度が高い大気中で使用することができる。

（2）ガス又は蒸気状の有害物質が粉じんと混在している作業環境中で防毒マスクを使用するときは、防じん機能を有する防毒マスクを選択する。

（3）防毒マスクの吸収缶の色は、アンモニア用は緑色で、有機ガス用は黒色である。

（4）使い捨て式防じんマスクは、粒径1μm程度のヒュームには使用できない。

（5）防じんマスクは、面体と顔面との間にタオルなどを挟んで着用してはならない。

〔関係法令（有害業務に係るもの以外のもの）〕

問21　常時使用する労働者数が300人の事業場で、法令上、総括安全衛生管理者の選任が義務付けられていない業種は、次のうちどれか。

（1）通信業

（2）各種商品小売業

（3）旅館業

（4）ゴルフ場業

（5）警備業

問22　衛生管理者が管理すべき業務として、法令上、定められていないものは次のうちどれか。

ただし、次のそれぞれの業務のうち衛生に係る技術的事項に限るものとする。

（1）化学物質等による危険性又は有害性等の調査及びその結果に基づき講ずる措置に関すること。

（2）健康診断の実施その他健康の保持増進のための措置に関すること。

（3）労働者の衛生のための教育の実施に関すること。

（4）労働者の健康を確保するため必要があると認めるとき、事業者に対し、労働者の健康管理等について必要な勧告をすること。

（5）少なくとも毎週1回作業場等を巡視し、衛生状態に有害のおそれがあるときは、直ちに、労働者の健康障害を防止するため必要な措置を講じること。

問 23　労働安全衛生法に基づく心理的な負担の程度を把握するための検査の結果に基づき実施する面接指導に関する次の記述のうち、正しいものはどれか。

（1）常時 50 人以上の労働者を使用する事業者は、１年以内ごとに１回、定期に、心理的な負担の程度を把握するための検査結果等報告書を所轄労働基準監督署長に提出しなければならない。

（2）事業者は、面接指導の対象となる労働者の要件に該当する労働者から申出があったときは、申出の日から３か月以内に、面接指導を行わなければならない。

（3）事業者は、面接指導を行った場合は、当該面接指導の結果を当該事業場の当該部署に所属する労働者の集団その他の一定規模の集団ごとに集計し、その結果について分析しなければならない。

（4）面接指導の結果は、健康診断個人票に記載しなければならない。

（5）面接指導を行う医師として事業者が指名できる医師は、法定の研修を修了した医師に限られる。

問 24　産業医の職務として、法令に定められていない事項は次のうちどれか。

ただし、次のそれぞれの事項のうち医学に関する専門的知識を必要とするものに限るものとする。

（1）安全衛生に関する方針の表明に関すること。

（2）作業の管理に関すること。

（3）健康診断の実施に関すること。

（4）衛生教育に関すること。

（5）労働者の健康障害の原因の調査及び再発防止のための措置に関すること。

問 25　労働安全衛生規則に基づく次の定期健康診断項目のうち、厚生労働大臣が定める基準に基づき、医師が必要でないと認めるときは、省略することができる項目に該当しないものはどれか。

（1）既往歴及び業務歴の調査

（2）心電図検査

（3）肝機能検査

（4）血中脂質検査

（5）貧血検査

問 26　労働基準法における労働時間等に関する次の記述のうち、正しいものはどれか。

（1）1日8時間を超えて労働させることができるのは、時間外労働の協定を締結し、これを所轄労働基準監督署長に届け出た場合に限られている。

（2）労働時間に関する規定の適用については、事業場を異にする場合は労働時間を通算しない。

（3）労働時間が8時間を超える場合においては、少なくとも45分の休憩時間を労働時間の途中に与えなければならない。

（4）機密の事務を取り扱う労働者については、所轄労働基準監督署長の許可を受けなくても労働時間に関する規定は適用されない。

（5）フレックスタイム制の清算期間は、6か月以内の期間に限られる。

問 27　週所定労働時間が32時間、週所定労働日数が4日である労働者であって、雇入れの日から起算して3年6か月継続勤務したものに対して、その後1年間に新たに与えなければならない年次有給休暇日数として、法令上、正しいものは次のうちどれか。

ただし、その労働者はその直前の1年間に全労働日の8割以上出勤したものとする。

（1）10日

（2）11日

（3）12日

（4）13日

（5）14日

〔労働衛生（有害業務に係るもの以外のもの）〕

問 28　厚生労働省の「労働者の心の健康の保持増進のための指針」に基づくメンタルヘルスケアの実施に関する次の記述のうち、適切でないものはどれか。

（1）「心の健康づくり計画」の策定に当たっては、衛生委員会又は安全衛生委員会において十分調査審議を行う。

（2）「セルフケア」、「ラインによるケア」、「事業場内産業保健スタッフ等によるケア」及び「事業場外資源によるケア」の四つのケアを継続的かつ計画的に行う。

（3）メンタルヘルスケアを推進するに当たって、労働者の個人情報を主治医等の医療職や家族から取得する際には、あらかじめこれらの情報を取得する目的を労働者に明らかにして承諾を得るとともに、これらの情報は労働者本人から提出を受けることが望ましい。

（4）労働者の心の健康は、職場配置、人事異動、職場の組織等の要因によって影響を受ける可能性があるため、人事労務管理部門と連携するようにする。

（5）プライバシー保護の観点から、衛生委員会や安全衛生委員会において、ストレスチェック制度に関する調査審議とメンタルヘルスケアに関する調査審議を関連付けて行うことは避ける。

問 29　労働者の健康保持増進のために行う健康測定における運動機能検査の項目とその測定種目との組合せとして、誤っているものは次のうちどれか。

（1）筋力 ……………………… 握力

（2）柔軟性 ………………… 座位体前屈

（3）筋持久力 …………… 上体起こし

（4）敏しょう性 ……… 踏み台昇降

（5）全身持久性 ……… 最大酸素摂取量

問 30　1,000 人を対象としたある疾病のスクリーニング検査の結果と精密検査結果によるその疾病の有無は下表のとおりであった。このスクリーニング検査の偽陽性率及び偽陰性率の近似値の組合せとして、適切なものは（1）～（5）のうちどれか。

ただし、偽陽性率とは、疾病無しの者を陽性と判定する率をいい、偽陰性率とは、疾病有りの者を陰性と判定する率をいうものとする。

精密検査結果による疾病の有無	スクリーニング検査結果（人）	
	陽性	陰性
疾病有り	20	5
疾病無し	200	775

	偽陽性率（%）	偽陰性率（%）
（1）	20.0	0.5
（2）	20.5	20.0
（3）	22.0	25.0
（4）	25.8	0.5
（5）	28.2	20.0

問 31　脳血管障害及び虚血性心疾患に関する次の記述のうち、誤っているものはどれか。

（1）脳血管障害は、脳の血管の病変が原因で生じ、出血性病変、虚血性病変などに分類される。

（2）出血性の脳血管障害は、脳表面のくも膜下腔《くう》に出血するくも膜下出血、脳実質内に出血する脳出血などに分類される。

（3）くも膜下出血は、通常、脳動脈瘤《りゅう》が破れて数日後に発症し、激しい頭痛を伴う。

（4）虚血性心疾患は、心筋の一部分に可逆的な虚血が起こる狭心症と、不可逆的な心筋壊《え》死が起こる心筋梗塞とに大別される。

（5）心筋梗塞では、突然激しい胸痛が起こり、「締め付けられるように痛い」、「胸が苦しい」などの症状が、1時間以上続くこともある。

問32　骨折に関する次の記述のうち、正しいものはどれか。

（1）単純骨折とは、骨にひびが入った状態をいう。

（2）複雑骨折とは、骨が多数の骨片に破砕された状態をいう。

（3）不完全骨折では、骨折端どうしが擦れ合う軋轢《あつれき》音や変形などが認められる。

（4）脊髄損傷が疑われる場合は、動かさないことを原則とするが、やむを得ず搬送する場合は、負傷者に振動を与えないようにするため、柔らかいマットに乗せる。

（5）骨折に対する処置として、副子を手や足に当てるときは、骨折部分の上下の関節まで固定できる長さで、かつ、幅の広いものを用いる。

問33　ノロウイルスによる食中毒に関する次の記述のうち、正しいものはどれか。

（1）食品に付着したウイルスが食品中で増殖し、ウイルスが産生した毒素により発症する。

（2）ウイルスの感染性は、長時間煮沸しても失われない。

（3）潜伏期間は、１～２日である。

（4）発生時期は、夏季が多い。

（5）症状は、筋肉の麻痺《ひ》などの神経症状が特徴である。

問34　ＢＭＩに関する次の記述のうち、正しいものはどれか。

（1）ＢＭＩは肥満や低体重（痩せ）の判定に用いられる指数で、この数値が大きいほど肥満の傾向があり、小さいほど痩せの傾向がある。

（2）ＢＭＩを算出するには、腹囲の値が必要である。

（3）ＢＭＩを算出するには、体脂肪率の値が必要である。

（4）ＢＭＩは、内臓脂肪の重量と直線的な比例関係にある。

（5）ＢＭＩによる肥満度の判定基準には、男性の方が女性より大きな数値が用いられる。

〔労働生理〕

問 35　呼吸に関する次の記述のうち、正しいものはどれか。

（１）呼吸は、胸膜が運動することで胸腔《くう》内の圧力を変化させ、肺を受動的に伸縮させることにより行われる。

（２）肺胞内の空気と肺胞を取り巻く毛細血管中の血液との間で行われるガス交換は、内呼吸である。

（３）通常の呼吸の場合の呼気には、酸素が約 16%、二酸化炭素が約４％含まれる。

（４）チェーンストークス呼吸とは、肺機能の低下により呼吸数が増加した状態をいい、喫煙が原因となることが多い。

（５）身体活動時には、血液中の窒素分圧の上昇により呼吸中枢が刺激され、１回換気量及び呼吸数が増加する。

問 36　神経系に関する次の記述のうち、誤っているものはどれか。

（１）神経細胞の細胞体が集合しているところを、中枢神経系では神経節といい、末梢《しょう》神経系では神経核という。

（２）大脳の外側の皮質は、神経細胞の細胞体が集合した灰白質で、感覚、運動、思考などの作用を支配する中枢として機能する。

（３）副交感神経系は、身体の機能を回復に向けて働く神経系で、休息や睡眠状態で活動が高まり、心拍数を減少し、消化管の運動を亢《こう》進する。

（４）自律神経系は、交感神経系と副交感神経系とに分類され、各種臓器に対して両方の神経が支配している。

（５）体性神経には感覚器官からの情報を中枢に伝える感覚神経と、中枢からの命令を運動器官に伝える運動神経がある。

問37　心臓及び血液循環に関する次の記述のうち、誤っているものはどれか。

（１）心臓は、自律神経の中枢で発生した刺激が刺激伝導系を介して心筋に伝わることにより、規則正しく収縮と拡張を繰り返す。

（２）肺循環により左心房に戻ってきた血液は、左心室を経て大動脈に入る。

（３）大動脈を流れる血液は動脈血であるが、肺動脈を流れる血液は静脈血である。

（４）心臓の拍動による動脈圧の変動を末梢《しょう》の動脈で触知したものを脈拍といい、一般に、手首の橈《とう》骨動脈で触知する。

（５）動脈硬化とは、コレステロールの蓄積などにより、動脈壁が肥厚・硬化して弾力性を失った状態であり、進行すると血管の狭窄《さく》や閉塞を招き、臓器への酸素や栄養分の供給が妨げられる。

問38　脂肪の分解・吸収及び脂質の代謝に関する次の記述のうち、誤っているものはどれか。

（１）脂肪は、膵《すい》臓から分泌される消化酵素である膵《すい》アミラーゼにより脂肪酸とグリセリンに分解される。

（２）胆汁は、アルカリ性で、消化酵素は含まないが、食物中の脂肪を乳化させ、脂肪分解の働きを助ける。

（３）肝臓は、過剰な蛋《たん》白質及び糖質を中性脂肪に変換する。

（４）コレステロールやリン脂質は、神経組織の構成成分となる。

（５）脂質は、糖質や蛋《たん》白質に比べて多くのＡＴＰを産生するエネルギー源となるが、摂取量が多すぎると肥満の原因となる。

問 39　腎臓又は尿に関する次のＡからＤの記述について、誤っているものの組合せは（１）～（５）のうちどれか。

Ａ　腎臓の皮質にある腎小体では、糸球体から血液中の糖以外の血漿《しょう》成分がボウマン嚢《のう》に濾《こ》し出され、原尿が生成される。

Ｂ　腎臓の尿細管では、原尿に含まれる大部分の水分及び身体に必要な成分が血液中に再吸収され、残りが尿として生成される。

Ｃ　尿は淡黄色の液体で、固有の臭気を有し、通常、弱酸性である。

Ｄ　尿酸は、体内のプリン体と呼ばれる物質の代謝物で、健康診断において尿中の尿酸の量の検査が広く行われている。

（１）Ａ，Ｂ

（２）Ａ，Ｃ

（３）Ａ，Ｄ

（４）Ｂ，Ｃ

（５）Ｃ，Ｄ

問 40　感覚又は感覚器に関する次の記述のうち、誤っているものはどれか。

（１）眼軸が短過ぎるために、平行光線が網膜の後方で像を結ぶものを遠視という。

（２）嗅覚と味覚は化学感覚ともいわれ、物質の化学的性質を認知する感覚である。

（３）温度感覚は、皮膚のほか口腔《くう》などの粘膜にも存在し、一般に冷覚の方が温覚よりも鋭敏である。

（４）深部感覚は、筋肉や腱にある受容器から得られる身体各部の位置、運動などを認識する感覚である。

（５）平衡感覚に関係する器官である前庭及び半規管は、中耳にあって、体の傾きや回転の方向を知覚する。

問41　ヒトのホルモン、その内分泌器官及びそのはたらきの組合せとして、誤っているものは次のうちどれか。

	ホルモン	内分泌器官	はたらき
(1)	アルドステロン	副腎髄質	血糖量の増加
(2)	インスリン	膵《すい》臓	血糖量の減少
(3)	パラソルモン	副甲状腺	血中のカルシウム量の調節
(4)	プロラクチン	下垂体	黄体形成の促進
(5)	副腎皮質刺激ホルモン	下垂体	副腎皮質の活性化

問42　免疫に関する次の記述のうち、誤っているものはどれか。

(1) 抗原とは、免疫に関係する細胞によって異物として認識される物質のことである。

(2) 抗原となる物質には、蛋《たん》白質、糖質などがある。

(3) 抗体とは、体内に入ってきた抗原に対して体液性免疫において作られる免疫グロブリンと呼ばれる蛋《たん》白質のことである。

(4) 好中球は白血球の一種であり、偽足を出してアメーバ様運動を行い、体内に侵入してきた細菌などを貪食する。

(5) リンパ球には、血液中の抗体を作るTリンパ球と、細胞性免疫の作用を持つBリンパ球がある。

問43　ストレスに関する次の記述のうち、誤っているものはどれか。

(1) 外部からの刺激であるストレッサーは、その形態や程度にかかわらず、自律神経系と内分泌系を介して、心身の活動を抑圧する。

(2) ストレスに伴う心身の反応には、ノルアドレナリン、アドレナリンなどのカテコールアミンや副腎皮質ホルモンが深く関与している。

(3) 昇進、転勤、配置替えなどがストレスの原因となることがある。

(4) 職場環境における騒音、気温、湿度、悪臭などがストレスの原因となることがある。

(5) ストレスにより、高血圧症、狭心症、十二指腸潰瘍などの疾患が生じることがある。

問 44　体温調節に関する次の記述のうち、正しいものはどれか。

（1）体温調節中枢は、間脳の視床下部にある。

（2）体温調節のように、外部環境が変化しても身体内部の状態を一定に保つ生体の仕組みを同調性といい、筋肉と神経系により調整されている。

（3）寒冷な環境においては、皮膚の血管が拡張して血流量を増し、皮膚温を上昇させる。

（4）計算上、体重 70kg の人の体表面から 10 g の汗が蒸発すると、体温が約 1 ℃下がる。

（5）不感蒸泄《せつ》とは、水分が発汗により失われることをいう。

予想模擬試験

この「予想模擬試験」は、学習の仕上げとして本試験の予行演習をしていただくために、**本試験と同じ出題形式、同じ問題配分で作成**してあります。第一種衛生管理者試験を攻略するには、試験に慣れておくことが大切です。演習する際には、時間を計り、別冊 P.43 の解答用紙を利用するなど、実際に受験する要領で行うようにしましょう。

「解答・解説編」は別冊に収録しています。

科　目	問題数	試験時間
関係法令（有害業務に係るもの）	10問	3時間※
労働衛生（有害業務に係るもの）	10問	
関係法令（有害業務に係るもの以外のもの）	7問	
労働衛生（有害業務に係るもの以外のもの）	7問	
労働生理	10問	

※特例第一種衛生管理者試験は２時間、船員法による科目免除者については２時間 15 分となる

〔関係法令（有害業務に係るもの）〕

問１　常時800人の労働者を使用する製造業の事業場における衛生管理体制に関する（１）～（５）の記述のうち、法令上、誤っているものはどれか。

ただし、800人中には、製造工程において次の業務に常時従事する者がそれぞれに示す人数含まれており、試験研究の業務はないものとし、衛生管理者及び産業医の選任の特例はないものとする。

深夜業を含む業務	550人
多量の高熱物体を取り扱う業務	100人
特定化学物質のうち第三類物質を製造する業務	60人

（１）総括安全衛生管理者を選任しなければならない。

（２）衛生管理者のうち１人を、衛生工学衛生管理者免許を受けた者のうちから選任しなければならない。

（３）衛生管理者のうち少なくとも１人を、専任の衛生管理者として選任しなければならない。

（４）産業医は、この事業場に専属の者ではないが、産業医としての法定の要件を満たしている医師のうちから選任することができる。

（５）特定化学物質作業主任者を選任しなければならない。

問２　次のＡからＤの機械等について、法令上、厚生労働大臣が定める規格を具備しなければ、譲渡し、貸与し、又は設置してはならないものの組合せは（１）～（５）のうちどれか。

Ａ　放射線測定器

Ｂ　聴覚保護具

Ｃ　ハロゲンガス用防毒マスク

Ｄ　電動ファン付き呼吸用保護具

（１）Ａ，Ｂ

（２）Ａ，Ｃ

（３）Ａ，Ｄ

（４）Ｂ，Ｄ

（５）Ｃ，Ｄ

問３　次の設備又は装置のうち、法令に基づく定期自主検査の実施頻度が１年以内ごとに１回とされていないものはどれか。

（1）鉛化合物を製造する工程において鉛等の溶融を行う屋内の作業場所に設置した局所排気装置

（2）トルエンを用いて洗浄を行う屋内の作業場所に設置したプッシュプル型換気装置

（3）塩化水素を取り扱う特定化学設備

（4）弗《ふつ》化水素を含有する気体を排出する製造設備の排気筒に設置した排ガス処理装置

（5）セメントを袋詰めする屋内の作業箇所に設置した局所排気装置に設けた除じん装置

問４　屋内作業場において、第二種有機溶剤等を使用して常時洗浄作業を行う場合の措置として、法令上、誤っているものは次のうちどれか。

ただし、有機溶剤中毒予防規則に定める適用除外及び設備の特例はないものとする。

（1）作業場所に設けた局所排気装置について、外付け式フードの場合は0.4m/sの制御風速を出し得る能力を有するものにする。

（2）有機溶剤等の区分の色分けによる表示を黄色で行う。

（3）作業場における空気中の有機溶剤の濃度を、６か月以内ごとに１回、定期に測定し、その測定結果等の記録を３年間保存する。

（4）作業に常時従事する労働者に対し、原則として、６か月以内ごとに１回、定期に、特別の項目について医師による健康診断を行い、その結果に基づき作成した有機溶剤等健康診断個人票を５年間保存する。

（5）作業場所に設けたプッシュプル型換気装置について、原則として、１年以内ごとに１回、定期に、自主検査を行い、その検査の結果等の記録を３年間保存する。

問５　次の化学物質のうち、労働安全衛生法により、製造し、輸入し、譲渡し、提供し、又は使用することが、原則として禁止されているものはどれか。

（１）オーラミン

（２）ベンジジン及びその塩

（３）ジクロルベンジジン及びその塩

（４）オルト - トリジン及びその塩

（５）五酸化バナジウム

問６　労働安全衛生規則の衛生基準について、誤っているものは次のうちどれか。

（１）坑内における気温は、原則として、37℃以下にしなければならない。

（２）屋内作業場に多量の熱を放散する溶融炉があるときは、加熱された空気を直接屋外に排出し、又はその放射するふく射熱から労働者を保護する措置を講じなければならない。

（３）炭酸ガス（二酸化炭素）濃度が0.15％を超える場所には、関係者以外の者が立ち入ることを禁止し、かつ、その旨を見やすい箇所に表示しなければならない。

（４）著しく暑熱又は多湿の作業場においては、坑内等特殊な作業場でやむを得ない事由がある場合を除き、休憩の設備を作業場外に設けなければならない。

（５）廃棄物の焼却施設において焼却灰を取り扱う業務（設備の解体等に伴うものを除く。）を行う作業場については、６か月以内ごとに１回、定期に、当該作業場における空気中のダイオキシン類の濃度を測定しなければならない。

問7　酸素欠乏症等防止規則に関する次の記述のうち、法令上、誤っているものはどれか。

（1）第一種酸素欠乏危険作業を行う作業場については、その日の作業を開始する前に、当該作業場における空気中の酸素の濃度を測定しなければならない。

（2）第二種酸素欠乏危険作業を行う作業場については、その日の作業を開始する前に、当該作業場における空気中の酸素及び硫化水素の濃度を測定しなければならない。

（3）海水が滞留したことのあるピットの内部における作業については、酸素欠乏危険作業主任者技能講習を修了した者のうちから、酸素欠乏危険作業主任者を選任しなければならない。

（4）酸素又は硫化水素の濃度が法定の基準を満たすようにするため、酸素欠乏危険作業を行う場所の換気を行うときは、純酸素を使用してはならない。

（5）爆発、酸化等を防止するため、酸素欠乏危険作業を行う場所の換気を行うことができない場合には、空気呼吸器、酸素呼吸器又は送気マスクを備え、労働者に使用させなければならない。

問8　じん肺法に関する次の記述のうち、法令上、誤っているものはどれか。

（1）都道府県労働局長は、事業者等からじん肺健康診断の結果を証明する書面等が提出された労働者について、地方じん肺診査医の診断又は審査によりじん肺管理区分を決定する。

（2）事業者は、常時粉じん作業に従事する労働者で、じん肺管理区分が管理一であるものについては、３年以内ごとに１回、定期的に、じん肺健康診断を行わなければならない。

（3）事業者は、常時粉じん作業に従事する労働者で、じん肺管理区分が管理二又は管理三であるものについては、１年以内ごとに１回、定期的に、じん肺健康診断を行わなければならない。

（4）じん肺管理区分が管理四と決定された者は、療養を要する。

（5）事業者は、じん肺健康診断に関する記録及びエックス線写真を５年間保存しなければならない。

問９　有害業務を行う作業場等について、法令に基づき定期に行う作業環境測定とその測定頻度との組合せとして、誤っているものは次のうちどれか。

（１）放射性物質取扱作業室における空気中の放射性物質の濃度の測定
……………………………………………………………… １か月以内ごとに１回

（２）多量のドライアイスを取り扱う業務を行う屋内作業場における気温及湿度の測定 ………………………………………………………… ２か月以内ごとに１回

（３）通気設備が設けられている坑内の作業場における通気量の測定
……………………………………………………………… 半月以内ごとに１回

（４）特定粉じん作業を常時行う屋内作業場における空気中の粉じんの濃度の測定
……………………………………………………………… ６か月以内ごとに１回

（５）鉛ライニングの業務を行う屋内作業場における空気中の鉛の濃度の測定
……………………………………………………………… １年以内ごとに１回

問10　労働基準法に基づき、満18歳に満たない者を就かせてはならない業務に該当しないものは次のうちどれか。

（１）さく岩機、鋲《びょう》打機等身体に著しい振動を与える機械器具を用いて行う業務

（２）赤外線又は紫外線にさらされる業務

（３）多量の高熱物体を取り扱う業務

（４）著しく寒冷な場所における業務

（５）強烈な騒音を発する場所における業務

〔労働衛生（有害業務に係るもの）〕

問 11　化学物質等による疾病のリスクの低減措置について、法令に定められた措置以外の措置を検討する場合、優先度の最も高いものは次のうちどれか。

（1）化学物質等に係る機械設備等の密閉化

（2）化学物質等に係る機械設備等への局所排気装置の設置

（3）作業手順の改善

（4）化学物質等の有害性に応じた有効な保護具の使用

（5）化学反応のプロセス等の運転条件の変更

問 12　有害物質とその常温・常圧（25℃、１気圧）の空気中における状態との組合せとして、誤っているものは次のうちどれか。

ただし、ガスとは、常温・常圧で気体のものをいい、蒸気とは、常温・常圧で液体又は固体の物質が蒸気圧に応じて揮発又は昇華して気体となっているものをいうものとする。

（1）ホルムアルデヒド………………… ガス

（2）アセトン…………………………… 蒸気

（3）硫酸ジメチル……………………… 蒸気

（4）ジクロロベンジジン……………… ガス

（5）水銀………………………………… 蒸気

問 13　金属による中毒に関する次の記述のうち、正しいものはどれか。

（1）鉛中毒では、貧血、伸筋麻痺《ひ》、腹部の疝《せん》痛などの症状がみられる。

（2）ベリリウム中毒では、溶血性貧血、尿の赤色化などの症状がみられる。

（3）マンガン中毒では、指の骨の溶解、皮膚の硬化などの症状がみられる。

（4）クロム中毒では、低分子蛋《たん》白尿、歯への黄色の色素沈着、視野狭窄《さく》などの症状がみられる。

（5）金属水銀中毒では、骨軟化症、鼻中隔穿《せん》孔などの症状がみられる。

問 14　化学物質による健康障害に関する次の記述のうち、誤っているものはどれか。

（1）ノルマルヘキサンによる中毒では、多発性神経炎がみられる。

（2）シアン化水素による中毒では、細胞内での酸素利用の障害による呼吸困難や痙攣がみられる。

（3）酢酸メチルによる中毒では、再生不良性貧血や白血病がみられる。

（4）二酸化硫黄による慢性中毒では、慢性気管支炎や歯牙酸蝕《しょく》症がみられる。

（5）弗化水素による慢性中毒では、骨の硬化や斑状歯がみられる。

問 15　有機溶剤の人体に対する影響に関する次の記述のうち、誤っているものはどれか。

（1）脂溶性があり、脂肪の多い脳などに入りやすい。

（2）高濃度ばく露による急性中毒では、中枢神経系抑制作用により酩酊《めいてい》状態をきたし、重篤な場合は死に至る。

（3）低濃度の繰り返しばく露による慢性中毒では、頭痛、めまい、記憶力減退、不眠などの不定愁訴がみられる。

（4）皮膚や粘膜に対する症状には、黒皮症、鼻中隔穿《せん》孔などがある。

（5）一部の有機溶剤は、肝機能障害や腎機能障害を起こす。

問 16　粉じん（ヒュームを含む。）による健康障害に関する次の記述のうち、誤っているものはどれか。

（1）じん肺は、粉じんを吸入することによって肺に生じた線維増殖性変化を主体とする疾病である。

（2）鉱物性粉じんに含まれる遊離けい酸（SiO_2）は、石灰化を伴う胸膜肥厚や胸膜中皮腫を生じさせるという特徴がある。

（3）じん肺は、肺結核のほか、続発性気管支炎、続発性気胸、原発性肺がんなどを合併することがある。

（4）溶接工肺は、溶接の際に発生する酸化鉄ヒュームのばく露によって発症するじん肺である。

（5）アルミニウムやその化合物によるじん肺は、アルミニウム肺と呼ばれている。

問17　作業環境における有害要因による健康障害に関する次の記述のうち、正しいものはどれか。

（1）レイノー現象は、振動工具などによる末梢《しょう》循環障害で、冬期に発生しやすい。

（2）けい肺は、鉄、アルミニウムなどの金属粉じんによる肺の線維増殖性変化で、けい肺結節という線維性の結節が形成される。

（3）金属熱は、鉄、アルミニウムなどの金属を溶融する作業などに長時間従事した際に、高温環境により体温調節機能が障害を受けることにより発生する。

（4）電離放射線による造血器障害は、確率的影響に分類され、被ばく線量がしきい値を超えると発生率及び重症度が線量に対応して増加する。

（5）熱けいれんは、高温環境下での労働において、皮膚の血管に血液がたまり、脳への血液の流れが少なくなることにより発生し、めまい、失神などの症状がみられる。

問18　局所排気装置に関する次の記述のうち、正しいものはどれか。

（1）ダクトの形状には円形、角形などがあり、その断面積を大きくするほど、ダクトの圧力損失が増大する。

（2）フード開口部の周囲にフランジがあると、フランジがないときに比べ、気流の整流作用が増すので、大きな排風量が必要となる。

（3）ドラフトチェンバ型フードは、発生源からの飛散速度を利用して捕捉するもので、外付け式フードに分類される。

（4）建築ブース型フードは、作業面を除き周りが覆われているもので、外付け式フードに分類される。

（5）ダクトは、曲がり部分をできるだけ少なくするように配管し、主ダクトと枝ダクトとの合流角度は45°を超えないようにする。

問 19　労働衛生保護具などに関する次の記述のうち、誤っているものはどれか。

（1）電動ファン付き呼吸用保護具は、電動ファンにより有害物質を含む空気を拡散して呼吸域から除去する呼吸用保護具である。

（2）送気マスクは、清浄な空気をパイプ、ホースなどにより作業者に供給する呼吸用保護具である。

（3）防じんマスクは、面体と顔面との間にタオルなどを当てて着用してはならない。

（4）防毒マスクは、顔面と接する部分が適切な位置に収まるよう装着し、しめひもについては、耳にかけることなく、後頭部において固定する。

（5）保護クリームは、作業中に有害な物質が直接皮膚に付着しないようにする目的で塗布するものである。

問 20　特殊健康診断に関する次の文中の［　　］内に入れるAからCの語句の組合せとして、正しいものは（1）～（5）のうちどれか。

「特殊健康診断において有害物の体内摂取量を把握する検査として、生物学的モニタリングがあり、スチレンについては、尿中の［ A ］及びフェニルグリオキシル酸の総量を測定し、［ B ］については、［ C ］中のデルタアミノレブリン酸の量を測定する。」

	A	B	C
（1）	馬尿酸	鉛	尿
（2）	馬尿酸	水銀	血液
（3）	メチル馬尿酸	鉛	血液
（4）	マンデル酸	水銀	血液
（5）	マンデル酸	鉛	尿

〔関係法令（有害業務に係るもの以外のもの）〕

問21　総括安全衛生管理者又は産業医に関する次の記述のうち、法令上、誤っているものはどれか。

ただし、産業医の選任の特例はないものとする。

（1）総括安全衛生管理者は、事業場においてその事業の実施を統括管理する者をもって充てなければならない。

（2）都道府県労働局長は、労働災害を防止するため必要があると認めるときは、総括安全衛生管理者の業務の執行について事業者に勧告することができる。

（3）総括安全衛生管理者が旅行、疾病、事故その他やむを得ない事由によって職務を行うことができないときは、代理者を選任しなければならない。

（4）産業医は、衛生委員会を開催した都度作成する議事概要を、毎月１回以上、事業者から提供されている場合には、作業場等の巡視の頻度を、毎月１回以上から２か月に１回以上にすることができる。

（5）事業者は、産業医から労働者の健康管理等について勧告を受けたときは、当該勧告の内容及び当該勧告を踏まえて講じた措置の内容（措置を講じない場合にあっては、その旨及びその理由）を記録し、これを３年間保存しなければならない。

問22　衛生委員会に関する次の記述のうち、法令上、正しいものはどれか。

（1）衛生委員会の議長は、衛生管理者である委員のうちから、事業者が指名しなければならない。

（2）衛生委員会の議長を除く委員の半数は、事業場に労働者の過半数で組織する労働組合があるときにおいてはその労働組合、労働者の過半数で組織する労働組合がないときにおいては労働者の過半数を代表する者が指名しなければならない。

（3）衛生管理者として選任しているが事業場に専属でない労働衛生コンサルタントを、衛生委員会の委員として指名することはできない。

（4）衛生委員会の付議事項には、労働者の精神的健康の保持増進を図るための対策の樹立に関することが含まれる。

（5）衛生委員会は、毎月１回以上開催するようにし、議事で重要なものに係る記録を作成して、これを５年間保存しなければならない。

問23　労働安全衛生法に基づく心理的な負担の程度を把握するための検査(以下「ストレスチェック」という。)の結果に基づき実施する面接指導に関する次の記述のうち、正しいものはどれか。

（1）面接指導を行う医師として、当該事業場の産業医を指名しなければならない。

（2）面接指導の結果は、健康診断個人票に記載しなければならない。

（3）労働者に対するストレスチェックの事項は、「職場における当該労働者の心理的な負担の原因」、「当該労働者の心理的な負担による心身の自覚症状」及び「職場における他の労働者による当該労働者への支援」に関する項目である。

（4）面接指導の対象となる要件に該当する労働者から申出があったときは、申出の日から3か月以内に、面接指導を行わなければならない。

（5）ストレスチェックと面接指導の実施状況について、面接指導を受けた労働者数が50人以上の場合に限り、労働基準監督署長へ報告しなければならない。

問24　産業医の職務として法令で定められた事項に関する次の文中の［　　］内に入れるAからCの語句の組合せとして、正しいものは（1）～（5）のうちどれか。

「事業者は、産業医に、次の事項を含む労働者の健康管理等に関する事項で、医学に関する専門的知識を必要とするものを行わせなければならない。

・健康診断及び［　A　］等の実施並びにこれらの結果に基づく労働者の健康を保持するための措置に関すること

・［　B　］の維持管理に関すること

・［　C　］に関すること」

	A	B	C
（1）	健康測定	作業環境	衛生推進者の選任
（2）	面接指導	作業環境	作業の管理
（3）	健康測定	化学物質管理システム	安全衛生に関する方針の表明
（4）	面接指導	安全衛生マネジメントシステム	安全衛生に関する方針の表明
（5）	健康測定	安全衛生マネジメントシステム	衛生推進者の選任

問 25　事業場の建築物、施設等に関する措置について、労働安全衛生規則の衛生基準に違反していないものは次のうちどれか。

（1）事業場に附属する炊事場の入口には、土足のまま立ち入ることができるように、洗浄剤を含浸させたマットを設置している。

（2）常時、男性 20 人、女性 25 人の労働者を使用している事業場で、休憩の設備を設けているが、労働者が臥床することのできる休養室又は休養所を男女別に設けていない。

（3）事業場に附属する食堂の炊事従業員について、専用の便所を設けているが、休憩室は一般従業員と共用のもののみを設けている。

（4）60 人の労働者を常時就業させている屋内作業場の気積が、設備の占める容積及び床面から 4 m を超える高さにある空間を除き 500m^3 となっている。

（5）日常行う清掃のほか、1 年ごとに 1 回、定期に、大掃除を行っている。

問 26　年次有給休暇（以下「休暇」という。）に関する次の記述のうち、労働基準法上、正しいものはどれか。

（1）週所定労働時間が 30 時間以上で、雇入れの日から起算して 6 年 6 か月以上継続勤務し、直近の 1 年間に、全労働日の 8 割以上出勤した労働者には、15 日の休暇を新たに与えなければならない。

（2）労働者の過半数で組織する労働組合（その労働組合がない場合は労働者の過半数を代表する者）と使用者との書面による協定により休暇を与える時季に関する定めをした場合は、休暇のうち 5 日を超える部分については、その定めにより休暇を与えることができる。

（3）法令に基づく育児休業又は介護休業で休業した期間は、出勤率の算定に当たっては、出勤しなかったものとして算出することができる。

（4）休暇の請求権は、これを 1 年間行使しなければ時効によって消滅する。

（5）監督又は管理の地位にある者及び機密の事務を取り扱う者については、休暇に関する規定は適用されない。

問 27　常時 10 人以上の労働者を使用する事業場において、労働基準法に基づく妊産婦に関する次の記述のうち、誤っているものはどれか。

ただし、労使協定とは、「労働者の過半数で組織する労働組合（その労働組合がない場合は労働者の過半数を代表する者）と使用者との書面による協定」をいい、また、管理監督者等とは、「監督又は管理の地位にある者等、労働時間、休憩及び休日に関する規定の適用除外者」をいうものとする。

（1）時間外・休日労働に関する労使協定を締結し、これを所轄労働基準監督署長に届け出ている場合であって、妊産婦が請求した場合には、管理監督者等の場合を除き、時間外・休日労働をさせてはならない。

（2）１か月単位の変形労働時間制を採用している場合であって、妊産婦が請求した場合には、管理監督者等の場合を除き、１週 40 時間、１日８時間を超えて労働させてはならない。

（3）フレックスタイム制を採用している場合には、１週 40 時間、１日８時間を超えて労働させることができる。

（4）１年単位の変形労働時間制を採用している場合であって、妊産婦が請求した場合には、管理監督者等の場合を除き、１週 40 時間、１日８時間を超えて労働させてはならない。

（5）妊産婦が請求した場合には、管理監督者等の場合を除き、深夜業をさせてはならない。

〔労働衛生（有害業務に係るもの以外のもの）〕

問 28　厚生労働省の「労働者の心の健康の保持増進のための指針」に基づくメンタルヘルスケアの実施に関する次の記述のうち、適切でないものはどれか。

（1）心の健康については、客観的な測定方法が十分確立しておらず、また、心の健康問題の発生過程には個人差が大きく、そのプロセスの把握が難しいという特性がある。

（2）心の健康づくり計画の実施に当たっては、メンタルヘルス不調を早期に発見する「一次予防」、適切な措置を行う「二次予防」及びメンタルヘルス不調となった労働者の職場復帰支援を行う「三次予防」が円滑に行われるようにする必要がある。

（3）労働者の心の健康は、職場配置、人事異動、職場の組織などの要因によって影響を受けるため、メンタルヘルスケアは、人事労務管理と連携しなければ、適切に進まない場合が多いことに留意する。

（4）「セルフケア」、「ラインによるケア」、「事業場内産業保健スタッフ等によるケア」及び「事業場外資源によるケア」の四つのケアを継続的かつ計画的に行う。

（5）メンタルヘルスケアを推進するに当たって、労働者の個人情報を主治医等の医療職や家族から取得する際には、あらかじめこれらの情報を取得する目的を労働者に明らかにして承諾を得るとともに、これらの情報は労働者本人から提出を受けることが望ましい。

問 29　厚生労働省の「情報機器作業における労働衛生管理のためのガイドライン」に関する次の記述のうち、適切でないものはどれか。

（1）ディスプレイ画面の明るさと周辺の明るさの差をなるべく小さくしている。

（2）書類上及びキーボード上における照度は、300 ルクス以上となるようにしている。

（3）ディスプレイ画面の位置、前後の傾き、左右の向き等を調整してグレアを防止している。

（4）ディスプレイは、おおむね 30cm 以内の視距離が確保できるようにし、画面の上端を眼の高さよりもやや下になるように設置している。

（5）１日の情報機器作業の作業時間が４時間未満である労働者については、自覚症状を訴える者についてのみ、情報機器作業に係る定期健康診断の対象としている。

問30　労働衛生管理に用いられる統計に関する次の記述のうち、誤っているものはどれか。

（1）生体から得られたある指標が正規分布である場合、そのバラツキの程度は、平均値や最頻値によって表される。

（2）集団を比較する場合、調査の対象とした項目のデータの平均値が等しくても分散が異なっていれば、異なった特徴をもつ集団であると評価される。

（3）健康管理統計において、ある時点での検査における有所見者の割合を有所見率といい、このようなデータを静態データという。

（4）健康診断において、対象人数、受診者数などのデータを計数データといい、身長、体重などのデータを計量データという。

（5）ある事象と健康事象との間に、統計上、一方が多いと他方も多いというような相関関係が認められても、それらの間に因果関係がないこともある。

問31　脳血管障害及び虚血性心疾患に関する次の記述のうち、誤っているものはどれか。

（1）虚血性の脳血管障害である脳梗塞は、脳血管自体の動脈硬化性病変による脳血栓症と、心臓や動脈壁の血栓が剥がれて脳血管を閉塞する脳塞栓症に分類される。

（2）くも膜下出血は、通常、脳動脈瘤《りゅう》が破れて数日後、激しい頭痛で発症する。

（3）虚血性心疾患は、冠動脈による心筋への血液の供給が不足したり途絶えることにより起こる心筋障害である。

（4）心筋梗塞では、突然激しい胸痛が起こり、「締め付けられるように痛い」、「胸が苦しい」などの症状が、1時間以上続くこともある。

（5）運動負荷心電図検査は、虚血性心疾患の発見に有用である。

問 32　細菌性食中毒に関する次の記述のうち、誤っているものはどれか。

（1）サルモネラ菌による食中毒は、食品に付着した菌が食品中で増殖した際に生ずる毒素により発症する。

（2）ボツリヌス菌による毒素は、神経毒である。

（3）黄色ブドウ球菌による毒素は、熱に強い。

（4）腸炎ビブリオは、病原性好塩菌ともいわれる。

（5）ウェルシュ菌、セレウス菌、カンピロバクターは、いずれも細菌性食中毒の原因菌である。

問 33　感染症に関する次の記述のうち、誤っているものはどれか。

（1）人間の抵抗力が低下した場合は、通常、多くの人には影響を及ぼさない病原体が病気を発症させることがあり、これを日和見感染という。

（2）感染が成立しているが、症状が現れない状態が継続することを不顕性感染という。

（3）感染が成立し、症状が現れるまでの人をキャリアといい、感染したことに気付かずに病原体をばらまく感染源になることがある。

（4）感染源の人が咳《せき》やくしゃみをして、唾液などに混じった病原体が飛散することにより感染することを空気感染といい、インフルエンザや普通感冒の代表的な感染経路である。

（5）インフルエンザウイルスにはＡ型、Ｂ型及びＣ型の三つの型があるが、流行の原因となるのは、主として、Ａ型及びＢ型である。

問 34　骨折に関する次の記述のうち、正しいものはどれか。

（1）単純骨折とは、骨にひびが入った状態のことをいう。

（2）複雑骨折とは、骨が多数の骨片に破砕された状態をいう。

（3）完全骨折では、骨折端どうしが擦れ合う軋轢《あつれき》音、変形などが認められる。

（4）骨折部の固定のため副子を手や足に当てるときは、その先端が手先や足先から出ないようにする。

（5）脊髄損傷が疑われる場合は、負傷者を硬い板の上に乗せて搬送してはならない。

〔労働生理〕

問35　血液に関する次の記述のうち、誤っているものはどれか。

（1）血液は、血漿《しょう》と有形成分から成り、血液の容積の55%程度を占める血漿中には、アルブミン、グロブリンなどの蛋《たん》白質が含まれている。

（2）血液の有形成分には、赤血球、白血球及び血小板があり、赤血球は酸素を組織に供給し、白血球は体内への細菌や異物の侵入を防御し、血小板は止血の機能を有する。

（3）赤血球の寿命は、約120日で、白血球の寿命に比べて長い。

（4）白血球の一種であるリンパ球には、細菌や異物を認識し攻撃するBリンパ球と抗体を産生するTリンパ球などがあり、免疫反応に関与している。

（5）血液の凝固は、血漿中のフィブリノーゲン（線維素原）がフィブリン（線維素）に変化する現象である。

問36　消化器系に関する次の記述のうち、誤っているものはどれか。

（1）三大栄養素のうち、糖質はブドウ糖などに、蛋《たん》白質はアミノ酸に、脂肪は脂肪酸とモノグリセリドに、酵素により分解され、吸収される。

（2）無機塩及びビタミン類は、酵素による分解を受けないでそのまま吸収される。

（3）胆汁はアルカリ性で、蛋白質を分解するトリプシンなどの消化酵素を含んでいる。

（4）胃は、塩酸やペプシノーゲンを分泌して消化を助けるが、水分の吸収はほとんど行わない。

（5）吸収された栄養分は、血液やリンパによって組織に運搬されてエネルギー源などとして利用される。

問 37　呼吸に関する次の記述のうち、誤っているものはどれか。

（1）呼吸運動は、気管と胸膜の協調運動によって、胸郭内容積を周期的に増減させて行われる。

（2）胸郭内容積が増し、その内圧が低くなるにつれ、鼻腔《くう》や気管などの気道を経て肺内へ流れ込む空気が吸気である。

（3）肺胞内の空気と肺胞を取り巻く毛細血管中の血液との間で行われる酸素と二酸化炭素のガス交換を肺呼吸又は外呼吸という。

（4）全身の毛細血管中の血液が各組織細胞に酸素を渡して二酸化炭素を受け取るガス交換を内呼吸又は組織呼吸という。

（5）血液中の二酸化炭素濃度が増加すると、呼吸中枢が刺激され、肺でのガス交換の量が多くなる。

問 38　成人のヒトの肝臓の機能として、誤っているものは次のうちどれか。

（1）脂肪酸の分解及びコレステロールの合成

（2）アルブミンなどの血漿《しょう》蛋白の合成

（3）赤血球の産生及び分解

（4）アミノ酸からのブドウ糖の合成

（5）グリコーゲンの合成及び分解

問 39　身長 170cm の人の BMI が 25 未満となる最大の体重は、次のうちどれか。
なお、BMI とは身長と体重から算出される体格指数である。

（1）65kg

（2）67kg

（3）69kg

（4）71kg

（5）73kg

問40　腎臓又は尿に関する次のAからDの記述について、誤っているものの組合せは（1）～（5）のうちどれか。

A　ネフロン（腎単位）は、尿を生成する単位構造で、1個の腎小体とそれに続く1本の尿細管から成り、1個の腎臓中に約100万個ある。

B　尿の約95%は水分で、約5%が固形物であるが、その成分は全身の健康状態をよく反映するので、尿検査は健康診断などで広く行われている。

C　腎機能が正常な場合、糖はボウマン嚢《のう》中に濾《こ》し出されないので尿中には排出されない。

D　腎機能が正常な場合、大部分の蛋《たん》白質はボウマン嚢中に濾し出されるが、尿細管でほぼ100%再吸収されるので、尿中にはほとんど排出されない。

（1）A，B

（2）A，C

（3）A，D

（4）B，C

（5）C，D

問41　感覚又は感覚器に関する次の記述のうち、正しいものはどれか。

（1）物理化学的な刺激の量と人間が意識する感覚の強度とは、直線的な比例関係にある。

（2）皮膚感覚には、触圧覚、痛覚、温度感覚(温覚・冷覚)などがあり、これらのうち冷覚を感じる冷覚点の密度は他の感覚点に比べて高い。

（3）網膜の錐《すい》状体は明るい所で働き色を感じ、杆《かん》状体は暗い所で働き弱い光、明暗を感じる。

（4）眼軸が短過ぎるために、平行光線が網膜の後方で像を結ぶ状態は近視である。

（5）平衡感覚に関係する器官である前庭及び半規管は、中耳にあって、体の傾きや回転の方向を知覚する。

問 42　神経系に関する次の記述のうち、誤っているものはどれか。

（1）神経細胞（ニューロン）は、神経系を構成する基本的な単位で、通常、1 個の細胞体、1 本の軸索、複数の樹状突起から成る。

（2）中枢神経系は脳と脊髄から成る。

（3）大脳の内側の髄質は神経細胞の細胞体が集合した灰白質であり、外側の皮質は神経線維の多い白質である。

（4）体性神経系には感覚器官からの情報を中枢に伝える感覚神経と、中枢からの命令を運動器官に伝える運動神経がある。

（5）自律神経系は、交感神経系と副交感神経系とに分類され、双方の神経系は多くの臓器に対して相反する作用を有している。

問 43　免疫についての次の文中の [　　] 内に入れるAからEの語句の組合せとして、正しいものは（1）～（5）のうちどれか。

「体内に侵入した病原体などの異物を、[A] が、[B] と認識し、その [B] に対してだけ反応する [C] を血漿《しょう》中に放出する。この [C] が [B] に特異的に結合し [B] の働きを抑制して体を防御するしくみを [D] 免疫と呼ぶ。これに対し、[A] が直接、病原体などの異物を攻撃する免疫反応もあり、これを [E] 免疫と呼ぶ。」

	A	B	C	D	E
（1）	リンパ球	抗原	抗体	細胞性	体液性
（2）	リンパ球	抗原	抗体	体液性	細胞性
（3）	リンパ球	抗体	抗原	体液性	細胞性
（4）	血小板	抗原	抗体	細胞性	体液性
（5）	血小板	抗体	抗原	細胞性	体液性

問 44　体温調節に関する次の記述のうち、正しいものはどれか。

（1）寒冷な環境においては、皮膚の血管が拡張して血流量を増し、皮膚温を上昇させる。

（2）暑熱な環境においては、内臓の血流量が増加し体内の代謝活動が亢《こう》進することにより、人体からの熱の放散が促進される。

（3）体温調節のように、外部環境が変化しても身体内部の状態を一定に保つ生体の仕組みを同調性といい、筋肉と神経系により調整されている。

（4）体温調節中枢は、小脳にあり、熱の産生と放散とのバランスを維持し体温を一定に保つよう機能している。

（5）熱の放散は、放射（ふく射）、伝導、蒸発などの物理的な過程で行われ、蒸発には、発汗と不感蒸泄《せつ》によるものがある。

参考資料

労働衛生

◆物質の状態

● 空気中における有害物質の分類

分　類		状　態	性　状	代表的物質
気体状物質	ガス	気　体	**常温・常圧（25℃、1気圧）で気体**のもの	塩素、硫化水素、**アンモニア**、一酸化炭素、ホルムアルデヒド、**二酸化硫黄**、**塩化ビニル** など
	蒸気		**常温・常圧（25℃、1気圧）で液体または固体**の物質が、蒸気圧に応じて**揮発または昇華して気体**となっているもの	トルエン、トリクロロエチレン、硫酸ジメチル、**アセトン**、**アクリロニトリル**、水銀、ニッケルカルボニル、二硫化炭素、フェノール など
粒子状物質	ミスト	液　体	**液体微粒子**が空気中に浮遊しているもの（粒径5～100μm程度）	クロム酸（ミスト）、シアン化合物を含む水溶液のミスト、硫酸（ミスト）、硝酸（ミスト）など
	粉じん	固　体	固体物質に研磨、粉砕、切削など機械的な作用を加えて発生した空気中に浮遊する**固体微粒子**（粒径1～150μm程度）	石綿（アスベスト）、無水クロム酸、**ジクロロベンジジン**（ジクロルベンジジン）、オルトートリジン など
	ヒューム		気体（たとえば金属の蒸気）が空気中で凝固や化学変化を起こし、空気中に浮遊する**固体微粒子**（粒径0.1～1μm程度）	溶融金属から発生する酸化物、溶接ヒューム（酸化鉄、酸化鉛、酸化亜鉛など）

関係法令

◆労基則第 18 条の業務

● 専任の衛生管理者、衛生工学衛生管理者の設置が必要な有害業務の比較

労基則第 18 条の業務	専任	衛生工学
高熱物体・暑熱	○	○
低温物体・寒冷	○	—
ラジウム放射線、エックス線等の有害放射線	○	○
土石、獣毛等のじんあい等	○	○
異常気圧	○	○
振動	○	—
重量物	○	—
騒音	○	—
鉛、水銀等の有害物の粉じん、蒸気、ガス	○	○

※専任の衛生管理者、衛生工学衛生管理者の設置義務のある有害業務に「**深夜業を含む業務**」は含まれない。

◆産業医の職務

次に掲げる事項で医学に関する専門的知識を必要とするものとする。

① **健康診断の実施およびその結果に基づく労働者の健康を保持するための措置に関すること。**

② 長時間労働に係る面接指導および研究開発業務従事者に対する面接指導、ならびに面接指導を行う労働者以外の労働者への措置の実施ならびにこれらの結果に基づく労働者の健康を保持するための措置に関すること。

③ 心理的な負担の程度を把握するための検査（ストレスチェック）の実施ならびに面接指導の実施およびその結果に基づく労働者の健康を保持するための措置に関すること。

④ **作業環境の維持管理に関すること。**

⑤ **作業の管理に関すること。**

⑥ ①～⑤に掲げるもののほか、労働者の健康管理に関すること。

⑦ 健康教育、健康相談その他労働者の健康の保持増進を図るための措置に関すること。

⑧ 衛生教育に関すること。

⑨ 労働者の健康障害の原因の調査および再発防止のための措置に関すること。

◆主な作業主任者

作業主任者名	取り扱う作業等の区分	資格要件
高圧室内作業主任者	高圧室内での作業（潜《せん》函《かん》工法その他の圧気工法により、大気圧を超える気圧下の作業室またはシャフトの内部において行う作業に限る）	**免　許**
エックス線作業主任者・ガンマ線透過写真撮影作業主任者	エックス線装置の使用や装置の検査の業務やガンマ線照射装置を用いる透過写真撮影（医療用または一定以上のエックス線を発生させる装置を使用するものを除く）に係る作業	**免　許**
特定化学物質作業主任者	特定化学物質（第1類・第2類・第3類）を製造し、または取り扱う作業（**試験研究のため取り扱う作業を除く**）	**技能講習**
酸素欠乏危険作業主任者	酸素欠乏危険場所における作業 （例）長期間使用されていない井戸等の内部 石炭、鋼材、くず鉄その他空気中の酸素を吸収する物質を入れてあるタンク、船倉、ホッパーその他の貯蔵施設の内部 穀物もしくは飼料の貯蔵、果菜の熟成、種子の発芽またはきのこ類の栽培のために使用しているサイロ、むろ、倉庫、船倉またはピットの内部 しょうゆ、酒類、もろみ、酵母その他発酵する物を入れてあり、または入れたことのあるタンク、むろまたは醸造槽の内部 ドライアイス使用で冷蔵・冷凍等を行う冷蔵庫等の内部等	**技能講習**
有機溶剤作業主任者	有機溶剤（第1種・第2種・第3種）を製造し、または取り扱う作業（**試験研究のため取り扱う作業を除く**）	**技能講習**
鉛作業主任者	一定の鉛業務に係る作業（遠隔操作によって行う隔離室におけるものを除く）	**技能講習**
四アルキル鉛等作業主任者	一定の四アルキル鉛等業務に係る作業（遠隔操作によって行う隔離室におけるものを除く）	**技能講習**
石綿作業主任者	石綿等を取り扱う作業（試験研究のため取り扱う作業を除く）または石綿分析用試料等を製造する作業	**技能講習**

◆衛生委員会の付議事項

① 労働者の健康障害を防止するための基本となるべき対策に関すること。
② 労働者の健康の保持増進を図るための基本となるべき対策に関すること。
③ 労働災害の原因および再発防止対策で、衛生に係るものに関すること。
④ ①〜③のほか、労働者の健康障害の防止および健康の保持増進に関する重要事項
　⇒労働者の健康障害の防止および健康の保持増進に関する重要事項
　i 衛生に関する規程の作成に関すること。
　ii 危険性または有害性等の調査およびその結果（リスクアセスメント等）に基づき講ずる措置のうち、衛生に係るものに関すること。
　iii 安全衛生に関する計画（衛生に係る部分に限る）の作成、実施、評価および改善に関すること。
　iv 衛生教育の実施計画の作成に関すること。
　v 新規化学物質や発がん性等のおそれのある化学物質の有害性の調査およびその結果に対する対策の樹立に関すること。
　vi 作業環境測定の結果およびその結果の評価に基づく対策の樹立に関すること。
　vii 定期に行われる健康診断等、診察または処置の結果およびその結果に対する対策の樹立に関すること。
　viii 労働者の健康の保持増進を図るため必要な措置の実施計画の作成に関すること。
　ix 長時間にわたる労働による労働者の健康障害の防止を図るための対策の樹立に関すること。
　x 労働者の精神的健康の保持増進を図るための対策の樹立に関すること。
　xi リスクアセスメント対象物に係るばく露低減措置に関することおよび医師または歯科医師による健康診断の実施に関すること。
　xii 厚生労働大臣、都道府県労働局長、労働基準監督署長、労働基準監督官または労働衛生専門官から文書により命令、指示、勧告または指導を受けた事項のうち、労働者の健康障害の防止に関すること。

◆譲渡等制限

① **防じんマスク**（ろ過材および面体を有するものに限る）
② **防毒マスク**
　●ハロゲンガス用　●有機ガス用　●一酸化炭素用
　●アンモニア用　●亜硫酸ガス用
③ 電動ファン付き呼吸用保護具
④ **再圧室**
⑤ **潜水器**
⑥ 波高値による定格管電圧 10 キロボルト以上の**エックス線装置**（研究教育用および薬事法上の規格を満たした医療用具を除く）
⑦ **ガンマ線照射装置**（薬事法上の規格を満たした医療用具を除く）
⑧ **チェーンソー**（内燃機関を内蔵するもので排気量 40 cm^3 以上のものに限る）

◆製造禁止物質と製造許可物質

製造禁止物質	製造許可物質
① 黄りんマッチ	① ジクロルベンジジンおよびその塩
② **ベンジジンおよびその塩**	② **アルファーナフチルアミンおよびその塩**
③ 4－アミノジフェニルおよびその塩	③ 塩素化ビフェニル（PCB）
④ 石綿（石綿分析用試料等を除く）	④ オルトートリジンおよびその塩
⑤ 4 －ニトロジフェニルおよびその塩	⑤ **ジアニシジンおよびその塩**
⑥ ビス（クロロメチル）エーテル	⑥ **ベリリウムおよびその化合物**
⑦ **ベーターナフチルアミンおよびその塩**	⑦ **ベンゾトリクロリド**
⑧ ベンゼンを含有するゴムのりで、その含有ベンゼン容量が当該ゴムのりの溶剤の 5%を超えるもの	⑧ 石綿分析用試料等

◆特別の教育を義務付けられている主な業務

業務
① アーク溶接機を用いて行う金属の溶接、溶断等の業務
② **チェーンソーを用いて行う**立木の伐木、かかり木の処理または造材の業務
③ 高圧室内作業に係る作業室への送気の調節を行うためのバルブまたはコックを操作する業務
④ 潜水作業者への送気の調節を行うためのバルブまたはコックを操作する業務
⑤ **再圧室**を操作する業務
⑥ **高圧室内作業**に係る業務
⑦ 施行令に掲げる**四アルキル鉛等業務**
⑧ 施行令に掲げる**酸素欠乏危険場所**における作業に係る業務
⑨ **エックス線装置**または**ガンマ線照射装置**を用いて行う透過写真の撮影の業務
⑩ **特定粉じん作業**に係る業務
⑪ 廃棄物焼却炉を有する**廃棄物の焼却施設**において、**ばいじんおよび焼却灰**その他の燃え殻を取り扱う業務
⑫ **石綿**等が使用されている建築物または工作物の**解体等の作業**、石綿等の封じ込めまたは囲い込みの作業に係る業務

◆作業環境測定を行うべき主な作業場

作業場の種類			測定内容	測定頻度	記録の保存年
①	土石、岩石、鉱物、金属または炭素の粉じんを著しく発散する一定の屋内作業場（**常時特定粉じん作業**が行われる屋内作業場）		粉じんの濃度、遊離けい酸含有率	**6カ月以内ごとに1回**	**7年**
2	**暑熱、寒冷または多湿**の屋内作業場		気温、湿度、輻射熱	**半月以内ごとに1回**	3年
3	**著しい騒音**を発する屋内作業場		等価騒音レベル	**6カ月以内ごとに1回**	3年
4	坑内の作業場	（1）気温が28℃を超える作業場	気温	半月以内ごとに1回	3年
		（2）通気設備のある作業場	通気量	**半月以内ごとに1回**	3年
		（3）炭酸ガスが停滞する作業場	炭酸ガス	1カ月以内ごとに1回	3年
5	中央管理方式の空気調和設備を設けている建築物の室で、事務所の用に供されるもの		CO、CO_2、室温、外気温、相対湿度	**2カ月以内ごとに1回**	3年
⑥	放射線業務を行う作業場のうち一定のもの		空気中の放射性物質濃度	**1カ月以内ごとに1回**	5年
⑦	特定化学物質（**第1類・第2類**）を製造し、または取り扱う屋内作業場		第1類または第2類物質の空気中濃度	6カ月以内ごとに1回	3年（特定のものについては30年）
	石綿等を取り扱い、もしくは試験研究のため製造する屋内作業場または石綿分析用試料等を製造する屋内作業場等		空気中の石綿濃度	6カ月以内ごとに1回	40年
⑧	一定の**鉛業務**を行う屋内作業場		空気中の鉛濃度	**1年以内ごとに1回**	3年
9	酸素欠乏危険場所において作業を行う場合の当該作業場		酸素濃度、硫化水素濃度	**作業開始前ごと**	3年
⑩	有機溶剤（**第1種・第2種**）を製造し、または取り扱う屋内作業場		第1種または第2種有機溶剤の濃度	6カ月以内ごとに1回	3年

（注）作業場の種類の欄の○印を付した番号の作業場は**指定作業場**のことである。

◆定期健康診断の診断項目と省略基準

健康診断項目	省略基準（医師の判断）
① **既往歴**および**業務歴**の調査	—
② **自覚症状**および**他覚症状**の有無の検査	—
③ 身長、体重、腹囲、視力、聴力（1,000Hz および 4,000Hz）の検査	身長：20 歳以上は省略可 腹囲：以下の者は省略可 • 40 歳未満（35 歳は除く） • 妊娠中の女性その他の者で、腹囲内臓脂肪の蓄積を反映していないと診断された場合 • BMI が 20 未満 • 自ら腹囲を測定し、その値を申告した場合（BMI が 22 未満に限る）
④ 胸部エックス線検査および喀痰検査	胸部エックス線検査：40 歳未満の者（20、25、30、35 歳は除く）で、以下の（ア）（イ）のいずれにも該当しない者は省略可 （ア）感染症法で結核に係る定期の健康診断の対象とされている学校、医療機関等の労働者 （イ）じん肺法で 3 年に 1 回のじん肺健康診断の対象とされている労働者 喀痰：胸部エックス線検査で病変なし等で省略可
⑤ **血圧**の測定	—
⑥ 貧血検査（血色素量、赤血球数）	40 歳未満（35 歳は除く）は省略可
⑦ 肝機能検査（GOT ／ GPT ／ γ－GTP）	
⑧ 血中脂質検査（LDL コレステロール、HDL コレステロール、血清トリグリセライド）	
⑨ 血糖検査	
⑩ 心電図検査	
⑪ **尿検査**（尿糖および尿蛋白の有無の検査）	—

◆特殊健康診断の対象業務と実施頻度、健康診断個人票の保存年数

種　類	対象業務	実施頻度	保存年数
じん肺健康診断	粉じん作業 （じん肺法適用作業）	現在従事している労働者 じん肺管理区分１ →３年以内ごとに１回 じん肺管理区分２，３ →１年以内ごとに１回 過去に従事した経験のある労働者 じん肺管理区分２ →３年以内ごとに１回 じん肺管理区分３ →１年以内ごとに１回	７年
高気圧業務健康診断	高圧室内業務、潜水業務	６カ月以内ごとに１回	５年
電離放射線健康診断	原子炉の運転業務など放射線業務	６カ月以内ごとに１回	30年
特定化学物質健康診断	特定化学物質第１類、第２類（一部を除く）を製造し、または取り扱う業務	原則として、６カ月（一部の検査は１年）以内ごとに１回	５年（特別管理物質30年）
鉛健康診断	鉛業務	原則として、６カ月（一部の業務は１年）以内ごとに１回	５年
有機溶剤等健康診断	有機溶剤業務（第３種はタンク等内部に限る）	原則として、６カ月以内ごとに１回	５年
石綿健康診断	石綿粉じん発散場所での業務	６カ月以内ごとに１回	40年
歯科特殊健康診断	塩酸、硝酸、硫酸など歯を腐食させる物質を取り扱う業務	６カ月以内ごとに１回	５年

◆主な酸素欠乏危険場所

No.		酸素欠乏危険場所
1		腐泥層、第一鉄塩類または第一マンガン塩類を含有している地層などに接し、または通ずる井戸などの内部
2	1	ケーブル、ガス管その他地下に敷設されるものを収容するための暗きょ、マンホールまたはピットの内部
	2	雨水、河川の流水、または湧水が滞留しており、または滞留したことのある槽、暗きょ、マンホールまたはピットの内部
	③	海水が滞留しており、もしくは滞留したことのある熱交換器、管、暗きょ、マンホール、溝もしくはピット（以下この号において「熱交換器等」という）または海水を相当期間入れてあり、もしくは入れたことのある熱交換器等の内部
3		相当期間密閉されていた鋼製のボイラー、タンク、反応塔、船倉その他その内壁が酸化されやすい施設（その内壁がステンレス鋼製のものまたはその内壁の酸化を防止するために必要な措置が講ぜられているものを除く）の内部
4		石炭、亜炭、硫化鉱、鋼材、くず鉄、原木、チップ、乾性油、魚油その他空気中の酸素を吸収する物質を入れてあるタンク、船倉、ホッパーその他の貯蔵施設の内部
5		穀物もしくは飼料の貯蔵、果菜の熟成、種子の発芽またはきのこ類の栽培のために使用しているサイロ、むろ、倉庫、船倉またはピットの内部
6		しょうゆ、酒類、もろみ、酵母その他発酵するものを入れてあり、または入れたことのあるタンク、むろまたは醸造槽の内部
⑦		し尿、腐泥、汚水、パルプ液その他腐敗し、または分解しやすい物質を入れてあり、または入れたことのあるタンク、船倉、槽、管、暗きょ、マンホール、溝またはピットの内部
8		ドライアイスを使用して冷蔵、冷凍または水セメントのあく抜きを行っている冷蔵庫、冷凍庫、保冷貨車、保冷貨物自動車、船倉または冷凍コンテナーの内部

（注）No. の欄に○印を付した場所は第２種酸素欠乏危険場所。

◆労働時間延長の制限業務

① 多量の高熱物体を取り扱う業務および著しく暑熱な場所における業務
② 多量の低温物体を取り扱う業務および著しく寒冷な場所における業務
③ ラジウム放射線、エックス線その他の有害放射線にさらされる業務
④ 土石、獣毛等のじんあいまたは粉末を著しく飛散する場所における業務
⑤ 異常気圧下における業務
⑥ さく岩機、鋲打機等の使用によって身体に著しい振動を与える業務
⑦ 重量物の取扱い等重激なる業務
⑧ ボイラー製造等強烈な騒音を発する場所における業務
⑨ 鉛、水銀、クロム、砒素、黄りん、弗素、塩素、塩酸、硝酸、亜硫酸、硫酸、一酸化炭素、二硫化炭素、青酸、ベンゼン、アニリン、その他これに準ずる有害物の粉じん、蒸気またはガスを発散する場所における業務
⑩ 上記のほか、厚生労働大臣の指定する業務

◆危険有害業務の就業制限

① 次の表に掲げる年齢および性の区分に応じ、それぞれ表に掲げる重量以上の重量物を取り扱う業務

年齢および性		重量（kg）	
		断続作業＊1	継続作業＊2
満16歳未満	女	12	**8**
	男	15	10
満16歳以上 満18歳未満	女	**25**	**15**
	男	**30**	**20**

＊1 断続作業とは、重量のかかる時間がそれぞれ短時間である作業。負担のかかる時間が瞬間的であるため、比較的重いものでも可能と考えられている。

＊2 継続作業とは、重量のかかる時間が長時間にわたる作業。負担が大きいため断続作業より軽く設定されている。

② 鉛、水銀、クロム、砒素、黄りん、弗素、塩素、シアン化水素、アニリンその他これらに準ずる有害物のガス、蒸気または粉じんを発散する場所における業務
③ 土石、獣毛等のじんあいまたは粉末を著しく飛散する場所における業務
④ ラジウム放射線、エックス線その他の有害放射線にさらされる業務
⑤ 多量の高熱物体を取り扱う業務および著しく暑熱な場所における業務
⑥ 多量の低温物体を取り扱う業務および著しく寒冷な場所における業務
⑦ 異常気圧下における業務
⑧ さく岩機、鋲打機等身体に著しい振動を与える機械器具を用いて行う業務
⑨ 強烈な騒音を発する場所における業務
⑩ 病原体によって著しく汚染のおそれのある業務

◆就業規則の記載事項

必ず記載しなければならない事項 （絶対的必要記載事項）	特に定める場合のみ記載する必要がある事項 （相対的必要記載事項）
① **始業および終業の時刻、休憩時間、休日、休暇**ならびに労働者を二組以上に分けて交替に就業させる場合においては就業時転換に関する事項 ② **賃金**（臨時の賃金等を除く）の決定、計算および支払いの方法、賃金の締め切りおよび支払いの時期ならびに**昇給**に関する事項 ③ **退職**に関する事項（解雇の事由を含む）	① **退職手当**の定めをする場合においては、適用される労働者の範囲、退職手当の決定、計算および支払いの方法ならびに退職手当の支払いの時期に関する事項 ② **臨時の賃金等（退職手当を除く）**および最低賃金額の定めをする場合においては、これに関する事項 ③ 労働者に食費、作業用品その他の負担をさせる定めをする場合においては、これに関する事項 ④ **安全および衛生**に関する定めをする場合においては、これに関する事項 ⑤ 職業訓練に関する定めをする場合においては、これに関する事項 ⑥ 災害補償および業務外の傷病扶助に関する定めをする場合には、これに関する事項 ⑦ 表彰および制裁の定めをする場合においては、その種類および程度に関する事項 ⑧ 前各号に掲げるもののほか、当該事業場の労働者すべてに適用される定めをする場合においては、これに関する事項

・MEMO・

· MEMO ·

監修者紹介

ユーキャン衛生管理者試験研究会

本会は、ユーキャン衛生管理者通信講座で教材の制作や添削・質問指導を行っている講師を中心に結成されました。徹底的な過去問題の分析と、通信講座で蓄積したノウハウを活かし、わかりやすい書籍作りのために日々研究を重ねています。

■ 波《は》場《ば》　久《ひさ》実《み》（監修）

第一種衛生管理者の他、特定社会保険労務士、マンション管理士、管理業務主任者等の資格を保有。各種資格試験の合格・指導経験をフルに活かし、受験生の知りたいところに手の届く指導を行う。

●法改正・正誤等の情報につきましては、下記「ユーキャンの本」ウェブサイト内「追補（法改正・正誤）」をご覧ください。

https://www.u-can.co.jp/book/information

●本書の内容についてお気づきの点は

・「ユーキャンの本」ウェブサイト内「よくあるご質問」をご参照ください。

https://www.u-can.co.jp/book/faq

・郵送・FAX でのお問い合わせをご希望の方は、書名・発行年月日・お客様のお名前・ご住所・FAX 番号をお書き添えの上、下記までご連絡ください。

【郵送】〒 169-8682 東京都新宿北郵便局 郵便私書箱第 2005 号
ユーキャン学び出版 衛生管理者資格書籍編集部

【FAX】03-3378-2232

◎より詳しい解説や解答方法についてのお問い合わせ、他社の書籍の記載内容等に関しては回答いたしかねます。

●お電話でのお問い合わせ・質問指導は行っておりません。

'24～'25 年版 ユーキャンの第 1 種衛生管理者 重要過去問＆予想模試

2007年11月20日 初 版 第1刷発行
2009年11月 1日 第 2 版 第1刷発行
2012年11月16日 第 3 版 第1刷発行
2016年 9月30日 第 4 版 第1刷発行
2019年 9月 6日 第 5 版 第1刷発行
2020年 8月 7日 第 6 版 第1刷発行
2021年 8月 6日 第 7 版 第1刷発行
2022年 8月 5日 第 8 版 第1刷発行
2023年 8月 4日 第 9 版 第1刷発行
2024年 8月 2日 第10版 第1刷発行

編 者 ユーキャン衛生管理者試験研究会
発行者 品川泰一
発行所 株式会社 ユーキャン 学び出版
〒 151-0053
東京都渋谷区代々木 1-11-1
Tel 03-3378-1400
D T P 有限会社 中央制作社
発売元 株式会社 自由国民社
〒 171-0033
東京都豊島区高田 3-10-11
Tel 03-6233-0781（営業部）

印刷・製本 カワセ印刷株式会社

 ISBN 978-4-426-61565-9

ユーキャンの第１種衛生管理者

「重要過去問＆予想模試」

過去問題
予想模擬試験
解答・解説編

過去問題

[令和６年４月公表試験問題]

解答・解説

〔関係法令（有害業務に係るもの）〕

問１　正答**（２）**

〈解説〉（１）**正しい。製造業**では、**常時300人以上**の労働者を使用する場合に総括安全衛生管理者を選任しなければならない（安衛法第10条第１項、安衛令第２条）。したがって、常時600人の労働者を使用する製造業の事業場では、総括安全衛生管理者を選任しなければならない。

（２）**誤り**。常時500人を超える労働者を使用する事業場で、坑内労働または有害業務（労基則第18条に掲げる一部の業務）に常時30人以上の労働者を従事させる場合は、衛生管理者のうち１人を衛生工学衛生管理者免許を有する者のうちから選任しなければならない（安衛法第12条第１項、安衛則第７条第１項第６号）。**深夜業を含む業務、多量の低温物体を取り扱う業務**は、この**衛生工学衛生管理者免許を有する者を選任すべき有害業務に該当しない**。したがって、衛生工学衛生管理者免許を受けた者のうちから選任する必要はない。

（３）**正しい**。常時500人を超える労働者を使用する事業場で、坑内労働または**有害業務**（労基則第18条に掲げる業務）に**常時30人以上**の労働者を従事させる場合は、衛生管理者のうち少なくとも１人を**専任の衛生管理者**としなければならない（安衛法第12条第１項、安衛則第７条第１項第５号ロ）。そして、**多量の低温物体を取り扱う業務はこの有害業務に該当する**。したがって、設問の場合、衛生管理者のうち少なくとも１人を専任の衛生管理者としなければならない。

（４）**正しい**。**常時1,000人以上**の労働者を使用する事業場または**深夜業を含む**有害業務に**常時500人以上**の労働者を従事させる事業場においては、**専属の産業医**を選任しなければならない（安衛法第13条第１項、安衛則第13条第１項第３号）。設問の事業場では、常時600人の労働者を使用し、深夜業を含む業務に常時300人が従事している。したがって、この事業場に専属でないものを産業医として選任することができる。

（５）**正しい**。**特定化学物質（第１類・第２類・第３類）を製造**し、または**取り扱う作業（試験研究のため取り扱う作業を除く）**については、**作業主任者を選任しなければならない**（安衛法第14条、安衛令第６条第18号）。

問２　正答**（２）**

〈解説〉　**放射線測定器**は、厚生労働大臣が定める規格を具備しなければ、譲渡し、貸与し、または設置してはならない機械等に該当しない（安衛法第42条参照）。

したがって、選択肢（２）が正答となる。

問３　正答**（４）**

〈解説〉　トルエンを重量の10％含有する塗料は第２種**有機溶剤に該当**するため、これを用いて塗装する屋内の作業場所には、密閉装置、局所排気装置またはプッシュプル型換気装置を設置しなければならない（有機則第５条）。そして、設けた局所排気装置については、法令に基づく**定期自主検査を行わなければならない**（安衛法第45条第1項、安衛令第15条9号、有機則第20条第1項）。

したがって、選択肢（4）が正答となる。

問4　正答（3）

〈解説〉　**特定化学物質（第1類・第2類・第3類）を製造**し、または**取り扱う作業（試験研究のため取り扱う作業を除く）**については、**作業主任者を選任しなければならない**（安衛法第14条、安衛令第6条第18号）。製造工程において**硝酸**を用いて行う洗浄の作業は、特定化学物質を製造し、または取り扱う作業に**該当する**（安衛令別表第3）。

したがって、選択肢（3）が正答となる。

問5　正答（3）

〈解説〉（1）**正しい**。「通気設備が設けられている坑内の作業場における通気量の測定」は、**半月以内ごとに1回**、行わなければならない（安衛則第603条・第589条第3号）。

（2）**正しい**。「非密封の放射性物質を取り扱う作業室（放射性物質取扱作業室）における空気中の放射性物質の濃度の測定」は、**1カ月以内ごとに1回**、行わなければならない（電離則第55条）。

（3）**誤り**。「溶融ガラスからガラス製品を成型する業務を行う屋内作業場の気温、湿度及びふく射熱の測定」は、**半月以内ごとに1回**、行わなければならない（安衛則第607条・587条第8号）。1カ月以内ごとに1回ではない。

（4）**正しい**。「チッパーによりチップする業務を行う屋内作業場における等価騒音レベルの測定」は、**6カ月以内ごとに1回**、行わなければならない（安衛則第590条・第588条第7号）。

（5）**正しい**。「鉛蓄電池の解体工程において鉛等を切断する業務を行う屋内作業場における空気中の鉛の濃度の測定」は、**1年以内ごとに1回**、行わなければならない（鉛則第52条、安衛令別表第4）。

問6　正答（3）

〈解説〉（1）**誤り**。ホルムアルデヒドは、有機溶剤に該当せず（安衛令別表第6-2参照）、有機溶剤中毒予防規則の規制の対象とならない。なお、ホルムアルデヒドは特定化学物質であり（安衛令別表第3）、当該作業を規制しているのは、特定化学物質障害予防規則である。

（2）**誤り**。レーザー光線による金属の加工の作業は、放射線業務に該当せず（安衛令別表第2参照）、電離放射線障害防止規則の規制の対象とはならない。

（3）**正しい**。ドライアイスを使用して冷凍を行う冷凍庫の内部は、酸素欠乏危険場所に該当し（安衛令別表第6）、当該作業を規制しているのは、酸素欠乏症等防止規則である。

(4)誤り。窒素を入れたことのある化学設備のタンク内を点検する作業は、高圧室内作業に該当せず（安衛令第6条第1号）、高気圧作業安全衛生規則の規制の対象とはならない。なお、窒素を入れたことのある化学設備のタンク内は、酸素欠乏危険場所に該当し（安衛令別表第6）、当該作業を規制しているのは、酸素欠乏症等防止規則となる。

(5)誤り。自然換気が不十分な場所におけるはんだ付けの業務は粉じん業務に該当せず（粉じん則別表第1参照）、粉じん障害防止規則の規制の対象とはならない。なお、自然換気が不十分な場所におけるはんだ付けの作業は、鉛業務に該当し（安衛令別表第4）、当該作業を規制しているのは、鉛中毒防止規則となる。

問7　正答（5）

〈解説〉**(1)定められている**。作業に従事する労働者が有機溶剤により汚染され、またはこれを吸入しないように、作業の方法を決定し、労働者を指揮することは、有機溶剤作業主任者の職務として、法令上、定められている（有機則第19条の2第1号）。

(2)定められている。保護具の使用状況を監視することは、有機溶剤作業主任者の職務として、法令上、定められている（有機則第19条の2第3号）。

(3)定められている。タンクの内部において有機溶剤業務に労働者が従事するときは、退避設備の整備等法定の措置が講じられていることを確認することは、有機溶剤作業主任者の職務として、法令上、定められている（有機則第19条の2第4号）。

(4)定められている。局所排気装置、プッシュプル型換気装置又は全体換気装置を1カ月を超えない期間ごとに点検することは、有機溶剤作業主任者の職務として、法令上、定められている（有機則第19条の2第2号）。

(5)定められていない。作業環境測定を実施することは、有機溶剤作業主任者の職務として、法令上、定められていない（有機則第19条の2参照）。なお、一定の有機溶剤を製造し、または取り扱う業務で厚生労働省令で定めるものを行う屋内作業場は指定作業場とされており、事業者は、作業環境測定を行うときは、その使用する**作業環境測定士**にこれを実施させなければならない（測定法第3条第1項、安衛令第21条参照）。

問8　正答（5）

〈解説〉**(1)正しい**。酸素欠乏とは、空気中の**酸素濃度が18%未満**である状態をいう（酸欠則第2条第1号）。

(2)正しい。**第二種酸素欠乏危険作業**を行う作業場について、その日の**作業を開始する前**に、当該作業場における空気中の**酸素**および**硫化水素の濃度を測定**しなければならない（酸欠則第3条、安衛令第21条第9号・別表第6）。

(3)正しい。酸素欠乏危険作業に労働者を従事させるときは、労働者を当該作業を行う場所に入場させ、および退場させる時に、人員を点検しなければならない（酸欠則第８条１項）。

(4) **正しい**。し尿、腐泥、**汚水**、パルプ液その他腐敗し、または分解しやすい物質を入れたことのある**ポンプ**・配管等の改造、修理、清掃等を行う場合において、これらの設備を分解する作業に労働者を従事させるときは、**硫化水素中毒の防止について必要な知識を有する者のうちから指揮者を選任**し、その者に当該作業を指揮させなければならない（酸欠則第25条の２第２号）。

(5) **誤り**。パルプ液を入れたことのある槽の内部における作業は、**第二種酸素欠乏危険作業**に該当する（酸欠則２条第８号、安衛令別表第６第９号）。そして、第二種酸素欠乏危険作業にあっては**酸素欠乏・硫化水素危険作業主任者技能講習を修了した者のうちから**、酸素欠乏危険作業主任者を選任しなければならない（酸欠則第11条１項）。酸素欠乏危険作業主任者技能講習を修了した者のうちから選任するのではない。

問９　正答（３）

〈解説〉　特定化学物質障害予防規則による特別管理物質を製造する事業者が事業を廃止しようとするとき、特別管理物質等関係記録等報告書に添えて、所轄労働基準監督署長に提出することが義務付けられているのは、①**作業の記録**（C）、②**作業環境測定の記録**（A）、③**特定化学物質健康診断個人票**（E）またはこれらの写しである（特化則第53条）。以上から、特別管理物質等関係記録等報告書に添えて、所轄労働基準監督署長に提出することが義務付けられているものの組合せは、A、C、Eとなる。

したがって、選択肢（３）が正答となる。

問10　正答（５）

〈解説〉　**多量の低温物体を取り扱う業務**および**重量物の取扱い等重激なる業務**は、労働基準法に基づく時間外労働に関する協定を締結し、所轄労働基準監督署長に届け出る場合においても、労働時間の延長が１日２時間を超えてはならない業務である（労基法第36条第６項第１号、労基則第18条第２号・第７号）。

したがって、選択肢（５）が正答となる。

〔労働衛生（有害業務に係るもの）〕

問11　正答（３）

〈解説〉 (1) **正しい**。有害業務への配置替えの際に行う特殊健康診断には、**業務適性の判断**と、**その後の業務による影響を調べるための基礎資料を得る**という目的がある。

(2) **正しい**。特殊健康診断において適切な健診デザインを行うためには、作業内容と有害要因へのばく露状況を把握する必要がある。

(3) **誤り**。情報機器作業を行う作業者に対する健康診断においては、業務歴の調査、既往歴の調査、自覚症状の有無の調査のほか、視力検査などの**眼科学的検査**、**上肢の運動機能**などの**筋骨格系に関する検査**も行うとされている。しかし、下肢の運動機能の検査を行うとはされていない。

(4)**正しい**。マンガンを取り扱う業務に常時従事する労働者に対して行う特殊健康診断の項目として、握力の測定がある。

(5)**正しい**。有機溶剤は**生物学的半減期が短い**ので、尿中の有機溶剤代謝物の量の検査を行うときは、**尿の採取時期を厳重にチェック**する必要がある。

問12　正答 **(5)**

〈解説〉(1)**正しい**。管理濃度は、有害物質に関する**作業環境の状態**を単位作業場所の作業環境測定結果から**評価するための指標**として設定されたものである。なお、管理濃度は個々の労働者の有害物質へのばく露濃度との対比を前提として設定されている許容濃度とは異なる。

(2)**正しい**。A測定は、単位作業場所における有害物質の気中濃度の**平均的な分布**を知るために行う測定である。

(3)**正しい**。B測定は、有害物の**発散源に近接**する場所において作業が行われる場合や**多量の有害物質が間欠的に発散**するような作業における**最高濃度**を知るために行う測定である。

(4)**正しい**。A測定の第二評価値が管理濃度を超えている単位作業場所の管理区分は、B測定の結果に関係なく第三管理区分になる。

(5)**誤り**。**B測定の測定値が管理濃度の1.5倍を超えている**単位作業場所の管理区分は、A測定の結果に関係なく**第3管理区分**となる。B測定の測定値が管理濃度を超えている場合ではない。

問13　正答 **(5)**

〈解説〉(1)**正しい**。シアン化水素による中毒では、細胞内での酸素利用の障害による**呼吸困難、けいれん**などがみられる。なお、シアン化水素はアーモンド臭のある無色の気体である。

(2)**正しい**。硫化水素による中毒では、**意識消失、呼吸麻痺**などがみられる。なお、硫化水素は、腐卵臭の気体である。

(3)**正しい**。弗化水素による慢性中毒では、**骨の硬化、斑状歯など**がみられる。

(4)**正しい**。二酸化硫黄による慢性中毒では、**慢性気管支炎、歯牙酸蝕症**などがみられる。なお、急性中毒では、咳、眼の痛み、呼吸困難がみられる。

(5)**誤り**。二酸化窒素による中毒では、急性中毒では、**粘膜刺激症状**が、慢性中毒では、**歯牙酸蝕症、慢性気管支炎、胃腸障害**がみられる。末梢神経障害などはみられない。

問14　正答 **(5)**

〈解説〉(1)**正しい**。電離放射線の被ばくによる影響には、**身体的影響**と**遺伝的影響**（遺伝子突然変異などによる健康影響）がある。

（2）**正しい**。造血器、生殖腺、消化管粘膜、皮膚などの組織・臓器は、一般的に電離放射線の影響を受けやすい。

（3）**正しい**。電離放射線に被ばく後、**30日以内に現れる**健康障害は、**急性障害**に分類される。したがって、設問の造血器障害は急性障害に分類される。

（4）**正しい**。電離放射線の被ばくによる身体的影響のうち、**白内障**は**晩発障害**に分類される。

（5）**誤り**。確率的影響による身体的影響は、**被ばく線量が多い**ほど**発生率が高まる**。症状の程度が変わるのではない。

問15　正答（4）

〈解説〉（1）**誤り**。有機溶剤は、その蒸気は一般的に**空気より重い**。なお、揮発性が高いとする点は、正しい。

（2）**誤り**。有機溶剤は、脂溶性を有しており、脂溶性が高いほど**脂肪の多い脳などに入りやすい**。

（3）**誤り**。メタノールによる障害として顕著なものは、**視神経障害**である。網膜細動脈瘤を伴う脳血管障害ではない。

（4）**正しい**。二硫化炭素による中毒は、**低濃度の長期間ばく露**では**動脈硬化**を進行させ、**高濃度の急性ばく露**では**精神障害**を起こすことがある。また、微細動脈瘤を伴う脳卒中や虚血性疾患のリスクが高くなる。

（5）**誤り**。N,N - ジメチルホルムアミドによる健康障害（長期間ばく露）として顕著なものには、**頭痛、めまい、消化不良、肝機能障害**などがみられる。視力低下を伴う視神経障害ではない。

問16　正答（1）

〈解説〉**アセトン**は常温・常圧の空気中で**蒸気**として存在する。

したがって、選択肢（1）が正答となる。

なお、（2）塩素は常温・常圧の空気中で**ガス**として、（3）テトラクロロエチレン、（4）ナフタレン、（5）フェノールは常温・常圧の空気中で**蒸気**として存在する。

問17　正答（1）

〈解説〉（1）**正しい**。**塩化ビニル**により発症するおそれのある主たるがんは、**肝血管肉腫**である。

（2）**誤り**。**ベンジジン**により発症するおそれのある主たるがんは、**膀胱がん**である。

（3）**誤り**。**ビス（クロロメチル）エーテル**により発症するおそれのある主たるがんは、**肺がん**である。

（4）**誤り**。**クロム酸**により発症するおそれのある主たるがんは、**肺がん**である。

(5)誤り。**石綿**により発症するおそれのある主たるがんは、**肺がん、胸膜中皮腫**である。

問18　正答（2）

〈解説〉　「化学物質等による危険性又は有害性等の調査等に関する指針」では、以下のように示されている。

(1)正しい。リスクアセスメントの基本的手順のうち最初に実施するのは、労働者の就業に係る**化学物質等による危険性または有害性を特定**することである。

(2)誤り。ハザードは、**労働者の就業に係る危険性または有害性**と定義される。労働災害発生の可能性と負傷または疾病の重大性（重篤度）の組合せではない。たとえば作業場にある引火性の物が、ハザード（危険性）である。

(3)正しい。化学物質等による疾病のリスク低減措置の検討では、化学物質等の有害性に応じた有効な**保護具の使用よりも**作業手順の改善、立入禁止等の**管理的対策を優先**する。

(4)正しい。化学物質等による疾病のリスク低減措置の検討では、法令に定められた事項を除けば、**危険性または有害性のより低い物質への代替等を最優先**する。

(5)正しい。化学物質等による疾病のリスク低減措置の検討に当たっては、より優先順位の高い措置を実施することにした場合であって、当該措置により十分にリスクが低減される場合には、当該措置よりも優先順位の低い措置の検討まで要するものではない。

問19　正答（1）

〈解説〉(1)正しい。キャノピ型フードは、発生源からの熱による**上昇気流を利用して捕捉**するもので、**レシーバ式フード**に分類される。

(2)誤り。スロット型フードは、発生源から発生する有害物質を**吸い込み気流によりフードまで吸引**するものであり、**外付け式フード**に分類される。囲い式フードに分類されるのではない。

(3)誤り。囲い式フードは、開口面積が小さいほど排気効果が大きい。排気効果を型別に比較すると、ドラフトチェンバ型は、カバー型より排気効果が**小さい**。

(4)誤り。ダクトの**断面積を大きく**するほど、**圧力損失は減少**する。圧力損失が増大するのではない。なお、ダクトの形状には円形、角形などがあるとする点は、正しい。

(5)誤り。空気清浄装置を付設する局所排気装置を設置する場合、排風機は、一般に**空気清浄装置の後ろ**に設ける。吸引ダクトと空気清浄装置の間ではない。

問20　正答（4）

〈解説〉(1)正しい。隔離式防毒マスクは、ガスまたは蒸気の濃度が２％（アンモニアにあっては、３％）以下の大気中で使用するものであり、直結式防毒マスクは、ガスまたは蒸気の濃度が１％（アンモニアにあっては、1.5%）以下の大気中で使用するものである。したがって、隔離式防毒マスクは、直結式防毒マスクよりも有害ガスの濃度が高い大気中で使用することができる。

（2）**正しい**。ガスまたは蒸気状の有害物質が粉じんと混在している作業環境中で防毒マスクを使用するときは、**防じん機能を有する防毒マスクを選択**する。

（3）**正しい**。防毒マスクの吸収缶の色は、アンモニア用は緑色で、**有機ガス用**は**黒色**である。

（4）**誤り**。使い捨て式防じんマスクは、粒径1μm程度のヒュームにも使用できる。

（5）**正しい**。防じんマスクは、面体と顔面との間にタオルなどを挟んで着用してはならない。

〔関係法令（有害業務に係るもの以外のもの）〕

問21　正答（5）

〈解説〉　**常時300人以上**の労働者を使用する**通信業**、**各種商品小売業**、**旅館業**、**ゴルフ場業**の事業場では、法令上、**総括安全衛生管理者**の**選任が義務付けられている**。しかし、常時300人の労働者を使用する警備業の事業場は、法令上、総括安全衛生管理者の選任が義務付けられていない（安衛法第10条第１項、安衛令第２条)。

したがって、選択肢（５）が正答となる。

問22　正答（4）

〈解説〉（1）～（3）**定められている**。事業者は、衛生管理者を選任し、その者に次の業務のうち衛生に係る技術的事項を管理させなければならない（安衛法第12条第１項・第10条第１項、安衛則第３条の２)。

① 労働者の危険または健康障害を防止するための措置に関すること。
② **労働者の安全または衛生のための教育の実施に関すること。**（３）
③ **健康診断の実施その他健康の保持増進のための措置に関すること。**（２）
④ 労働災害の原因の調査および再発防止対策に関すること。
⑤ ①～④のほか、労働災害を防止するため必要な業務で、以下のもの。
ｉ）安全衛生に関する方針の表明に関すること。
ⅱ）**危険性または有害性等の調査およびその結果に基づき講ずる措置に関すること。**（１）
ⅲ）安全衛生に関する計画の作成、実施、評価および改善に関すること。

（4）**定められていない**。「労働者の健康を確保するため必要があると認めるとき、事業者に対し、労働者の健康管理等について必要な勧告をすること」は、事業者が衛生管理者に行わせるべき業務として、法令上、定められていない。なお、法令上、産業医の職務として「事業者に対し、労働者の健康管理等について必要な勧告をすることができる」と定められている（安衛法第13条第

5項)。

(5) **定められている**。衛生管理者は、**少なくとも毎週1回**作業場等を**巡視**し、設備、作業方法または衛生状態に有害のおそれがあるときは、ただちに、労働者の健康障害を防止するため必要な措置を講じなければならない(安衛則第11条第1項)。

問23　正答(1)

〈解説〉(1) **正しい**。**常時50人以上**の労働者を使用する事業者は、**1年以内ごとに1回**、定期に、心理的な負担の程度を把握するための検査(以下、検査という)結果等**報告書**を**所轄労働基準監督署長に提出**しなければならない(安衛則第52条の21)。

(2) **誤り**。面接指導の対象となる要件に該当する労働者から申出があったときは、遅滞なく、面接指導を行わなければならない(安衛則第52条の16第2項)。申出の日から3カ月以内に行わなければならないのではない。

(3) **誤り**。事業者は、検査を行った場合は、当該**検査を行った医師等**に、当該検査の結果を当該事業場の当該部署に所属する労働者の集団その他の一定規模の集団ごとに集計させ、その結果について**分析させるよう努めなければならない**(安衛則第52条の14第1項)。

(4) **誤り**。事業者は、面接指導の結果に基づき、当該**面接指導の結果の記録を作成**して、これを**5年間保存**しなければならない(安衛則第52条の18第1項)。健康診断個人票に記載しなければならないのではない。

(5) **誤り**。面接指導は**当該事業場の産業医等が実施することが望ましい**とされている(心理的な負担の程度を把握するための検査及び面接指導の実施並びに面接指導結果に基づき事業者が講ずべき措置に関する指針)。したがって、面接指導を行う医師として指名するものは、「医師」であればよく、法定の研修を修了した医師に限られるのではない。

問24　正答(1)

〈解説〉「安全衛生に関する方針の表明に関すること」は、産業医の職務として、法令に定められていない。

したがって、選択肢(1)が正答となる。

なお、「安全衛生に関する方針の表明に関すること」は、総括安全衛生管理者が統括管理する業務である(安衛法第10条第1項第5号、安衛則第3条の2第1号)。

問25　正答(1)

〈解説〉定期健康診断の項目のうち、**既往歴および業務歴の調査**、**自覚症状および他覚症状の有無の検査**、**血圧の測定**、**尿検査**については、医師が必要でないと認めるときは、省略することができる項目に該当しない(安衛則第44条第2項)。

したがって、選択肢（1）が正答となる。

問 26　正答 **（4）**

〈解説〉（1）**誤り**。**災害その他避けることのできない事由によって、臨時の必要がある場合**においては、使用者は、**行政官庁（所轄労働基準監督署長）の許可**を受けて、その必要の限度において労働時間を延長し、または休日に労働させることができる（労基法第 36 条）。また、**公務のために臨時の必要がある場合**においても労働時間を延長し、または休日に労働させることができる（労基法第 33 条第 1 項・第 3 項）。したがって、1 日 8 時間を超えて労働させることができるのは、時間外労働の労使協定を締結し、届け出た場合に限られているのではない。

（2）**誤り**。労働時間は、**事業場を異にする場合**においても、労働時間に関する規定の適用については**通算する**（労基法第 38 条第 1 項）。

（3）**誤り**。労働時間が **6 時間を超える場合**においては**少なくとも 45 分**、**8 時間を超える場合**においては**少なくとも 1 時間**の休憩時間を労働時間の途中に与えなければならない（労基法第 34 条第 1 項）。したがって、設問の場合は、少なくとも 1 時間の休憩時間を与えなければならない。少なくとも 45 分ではない。

（4）**正しい**。**労働時間**、**休憩**および**休日**に関する規定は、①農業または水産業に従事する者、②監督もしくは管理の地位にある者または**機密の事務を取り扱う者**、③監視または断続的労働に従事する者で、使用者が行政官庁（所轄労働基準監督署長）の許可を受けたものについては**適用しない**（労基法第 41 条）。

（5）**誤り**。フレックスタイム制の清算期間は、**3 カ月以内**の期間に限るものとする（労基法第 32 条の 3 第 1 項第 2 号）。6 カ月以内の期間に限られるのではない。

問 27　正答 **（5）**

〈解説〉　**週所定労働時間が 32 時間**で、週所定労働日数が 4 日である労働者は比例付与の対象とならないため、雇入れの日から起算して **3 年 6 カ月継続勤務**し、直前の 1 年間に全労働日の 8 割以上出勤した場合には、法令上、短時間労働者以外の労働者と同様に **14 日**の年次有給休暇を与えなければならない（労基法第 39 条第 2 項、労基則第 24 条の 3）。

したがって、選択肢（5）が正答となる。

〔労働衛生（有害業務に係るもの以外のもの）〕

問 28　正答 **（5）**

〈解説〉　「労働者の心の健康の保持増進のための指針」では、以下のように規定されている。

（1）**適切**。**衛生委員会**または**安全衛生委員会**において**十分調査審議を行い**、「心の健康づくり計画」を策定・実施するとされている。

(2)**適切**。「セルフケア」、「ラインによるケア」、「事業場内産業保健スタッフ等によるケア」および「事業場外資源によるケア」の**四つのケアを継続的かつ計画的に行う**とされている。

(3)**適切**。メンタルヘルスケアを推進するに当たって、労働者の個人情報を主治医等の医療職や家族から取得する際には、事業者は**あらかじめ**これらの情報を取得する**目的を労働者に明らかにして承諾を得る**とともに、これらの情報は**労働者本人から提出**を受けることが望ましいとされている。

(4)**適切**。労働者の心の健康は、職場配置、人事異動、職場の組織等の人事労務管理と密接に関係する要因によって、大きな影響を受ける。メンタルヘルスケアは、**人事労務管理と連携**しなければ、適切に進まない場合が多いことに留意するとされている。

(5)**不適切**。衛生委員会等において調査審議すべき事項として、「労働者の精神的健康の保持増進を図るための対策の樹立に関すること」があり、十分調査審議することが必要とされている。そして、ストレスチェック制度は、メンタルヘルス不調となることを未然に防止する一次予防を目的としている。したがって、ストレスチェック制度に関する調査審議とメンタルヘルスケアに関する調査審議を**関連付けて行うことができる**。

問29　正答（4）

〈解説〉　運動機能検査の項目のうち、敏しょう性を把握するために行う測定種目は全身反応時間である。上体起こしではない。

したがって、選択肢（4）が正答となる。

問30　正答（2）

〈解説〉　①偽陽性率とは、**疾病なしの者を陽性（有所見）と判定する率**をいう。以下のように、精密検査によって疾病なしと判定された者のうち、スクリーニング検査では陽性と判定されていた者の割合を求める。

$$\text{偽陽性率(\%)} = \frac{\text{精密検査は疾病なしと判定されたが スクリーニング検査では陽性と判定されていた者}}{\text{精密検査は疾病なしと判定された者}} \times 100$$

これを本問にあてはめると、

$$= \frac{200}{200+775} \times 100$$

$$= 20.51\cdots$$

$$\fallingdotseq 20.5$$

②偽陰性率とは、**疾病ありの者を陰性（正常）と判定する率**をいう。以下のように、精密検査によって疾病ありと判定された者のうち、スクリーニング検査では陰性と判定されていた者の割合を求める。

$$偽陰性率(\%)=\frac{\text{精密検査は疾病ありと判定されたが}\\\text{スクリーニング検査では陰性と判定されていた者}}{\text{精密検査は疾病ありと判定された者}}\times 100$$

これを本問にあてはめると、

$$=\frac{5}{5+20}\times 100$$

$$=\quad 20.0$$

以上から、近似値の組合せとして正しいものは、偽陽性率（%）20.5、偽陰性率（%）20.0　となる。

したがって、選択肢（2）が正答となる。

問 31　正答（3）

〈解説〉（1）**正しい**。脳血管障害は、脳の血管の病変が原因で生じ、**出血性病変**、**虚血性病変**などに分類される。

（2）**正しい**。出血性の脳血管障害は、**くも膜下出血**（脳表面のくも膜下腔に出血）、**脳出血**（脳実質内に出血）などに分類される。

（3）**誤り**。くも膜下出血は、脳の表面の動脈にできた動脈瘤が破れ、くも膜下腔に出血したものである。動脈瘤が破れると血液は瞬時にくも膜下腔を回りこみ、突然の頭痛や意識障害をきたす。数日後に発症するのではない。

（4）**正しい**。虚血性心疾患には、狭心症（心筋の一部分に可逆的虚血が起こる）と、心筋梗塞（不可逆的な心筋壊死が起こる）に大別される。

（5）**正しい**。心筋梗塞では、突然激しい胸痛が起こり、「締め付けられるように痛い」、「胸が苦しい」などの症状が通常長く、1時間以上続くこともある。

問 32　正答（5）

〈解説〉（1）**誤り**。**単純骨折**とは、皮膚の下で骨が折れているが、**皮膚に損傷がない**ものをいう。骨にひびが入った状態をいうのではない。なお、**骨にひびの入った状態**を**不完全骨折**という。

（2）**誤り**。**複雑骨折**とは、骨折にともない皮膚、**皮下組織などが損傷**し、骨折した**骨が外に出ているもの**をいう。骨が多数の骨片に破砕された状態をいうのではない。

（3）**誤り**。骨折端どうしが擦れ合う軋轢音、変形などが認められるのは、**完全骨折**（の場合）である。不完全骨折ではない。

（4）**誤り**。脊髄損傷が疑われる負傷者をやむを得ず搬送させる場合は、**硬い板の上にのせて搬送**する。なお、脊髄損傷が疑われる場合は、動かさないことが原則であるとする点は、正しい。

（5）**正しい**。副子で固定するときには、骨折部分の上下の関節まで固定できる長さで、かつ、幅の広いものを用いる。また、十分な強度があるものを使用する。

問 33　正答（**3**）

〈解説〉（1）誤り。ノロウイルスによる食中毒は、食品に付着した**ウイルスが腸内で増殖**することで発症する。ウイルスが産生した毒素により発症するのではない。

（2）誤り。ウイルスの感染性は、**長時間煮沸すると失われる**。

（3）正しい。ノロウイルスによる食中毒の**潜伏期間**は、**1～2日間**である。

（4）誤り。ノロウイルスによる食中毒の発生時期は、**冬季が多い**。夏季ではない。

（5）誤り。ノロウイルスによる食中毒の症状は、**吐き気**、**嘔吐**、**下痢**などの症状が特徴である。筋肉の麻痺などの神経症状が特徴ではない。

問 34　正答（**1**）

〈解説〉（1）正しい。BMI は**肥満や低体重（痩せ）の判定**に用いられる指数で、この数値が**大きい**ほど**肥満**の傾向があり、**小さい**ほど**痩せ**の傾向がある。

（2）誤り。BMI の値は、「**体重（kg）÷（身長（m））**^{2}」の計算式から算出される。BMI の算出に腹囲の値は必要ない。

（3）誤り。（2）の解説で述べたとおり、BMI の算出に体脂肪率の値は必要ない。

（4）誤り。（2）の解説で述べたとおり、BMI の値は、「**体重（kg）÷（身長（m））**^{2}」の計算式から算出されるものであり、内臓脂肪の重量と直線的な比例関係にはない。

（5）誤り。BMI による肥満度の判定基準は、男女ともに同じ数値が用いられる。男性の方が女性より大きな数値が用いられるのではない。

〔労働生理〕

問 35　正答（**3**）

〈解説〉（1）誤り。呼吸運動は、**横隔膜、肋間筋などの呼吸筋が収縮と弛緩**をすることによって胸郭内容積を周期的に増減し、それに伴って肺を受動的に伸縮させることにより行われる。胸膜が運動することで行われるのではない。

（2）誤り。**肺胞内の空気**と肺胞を取り巻く**毛細血管中の血液**との間で行われるガス交換を**外呼吸**という。内呼吸ではない。なお、一般にはこれを呼吸と呼ぶことが多い。

（3）正しい。人間の呼気の成分の中で、**酸素**の濃度は**約 16%**、**二酸化炭素**の濃度は**約4%**である。

（4）誤り。呼吸をしていない状態から次第に呼吸が深まり、再び浅くなって呼吸が止まる状態を交互に繰り返すパターンの呼吸をチェーンストークス呼吸という。延髄の**呼吸中枢の機能が衰えることが原因**で生じる。心不全や脳卒中などが重症化して、脳への酸素の供給が不十分になっていることを示すことが多い。肺機能の低下により呼吸数が増加した状態をいうのではない。また、喫煙が原因ではない。

（5）誤り。身体活動時には、血液中の**二酸化炭素分圧（濃度）**の上昇により呼吸中枢が刺激され、1回換気量および呼吸数が増加する。窒素分圧ではない。

問36　正答（1）

〈解説〉（1）誤り。**中枢神経系**において神経細胞の細胞体が集合している部分を**神経核**といい、**末梢神経系**においては**神経節**という。

（2）正しい。大脳の**外側の皮質**は、神経細胞の細胞体が集合した**灰白質**で、感覚、運動、思考などの作用を支配する中枢として機能する。

（3）正しい。**副交感神経系**は、身体の機能を回復に向けて働く。たとえば、休息や睡眠状態で活動が高まり、**心拍数を減少**し、**消化管の運動を亢進**する。

（4）正しい。**自律神経系**は、**交感神経系**と**副交感神経系**に分類され、各種臓器において双方の神経線維が分布し、ほぼ相反する作用をする。

（5）正しい。**体性神経**には、感覚器官からの情報を中枢に伝える**感覚神経**と、中枢からの命令を運動器官に伝える**運動神経**がある。

問37　正答（1）

〈解説〉（1）誤り。心臓は、**洞結節（洞房結節）**で発生した刺激が、刺激伝導系を介して心筋に伝わることにより、規則正しく収縮と拡張を繰り返す。自律神経の中枢で発生した刺激ではない。

（2）正しい。**肺循環**により**左心房に戻ってきた血液**は、**左心室を経て大動脈に入る**。なお、心臓から拍出された血液を送る血管を動脈といい、心臓に戻る血液を送る血管を静脈という。

（3）正しい。**大動脈**を流れる血液は**動脈血**であるが、**肺動脈**を流れる血液は**静脈血**である。なお、動脈血は酸素を多く含む血液であり、静脈血は二酸化炭素を多く含む血液である。

（4）正しい。心臓の拍動による動脈圧の変動を末梢の動脈で触知したものを脈拍という。一般に、手首の橈骨動脈（手首の母指側）で触知する。

（5）正しい。動脈硬化とは、コレステロールの蓄積などにより、**動脈壁が肥厚・硬化して弾力性を失った状態**をいう。進行すると血液が通る血管の狭窄や閉塞を招き、臓器への酸素や栄養分の供給が妨げられる。このように、血液の供給が滞ることで組織の一部が死ぬことを、梗塞という。

問38　正答（1）

〈解説〉（1）誤り。脂肪は、膵臓から分泌される膵液中の消化酵素である**リパーゼ（膵リパーゼ）**により脂肪酸とモノグリセリドに分解され、小腸の絨毛から吸収される。膵アミラーゼにより分解されるのではない。なお、膵アミラーゼは、糖質（炭水化物）を分解する。

（2）正しい。胆汁は、**アルカリ性**で、**消化酵素は含まない**。しかし、食物中の脂肪を乳化させ、脂肪分解の働きを助ける。なお、食物中の脂肪を乳化させるのは、胆汁酸である。

（3）正しい。肝臓は、過剰（余分）な蛋白質と糖質（炭水化物）を中性脂肪に変える。

（4）正しい。コレステロールやリン脂質は、**神経組織の構成成分**となる。また、細胞膜の成分となる。

（5）正しい。**脂質（脂肪）**は、糖質（炭水化物）や蛋白質に比べて**多くのＡＴＰ（アデノシン三リン酸）を産生**することができるので、エネルギー源として優れている。ただし、摂取量が多すぎると肥満の原因となる。なおＡＴＰの分解により、筋肉の収縮に使用されるエネルギーが得られる。

問 39　正答**（3）**

〈解説〉　Ａ　誤り。腎臓の腎小体では、糸球体から血液中の**血球**および**蛋白質以外の血漿成分**が**ボウマン嚢に濾し出され**、原尿が生成される。なお、原尿中には糖（グルコース）やナトリウムなどの電解質が含まれる。糖以外の血漿成分が漉し出されるのではない。

Ｂ　正しい。腎臓の尿細管では、原尿に含まれる**大部分の水分**および**身体に必要な成分**（糖やナトリウム）が**血液中に再吸収**され、残りが尿として生成される。

Ｃ　正しい。尿は淡黄色の液体で、固有の臭気を有している。通常、**弱酸性**である。

Ｄ　誤り。尿酸は、体内のプリン体と呼ばれる物質の代謝物である。健康診断においては、**血液中**の尿酸値の量の検査が広く行われている。尿中ではない。

以上から、誤っているものの組合せは、Ａ、Ｄとなる。

したがって、選択肢（３）が正答となる。

問 40　正答**（5）**

〈解説〉（1）正しい。眼軸が**短すぎる**ために、平行光線が網膜の**後方**で像を結ぶ状態を**遠視**（遠視眼）という。

（2）正しい。嗅覚と味覚は化学感覚ともいわれ、物質の**化学的性質（刺激）を認知**する感覚である。

（3）正しい。温度感覚は、皮膚のほか口腔などの粘膜にも存在し、一般に**冷覚の方が温覚よりも鋭敏**である。

（4）正しい。深部感覚は、筋肉や腱にある受容器から得られる身体各部の位置、運動などを認識する感覚である。

（5）誤り。平衡感覚に関係する器官である前庭および半規管は、**内耳**にあって、体の傾きや回転の方向を知覚する。中耳ではない。

問 41　正答**（1）**

〈解説〉（1）誤り。アルドステロンは、副腎皮質から分泌されるホルモンで、**血中の塩類バランスの調節**の働きがある。血糖量の増加の働きがあるのではない。

（2）正しい。インスリンは、膵臓から分泌されるホルモンで、**血糖量の減少**の働きがある。

(3)**正しい**。パラソルモンは、副甲状腺から分泌されるホルモンで、**血中（体液中）のカルシウムバランスの調節**の働きがある。

(4)**正しい**。プロラクチンは、下垂体から分泌されるホルモンで、**黄体形成の促進**の働きがある。

(5)**正しい**。副腎皮質刺激ホルモンは、下垂体から分泌されるホルモンで、**副腎皮質の活性化**の働きがある。

問42　正答（5）

〈解説〉(1)**正しい**。抗原とは、免疫に関係する細胞によって異物として認識される物質のことである。

(2)**正しい**。抗原となる物質には、細菌やウィルスに存在する蛋白質、糖質などがある。

(3)**正しい**。抗体とは、体内に入ってきた抗原に対して体液性免疫において作られる免疫グロブリンと呼ばれる蛋白質のことである。

(4)**正しい**。好中球は白血球の一種であり、偽足を出してアメーバ様運動を行い、体内に侵入してきた細菌やウイルスなどを貪食する。なお、好中球は、白血球の約60%を占めている。

(5)**誤り**。リンパ球には、血液中の**抗体を作るBリンパ球**と、**細胞性免疫の作用を持つTリンパ球**がある。

問43　正答（1）

〈解説〉(1)**誤り**。ストレッサーは、その**強弱や質に応じて**、**自律神経系と内分泌系**を介して、心身の活動を亢進したり抑圧したりする。

(2)**正しい**。ストレス反応には、ノルアドレナリン、アドレナリンなどの**カテコールアミン**や**副腎皮質ホルモン**が深く関与している。ストレッサーの強弱や質に応じて分泌が亢進する。

(3)**正しい**。昇進、転勤、配置替えなどがストレスの原因となることがある。

(4)**正しい**。職場環境における騒音、気温、湿度、悪臭などがストレスの原因となることがある。

(5)**正しい**。ストレスにより、高血圧症、狭心症、胃・十二指腸潰瘍などの**内科的疾患**が生じることがある。

問44　正答（1）

〈解説〉(1)**正しい**。体温調節中枢は、**間脳の視床下部**にある。なお、体温調節中枢は、産熱と放熱とのバランスを維持し体温を一定に保つよう機能している。

(2)**誤り**。体温調節のように、外部環境が変化しても身体内部の状態を一定に保つ生体の仕組みを**恒常性（ホメオスタシス）**という。同調性ではない。また、恒常性（ホメオスタシス）は、おもに**内分泌系**と**神経系（自律神経系）**により調整されている。筋肉と神経系により調整されているのではない。

(3) 誤り。寒冷にさらされ体温が正常より低くなると、**皮膚の血管が収縮**して血流量を**減らし**、皮膚温を**低下**させる。これにより、皮膚温と気温の差が少なくなり、放熱が抑制される。

(4) 誤り。計算上、発汗によって体重 70kg の人の体表面から **100g** の汗が蒸発すると、気化熱が奪われ、体温が約 1 ℃下がる。10g ではない。

(5) 誤り。**発汗のほかに皮膚および呼気から水分が失われる現象**を不感蒸泄という。

予想模擬試験
解答・解説

〔関係法令（有害業務に係るもの）〕

問１　正答（4）

〈解説〉（1）**正しい。製造業**では、**常時300人以上**の労働者を使用する場合に**総括安全衛生管理者を選任**しなければならない（安衛法第10条第１項、安衛令第２条）。したがって、常時800人の労働者を使用する製造業の事業場では、総括安全衛生管理者を選任しなければならない。

（2）**正しい。常時500人を超える労働者を使用する事業場**で、坑内労働または**有害業務**（労基則第18条に掲げる**一部**の業務）**に常時30人以上**の労働者を従事させる場合は、衛生管理者のうち１人を**衛生工学衛生管理者免許を有する者のうちから選任**しなければならない（安衛法第12条第１項、安衛則第７条第１項第６号）。そして、**多量の高熱物体を取り扱う業務**は、この**有害業務に該当**する。したがって、設問の場合、衛生管理者のうち１人を衛生工学衛生管理者免許を有する者のうちから選任しなければならない。

（3）**正しい。常時500人を超える労働者を使用する事業場で**、坑内労働または**有害業務**（労基則第18条に掲げる業務）**に常時30人以上**の労働者を従事させる場合は、衛生管理者のうち少なくとも１人を**専任の衛生管理者**としなければならない（安衛法第12条第１項、安衛則第７条第１項第５号ロ）。そして、**多量の高熱物体を取り扱う業務**はこの**有害業務に該当**する。したがって、設問の場合、衛生管理者のうち少なくとも１人を専任の衛生管理者としなければならない。

（4）**誤り。常時1,000人以上**の労働者を使用する事業場または**深夜業を含む有害業務に常時500人以上**の労働者を従事させる事業場においては、**専属の産業医を選任**しなければならない（安衛法第13条第１項、安衛則第13条第１項第３号）。設問では、深夜業を含む業務に常時550人が従事している。したがって、選任する産業医は専属の者でなければならない。

（5）**正しい**。特定化学物質を製造し、または取り扱う作業（**試験研究のため取り扱う作業を除く**）については、作業主任者を選任しなければならない（安衛法第14条、安衛令第６条第18号）。

問２　正答（5）

〈解説〉　ハロゲンガス用防毒マスク（C）、**電動ファン付き呼吸用保護具**（D）は、厚生労働大臣が定める規格を具備しなければ、譲渡し、貸与し、または設置してはならない機械等に該当する（安衛法第42条、安衛法別表第２、安衛令第13条）。

したがって、選択肢（5）が正答となる。

問３　正答（3）

〈解説〉　**特定化学設備**に関する**定期自主検査の実施頻度**は、**２年以内ごとに１回**である（安衛法第45条第１項、安衛令第15条９号、特化則第31条）。

したがって、選択肢（3）が正答となる。

問4　正答（1）

〈解説〉（1）**誤り**。作業場所に設ける局所排気装置について、**外付け式フードの場合、側方吸引型や下方吸引型で0.5m/s、上方吸引型で1.0m/s**の制御風速を出し得る能力を有するものでなければならない（有機則第16条第1項）。0.4m/sの制御風速ではない。

（2）**正しい**。有機溶剤等の区分を色分けにより表示するとき、**第二種有機溶剤等**については、**黄色**で行わなければならない（有機則第25条第1項・第2項）。

（3）**正しい**。事業者は、**第一種有機溶剤等**および**第二種有機溶剤等**を使用して有機溶剤業務を行う屋内作業場について、**6カ月以内ごとに1回**、定期に、当該有機溶剤の濃度を測定しなければならない（有機則第28条第1項・第2項）。また、この測定を行ったときは、そのつど一定の事項を記録して、これを**3年間保存**しなければならない（有機則第28条第3項）。

（4）**正しい**。事業者は、屋内作業場等（**第三種有機溶剤等にあっては、タンク等の内部に限る**）における有機溶剤業務に常時従事する労働者に対し、原則として、雇入れの際、当該業務への配置替えの際およびその**後6カ月以内ごとに1回**、定期に、医師による健康診断（有機溶剤等健康診断）を行わなければならない（有機則第29条第1項・第2項）。また、有機溶剤等健康診断の結果に基づき、有機溶剤等健康診断個人票を作成し、これを**5年間保存**しなければならない（有機則第30条）。

（5）**正しい**。事業者は、局所排気装置については、1年を超える期間使用しない場合を除き、**1年以内ごとに1回**、定期自主検査を行わなければならない（有機則第20条第2項）。また、事業者は、定期自主検査を行ったときは、その**結果を記録**して、これを**3年間保存**しなければならない（有機則第21条）。

問5　正答（2）

〈解説〉　**ベンジジンおよびその塩**は、労働安全衛生法により、製造し、輸入し、譲渡し、提供し、または使用することが、**原則として禁止されている物質に該当する**（安衛法第55条、安衛令第16条第1項第2号）。

したがって、選択肢（2）が正答となる。

問6　正答（3）

〈解説〉（1）**正しい**。坑内における気温は、原則として、**37℃以下**にしなければならない（安衛則第611条）。

（2）**正しい**。屋内作業場に多量の熱を放散する溶融炉があるときは、加熱された空気を直接屋外に排出し、またはその放射するふく射熱から労働者を保護する措置を講じなければならない（安衛則第608条）。

（3）**誤り**。炭酸ガス（二酸化炭素）濃度が**1.5%を超える**場所には、関係者以外の者が立ち入ることを禁止し、かつ、その旨を見やすい箇所に表示しなければならない（安衛則第585条第1項第4号）。0.15%を超える場所ではない。

(4) **正しい。著しく暑熱**、寒冷または**多湿の作業場**、有害なガス、蒸気または粉じんを発散する作業場その他有害な作業場においては、坑内等特殊な作業場でやむを得ない事由がある場合を除き、**休憩の設備を作業場外に設けなければならない**（安衛則第614条）。

(5) **正しい。**廃棄物の焼却施設において焼却灰を取り扱う業務（設備の解体等に伴うものを除く）を行う作業場については、**6カ月以内ごとに1回**、定期に、当該作業場における空気中のダイオキシン類の濃度を測定しなければならない（安衛則第592条の2）。

問7　正答（3）

〈解説〉(1) **正しい。第一種酸素欠乏危険作業**を行う作業場について、その日の**作業を開始する前に**、当該作業場における空気中の**酸素の濃度を測定**しなければならない（酸欠則第3条、安衛令第21条第9号・別表第6）。

(2) **正しい。第二種酸素欠乏危険作業**を行う作業場について、その日の**作業を開始する前に**、当該作業場における空気中の**酸素および硫化水素の濃度を測定**しなければならない（酸欠則第3条、安衛令第21条第9号・別表第6）。

(3) **誤り。**「海水が滞留したことのあるピットの内部における作業」は、第二種酸素欠乏危険作業に該当する（酸欠則第2条第8号、安衛令別表第6）。そして、第二種酸素欠乏危険作業にあっては**酸素欠乏・「硫化水素」危険作業主任者技能講習を修了した者**のうちから、酸素欠乏危険作業主任者を選任しなければならない（酸欠則第2条第8号・第11条第1項）。酸素欠乏危険作業主任者技能講習を修了した者のうちから、酸素欠乏危険作業主任者を選任するのではない。

(4) **正しい。**酸素欠乏危険作業を行う場所の換気を行うときは、純酸素を使用してはならない（酸欠則第5条第3項）。

(5) **正しい。**爆発、酸化等を防止するため換気することができない場合または作業の性質上換気することが著しく困難な場合は、同時に就業する労働者の人数と同数以上の**空気呼吸器等（空気呼吸器、酸素呼吸器または送気マスクをいう）を備え**、労働者にこれを使用させなければならない（酸欠則第5条の2第1項）。

問8　正答（5）

〈解説〉(1) **正しい。都道府県労働局長**は、事業者等から、エックス線写真およびじん肺健康診断の結果を証明する書面等が提出されたときは、これらを基礎として、**地方じん肺診査医の診断または審査により**、当該労働者についてじん肺管理区分の決定をするものとする（じん肺法第13条第2項・第12条）。

(2) **正しい。**事業者は、常時粉じん作業に従事する労働者で、じん肺管理区分が**管理一**であるものについては、**3年以内ごとに1回**、定期的に、じん肺健康診断を行わなければならない（じん肺法第8条第1項第1号）。

(3)**正しい。**事業者は、常時粉じん作業に従事する労働者で、じん肺管理区分が**管理二または管理三**であるものについては、**1年以内ごとに1回**、定期的に、じん肺健康診断を行わなければならない（じん肺法第8条第1項第2号）。

(4)**正しい。**じん肺管理区分が**管理四**と決定された者および合併症にかかっていると認められる者は、**療養を要する**ものとする（じん肺法第23条）。

(5)**誤り。**事業者は、じん肺健康診断に関する記録およびエックス線写真を**7年間**保存しなければならない（じん肺法第17条第2項）。5年間ではない。

問9　正答（2）

〈解説〉(1)**正しい。**「放射性物質取扱作業室における空気中の放射性物質の濃度の測定」は、**1カ月以内ごとに1回**、行わなければならない（電離則第55条、53条第2号）。

(2)**誤り。**「多量のドライアイスを取り扱う業務を行う屋内作業場における気温および湿度の測定」は、**半月以内ごとに1回**、行わなければならない（安衛則第607条・第587条第11号）。2カ月以内ごとに1回ではない。

(3)**正しい。**「通気設備が設けられている坑内の作業場における通気量の測定」は、**半月以内ごとに1回**、行わなければならない（安衛則第603条・第589条第3号）。

(4)**正しい。**「特定粉じん作業を常時行う屋内作業場における空気中の粉じんの濃度の測定」は、**6カ月以内ごとに1回**、行わなければならない（粉じん則第26条第1項・第25条）。

(5)**正しい。**「鉛ライニングの業務を行う屋内作業場における空気中の鉛の濃度の測定」は、**1年以内ごとに1回**、行わなければならない（鉛則第52条、安衛令別表第4第7号）。

問10　正答（2）

〈解説〉　「赤外線又は紫外線にさらされる業務」は、満18歳に満たない者を就かせてはならない業務に該当しない（労基法第62条、年少則第8条参照）。

したがって、選択肢（2）が正答となる。

〔労働衛生（有害業務に係るもの）〕

問11　正答（5）

〈解説〉　化学物質等による疾病のリスクの低減措置を検討する際の対策は、法令に定められた措置の他、次の優先順位で行う。

①　危険性または有害性のより低い物質への代替等、**化学反応のプロセス等の運転条件の変更**等（5）

②　化学物質等に係る**機械設備等の密閉化**（1）、**局所排気装置の設置**等の衛生工学的対策（2）

③　**作業手順の改善**（3）、立入禁止措置等の管理的対策

④ 化学物質等の有害性に応じた有効な**保護具の使用**（4）
したがって、選択肢（5）が正答となる。

問12　正答（4）

〈解説〉　ジクロロベンジジンは常温・常圧の空気中で**粉じん**として存在する。
したがって、選択肢（4）が正答となる。
なお、ホルムアルデヒドは常温・常圧の空気中でガスとして、硫酸ジメチル、アセトン、水銀は蒸気として存在する。

問13　正答（1）

〈解説〉(1) **正しい。**鉛中毒では、**貧血、伸筋麻痺、末梢神経障害、腹部の疝痛**などの症状がみられる。

(2) **誤り。**ベリリウムによる中毒では、気管支ぜんそくや、接触皮膚炎などのほか、肺肉芽腫がみられることがある。

(3) **誤り。**マンガン中毒では、**筋のこわばり、ふるえ、歩行困難**などがみられる。

(4) **誤り。**クロム中毒では、**鼻中隔穿孔**《びちゅうかくせんこう》**、皮膚障害、肺がん、上気道がん**などがみられる。

(5) **誤り。**金属水銀中毒では、**手指のふるえ、精神障害**などの症状がみられる。

問14　正答（3）

〈解説〉(1) **正しい。**ノルマルヘキサンによる健康障害では、頭痛、めまい、**末梢神経障害（多発性神経炎）**などがみられる。

(2) **正しい。**シアン化水素による中毒では、細胞内での酸素利用の障害による**呼吸困難、痙攣**などがみられる。なお、シアン化水素はアーモンド臭のある無色の気体である。

(3) **誤り。**酢酸メチルによる中毒では、**視力低下、視野狭窄**などの視神経障害がみられる。再生不良性貧血や白血病がみられるのではない。

(4) **正しい。**二酸化硫黄による慢性中毒では、**慢性気管支炎、歯牙酸蝕症**などがみられる。なお、急性中毒では、咳、眼の痛み、呼吸困難がみられる。

(5) **正しい。**弗化水素による慢性中毒では、**骨の硬化、斑状歯**などがみられる。

問15　正答（4）

〈解説〉(1) **正しい。脂溶性があり、**脂溶性が大きいほど**脂肪の多い脳などに入りやすい。**

(2) **正しい。**高濃度ばく露による急性中毒では、中枢神経系抑制作用により酩酊状態をきたす。重篤な場合は死に至る。

(3) **正しい。**低濃度の繰り返しばく露による慢性中毒では、**頭痛、めまい、記憶力減退**（物忘れ）、**不眠**などの不定愁訴がみられる。なお、不定愁訴とは、原因が特定できない体の不調をいう。

(4) **誤り。**有機溶剤による人体への影響で、黒皮症や鼻中隔穿孔はみられない。

なお、皮膚や粘膜の症状には、結膜炎や**皮膚の角化**、亀裂、湿疹などがある。
（5）正しい。肝障害や腎障害を起こすものがある。

問16　正答（2）

〈解説〉**（1）正しい**。じん肺は、ある種の粉じんを吸入することで肺に生じる**線維増殖性変化**（肺の組織が線維化すること）を主体とする疾病である。

（2）誤り。鉱物性粉じんに含まれる遊離けい酸（SiO_2）は、胸部に**けい肺結節**という**線維性の結節を形成する特徴**がある。これをけい肺という。なお、石灰化を伴う胸膜肥厚や胸膜中皮腫を生じさせる特徴があるのは、石綿である。

（3）正しい。じん肺は、**肺結核**のほか、**続発性気管支炎**、**続発性気胸**、**原発性肺がん**などを合併することがある。

（4）正しい。溶接工肺は、溶接の際に発生する**酸化鉄ヒュームのばく露**によって発症するじん肺である。

（5）正しい。アルミニウムやその化合物を含む粉じんもじん肺を起こすことがあり、アルミニウム肺と呼ばれている。

問17　正答（1）

〈解説〉**（1）正しい**。レイノー現象（白指発作）は、振動工具などによる**末梢循環障害**（局所振動障害の1つ）の特徴的な症状である。冬期に現れやすい。

（2）誤り。けい肺は、鉱物性粉じんに含まれる**遊離けい酸（SiO_2）**により、胸部にけい肺結節という線維性の結節を形成する特徴がある。鉄、アルミニウムなどの金属粉じんにより発症するのではない。

（3）誤り。金属熱は、金属ヒュームによって肺の蛋白質の変性が起きることに対する**アレルギー反応**である。体温調節中枢が麻痺することにより発生するのではない。なお、金属熱では、悪寒と発熱や関節痛などの症状がみられるが、**発熱が長期間にわたることはなく**、数時間後に発汗とともに解熱する。

（4）誤り。電離放射線による造血器障害は、**確定的影響**に分類される。確定的影響ではない。確定的影響は、被ばく線量が**しきい値**（影響が出る最低の線量の値）**を超えた段階で障害が発生**し、障害の発生率や程度（重症度、重篤度）が被ばく線量に対応して増加する。

（5）誤り。熱けいれんは、高温環境下で多量に発汗したとき、**水分だけが補給**され、体内の**塩分濃度が低下**することにより、**筋肉痙攣**を起こすものである。なお、脳への血液の流れが少なくなることにより発生し、めまい、失神などの症状がみられるのは、熱失神である。

問18　正答（5）

〈解説〉**（1）誤り**。ダクトの**断面積を大きく**するほど、**圧力損失は減少**する。圧力損失が増大するのではない。なお、ダクトの形状には円形、角形などがあるとする点は、正しい。

(2) 誤り。フード開口部の周囲に**フランジを設ける**と、フランジがないときに比べ、所要の効果を得るために**必要な排風量は減少**する。大きな排風量が必要となるのではない。

(3) 誤り。ドラフトチェンバ型フードは、作業面以外の周りが覆われたもので、**囲い式**フードに分類される。外付け式フードではない。

(4) 誤り。建築ブース型フードは、作業面を除き周りが覆われているもので、**囲い式**フードに分類される。外付け式フードに分類されるのではない。

(5) 正しい。ダクトは、曲がり部分をできるだけ少なくするように配管し、主ダクトと枝ダクトとの合流角度は45° を超えないようにする。

問19　正答（1）

〈解説〉(1) 誤り。電動ファン付き呼吸用保護具は、**有害物質を含む空気をろ過材でろ過**し、**清浄な空気を電動ファンにより作業者のフード、面体等に供給**する呼吸用保護具である。有害物質を含む空気を拡散して呼吸域から除去するのではない。

(2) 正しい。送気マスクは、清浄な空気をパイプ、ホースなどにより作業者に供給する呼吸用保護具である。

(3) 正しい。防じんマスクを含む呼吸用保護具は、面体と顔面との間にタオルなどを当てて着用してはならない。有害物質が面体の接顔部から面体内へ入り込むおそれがあるからである。

(4) 正しい。防毒マスクを含む呼吸用保護具は、顔面と接する部分が適切な位置に収まるよう装着する。しめひもについては、**耳にかけることなく、後頭部において固定**する。

(5) 正しい。保護クリームは、作業中に有害物質が直接皮膚に付着しないようにする目的で使用するものである。

問20　正答（5）

〈解説〉「特殊健康診断において有害物の体内摂取量を把握する検査として、生物学的モニタリングがあり、スチレンについては、尿中の A **マンデル酸** 及びフェニルグリオキシル酸の総量を測定し、B **鉛** については、C **尿** 中のデルタアミノレブリン酸の量を測定する。」

したがって、選択肢（5）が正答となる。

〔関係法令（有害業務に係るもの以外のもの）〕

問21　正答（4）

〈解説〉(1) 正しい。総括安全衛生管理者は、当該事業場においてその**事業の実施を統括管理する者**をもって充てなければならない（安衛法第10条第2項）。

(2) 正しい。**都道府県労働局長**は、労働災害を防止するため必要があると認めるときは、総括安全衛生管理者の業務の執行について**事業者に勧告**することが**できる**（安衛法第10条第3項）。

（3）**正しい**。総括安全衛生管理者が旅行、疾病、事故その他やむを得ない事由によって職務を行なうことができないときは、**代理者を選任しなければならない**（安衛則第3条）。

（4）**誤り**。産業医は、**少なくとも毎月1回**作業場等を**巡視**し、作業方法または衛生状態に有害のおそれがあるときは、直ちに、労働者の健康障害を防止するため必要な措置を講じなければならない。ただし、産業医が、事業者から、**毎月1回以上、所定の情報の提供**を受けている場合であって、**事業者の同意を得ているとき**は、作業場等の巡視の頻度を**少なくとも2カ月に1回以上**とすることができる（安衛則第15条）。所定の情報とは、次の①と②である。①**衛生管理者が行う巡視の結果**、②労働者の健康障害を防止し、または労働者の健康を保持するために必要な情報であって、衛生委員会における調査審議を経て事業者が産業医に提供することとしたもの。

したがって「衛生委員会を開催した都度作成する議事概要」を提供しても巡視頻度を減らすことはできない。

（5）**正しい**。事業者は、産業医から労働者の健康管理等について勧告を受けたときは、①当該勧告の内容、②当該勧告を踏まえて講じた措置の内容（措置を講じない場合にあっては、その旨およびその理由）を記録し、これを**3年間保存**しなければならない（安衛則第14条の3第2項）。

問22　正答（4）

〈解説〉（1）**誤り**。衛生委員会の議長は、**総括安全衛生管理者**または**総括安全衛生管理者以外の者で当該事業場においてその事業の実施を統括管理するもの**もしくは**これに準ずる者**のうちから事業者が指名した者がなる（安衛法第18条第4項・第17条第3項）。衛生管理者である委員のうちから指名するのではない。

（2）**誤り**。衛生委員会の議長を除く委員の半数については、事業場に労働者の過半数で組織する労働組合があるときはその労働組合、そのような労働組合がないときは労働者の過半数を代表する者の**推薦に基づき指名**しなければならない（安衛法第18条第4項・第17条第4項）。労働組合等が指名するのではない。

（3）**誤り**。**衛生管理者のうち**から**事業者が指名した者**は、衛生委員会の委員となる（安衛法第18条第2項第2号）。したがって、事業場に専属ではないが、衛生管理者として選任している労働衛生コンサルタントを、衛生委員会の委員として指名することができる。

（4）**正しい**。衛生委員会の付議事項には、労働者の精神的健康の保持増進を図るための対策の樹立に関することが含まれる（安衛法第18条第1項第4号、安衛則第22条第10号）。

（5）**誤り**。衛生委員会は、**毎月1回以上開催**し、重要な議事にかかわる記録を作成して、**3年間保存**しなければならない（安衛則第23条第1項・第4項）。5年間ではない。

問23　正答 **(3)**

〈解説〉(1)**誤り**。面接指導は**当該事業場の産業医等が実施することが望ましい**とされている（心理的な負担の程度を把握するための検査及び面接指導の実施並びに面接指導結果に基づき事業者が講ずべき措置に関する指針）。したがって、面接指導を行う医師として指名するものは、「医師」であればよく、当該事業場の産業医を指名しなければならないのではない。

(2)**誤り**。事業者は、面接指導の結果に基づき、当該**面接指導の結果の記録を作成して**、これを**5年間保存**しなければならない（安衛則第52条の18第1項）。健康診断個人票に記載しなければならないのではない。

(3)**正しい**。労働者に対するストレスチェックの事項は、①職場における当該労働者の心理的な負担の原因に関する項目、②当該労働者の心理的な負担による心身の自覚症状に関する項目、③職場における他の労働者による当該労働者への支援に関する項目である（安衛則第52条の9）。

(4)**誤り**。面接指導の対象となる要件に該当する労働者から**申出があったとき**は、**遅滞なく**、面接指導を行わなければならない（安衛則第52条の16第2項）。申出の日から3カ月以内に行わなければならないのではない。

(5)**誤り**。**常時50人以上の労働者を使用する事業者**は、1年以内ごとに1回、定期に、ストレスチェック結果等報告書を所轄労働基準監督署長に提出しなければならない（安衛則第52条の21）。面接指導を受けた労働者数が50人以上の場合に限り報告義務があるのではない。

問24　正答 **(2)**

〈解説〉　事業者は、産業医に、次の事項を含む労働者の健康管理等に関する事項で、医学に関する専門的知識を必要とするものを行わせなければならない（安衛法第13条第1項、安衛則第14条第1項）。

・健康診断および A　**面接指導** 等の実施ならびにこれらの結果に基づく労働者の健康を保持するための措置に関すること

・B　**作業環境** の維持管理に関すること

・C　**作業の管理** に関すること

したがって、選択肢（2）が正答となる。

問25　正答 **(2)**

〈解説〉(1)**違反している**。事業場に附属する炊事場には、炊事場専用の履物を備え、**土足のまま立ち入らせないこと**とされている（安衛則第630条第15号）。したがって、事業場に附属する炊事場の入口に、土足のまま立ち入ることができるように、洗浄剤を含浸させたマットを設置していることは、衛生基準に違反している。

(2)**違反していない**。**常時50人以上または常時女性30人以上**の労働者を使用するときは、労働者が臥《が》床《しょう》することのできる休養室または休養所を、**男性用**

と女性用に区別して設けなければならない（安衛則第618条）。設問の常時、男性20人、女性25人の労働者を使用している事業場は、常時50人以上を使用する場合にも、常時女性30人以上を使用する場合にも当たらない。したがって、労働者が臥床することのできる休養室または休養所を男女別に設けていないことは、衛生基準に違反していない。

（3）**違反している**。事業場に附属する食堂については、炊事従業員**専用の休憩室および便所を設けること**とされている（安衛則第630条第11号）。便所だけでなく、休憩室についても専用のものを設けなければならない。したがって、休憩室を一般従業員と共用のもののみを設けていることは、衛生基準に違反している。

（4）**違反している**。事業者は、労働者を常時就業させる屋内作業場の気積を、**設備の占める容積**および**床面から4mを超える高さにある空間を除き**、労働者1人について、**10m^3以上**としなければならない（安衛則第600条）。設問の常時60人の労働者を就業させている屋内作業場では、設備の占める容積および床面から4mを超える高さにある空間を除き、600m^3以上としなければならない。したがって、500m^3となっていることは、衛生基準に違反している。

（5）**違反している**。日常行う清掃のほか、大掃除を、**6カ月以内ごとに1回**、定期に、**統一的に行う**こととされている（安衛則第619条第1号）。したがって、日常行う清掃のほか、1年ごとに1回、定期に、大掃除を行っていることは、衛生基準に違反している。

問26　正答（2）

〈解説〉（1）**誤り**。週所定労働時間が**30時間以上**である労働者は比例付与の対象とならないため、雇入れの日から起算して**6年6カ月以上継続勤務**し、**直近の1年間**に、**全労働日の8割以上出勤**したときには、短時間労働者以外の労働者と同様に「**20日**」の年次有給休暇（以下、「休暇」という）を新たに与えなければならない（労基法第39条第2項、労基法施行規則第24条の3）。15日ではない。

（2）**正しい**。使用者は、当該事業場に、労働者の過半数で組織する労働組合がある場合においてはその労働組合（その労働組合がない場合においては労働者の過半数を代表する者）との書面による協定により、休暇を与える時季に関する定めをしたときは、休暇の日数のうち**5日を超える部分**については、その定めにより休暇を与えることができる（労基法第39条第6項）。

（3）**誤り**。①労働者が業務上負傷し、または疾病にかかり療養のために休業した期間、②**法令に基づく育児休業または介護休業をした期間**、③産前産後の女性が休業した期間は、出勤率の算定に当たっては、これを**出勤したものとみなす**（労基法第39条第10項）。出勤しなかったものとして算出するのではない。

（4）**誤り**。休暇の請求権は、**2年間**行使しないときは、**時効によって消滅**する（労基法第115条）。1年間ではない。

（5）誤り。労働時間（労働時間、休憩および休日）に関する規定は、①農業または水産業に従事する者、②**監督もしくは管理の地位にある者**または**機密の事務を取り扱う者**、③**監視または断続的労働に従事する者で**、使用者が**行政官庁の許可を受けたもの**については**適用しない**（労基法第41条）。しかし、休暇に関する規定は適用される。休暇に関する規定は適用されないのではない。

問27　正答 **(5)**

〈解説〉（1）正しい。労使協定による**時間外・休日労働**をさせる場合であって、**妊娠中または産後1年を経過しない女性（以下、「妊産婦」という）が請求したときは、**当該女性に対して法定労働時間（1週40時間および1日8時間）を超えて労働させることはできない（労基法第66条第1項）。また、管理監督者等には、労働時間、休憩および休日に関する規定は適用されない（労基法第41条）ため、時間外・休日労働に関する労使協定を締結し、これを所轄労働基準監督署長に届け出ている場合であっても、妊産婦が請求したときは、**管理監督者等を除き、時間外・休日労働をさせてはならない。**

（2）正しい。**1カ月単位の変形労働時間制**を採用している場合であって、**妊産婦等が請求したときは、**当該女性に対して法定労働時間（1週40時間および1日8時間）を超えて労働させることはできない（労基法第66条第1項）。また、管理監督者等には、労働時間、休憩および休日に関する規定は適用されない（労基法第41条）ため、1カ月単位の変形労働時間制を採用している場合であっても、妊産婦が請求したときは、**管理監督者等を除き、1週40時間および1日8時間を超えて労働させてはならない。**

（3）正しい。**妊産婦について、フレックスタイム制による労働をさせることができる**（労基法第66条第1項参照）。したがって、フレックスタイム制を採用している場合には、1週40時間、1日8時間を超えて労働させることができる。

（4）正しい。**1年単位の変形労働時間制**を採用している場合であって、**妊産婦等が請求したときは、**当該女性に対して法定労働時間（1週40時間および1日8時間）を超えて労働させることはできない（労基法第66条第1項）。また、管理監督者等には、労働時間、休憩および休日に関する規定は適用されない（労基法第41条）ため、1年単位の変形労働時間制を採用している場合であっても、妊産婦が請求したときは、**管理監督者等を除き、1週40時間および1日8時間を超えて労働させてはならない。**

（5）誤り。妊産婦が請求したときは、**管理監督者等であっても、深夜業をさせてはならない**（労基法第66条第3項）。

〔労働衛生（有害業務に係るもの以外のもの）〕

問28　正答 **(2)**

〈解説〉　「労働者の心の健康の保持増進のための指針」では、以下のように規定されている。

(1) **適切**。心の健康については、**客観的な測定方法が十分確立しておらず**、その評価には労働者本人から心身の状況に関する情報を取得する必要があり、さらに、心の健康問題の発生過程には**個人差が大きく**、そのプロセスの**把握が難しい**という特性がある。

(2) **不適切**。心の健康づくり計画の実施に当たっては、ストレスチェック制度の活用や職場環境等の改善を通じて、メンタルヘルス不調を**未然に防止**する「**一次予防**」、メンタルヘルス不調を**早期に発見**し、**適切な措置を行う**「**二次予防**」およびメンタルヘルス不調となった労働者の**職場復帰支援等を行う**「**三次予防**」が円滑に行われるようにする必要がある。メンタルヘルス不調を早期に発見するのは「二次予防」であり、一次予防ではない。

(3) **適切**。労働者の心の健康は、職場配置、人事異動、職場の組織等の人事労務管理と密接に関係する要因によって、大きな影響を受ける。メンタルヘルスケアは、人事労務管理と連携しなければ、適切に進まない場合が多いことに留意する。

(4) **適切**。「セルフケア」、「ラインによるケア」、「事業場内産業保健スタッフ等によるケア」および「事業場外資源によるケア」の４つのケアを継続的かつ計画的に実施することが基本である。

(5) **適切**。メンタルヘルスケアを推進するに当たって、労働者の個人情報を主治医等の医療職や家族から取得する際には、事業者は**あらかじめ**これらの情報を取得する**目的を労働者に明らかにして承諾を得る**とともに、これらの情報は**労働者本人から提出を受けることが望ましい**。

問 29　正答（4）

〈解説〉　「情報機器作業における労働衛生管理のためのガイドライン」では、以下のように示されている。

(1) **適切**。ディスプレイ画面の明るさ、書類およびキーボード面における明るさと周辺の明るさの差はなるべく小さくすることとされている。

(2) **適切**。**書類上**および**キーボード上**における照度は、**300 ルクス以上**を目安とし、作業しやすい照度とすることとされている。

(3) **適切**。ディスプレイを置く位置を工夫して、グレアが生じないようにする必要があるとされている。したがって、ディスプレイ画面の位置、前後の傾き、左右の向き等を調整してグレアを防止していることは、適切である。

(4) **不適切**。ディスプレイは、おおむね**40cm 以上**の視距離が確保できるようにし、**画面の上端**が、**眼の高さとほぼ同じ高さ**か、**やや下**になる高さにすることが望ましいとされている。したがって、ディスプレイを、おおむね 30cm 以内の視距離が確保できるように設置していることは、適切ではない。

(5) **適切**。１日の情報機器作業の作業時間が**４時間未満**である労働者については、**自覚症状を訴える者についてのみ**、情報機器作業に係る定期健康診断の対象とされている。

問30　正答**（1）**

〈解説〉（1）誤り。生体から得られたある指標が正規分布である場合、そのバラツキの程度は、**分散**や**標準偏差**によって表される。

（2）正しい。集団を比較する場合、平均値が等しくても分散が異なっていれば、異なった特徴をもつ集団であると評価される。

（3）正しい。健康管理統計において、**ある時点**での検査における**有所見者の割合**を**有所見率**という。また、このようなデータを静態データという。

（4）正しい。健康診断において、対象人数、受診者数などのデータを計数データといい、身長、体重などのデータを計量データという。

（5）正しい。ある事象と健康事象との間に、相関関係（統計上、一方が増えると他方も増える現象）が認められても、それらの間に因果関係がないこともある。

問31　正答**（2）**

〈解説〉（1）正しい。虚血性の脳血管障害である脳梗塞は、**脳血管自体の動脈硬化性病変による脳血栓症**と、**心臓や動脈壁の血栓などがはがれて脳血管を閉塞する脳塞栓症**に分類される。

（2）誤り。くも膜下出血は、脳の表面の動脈にできた動脈瘤が破れ、くも膜下腔に出血したものである。動脈瘤が破れると血液は瞬時にくも膜下腔を回りこみ、突然の頭痛や意識障害をきたす。数日後に発症するのではない。

（3）正しい。虚血性心疾患は、心筋に血液を供給する**冠状動脈（冠動脈）**が狭まったり、ふさがったりすることにより、心筋への血液の供給が不足したり途絶えて心筋障害を起こす疾患の総称である。

（4）正しい。心筋梗塞では、突然激しい胸痛が起こり、「締め付けられるように痛い」、「胸が苦しい」などの症状が**長時間続く**。その時間は1時間以上になることもある。

（5）正しい。運動負荷心電図検査（運動負荷を加えた状態で心電図の変化を見る検査）は、安静の状態で記録をした安静時心電図では診断が困難な、狭心症、虚血性心疾患などの発見に有用である。

問32　正答**（1）**

〈解説〉（1）誤り。サルモネラ菌による食中毒は、食物に付着している**細菌そのものの感染**によって起こる（感染型食中毒）。食品に付着した菌が食品中で増殖した際に生ずる毒素により発症する（毒素型食中毒）のではない。

（2）正しい。ボツリヌス菌による毒素は、**神経毒**である。なお、ボツリヌス菌は、缶詰、真空パック食品など、酸素のない食品中で増殖する。

（3）正しい。黄色ブドウ球菌による毒素は、**熱に強い**。黄色ブドウ球菌による食中毒は、食物に付着した**細菌により産生された毒素**によって発症する。

(４)正しい。腸炎ビブリオは、**病原性好塩菌**ともいわれる。サルモネラ菌による食中毒と同様に、食物に付着している**細菌そのものの感染**によって起こる。

(５)正しい。ウェルシュ菌、セレウス菌、カンピロバクターは、いずれも細菌性食中毒の原因菌である。

問 33　正答（４）

〈解説〉(１)正しい。人間の抵抗力が低下した場合は、通常、多くの人には影響を及ぼさない病原体が病気を発症させることがあり、これを日和見感染という。

(２)正しい。不顕性感染とは、感染が成立しているが、**症状が現れない状態が継続**することをいう。

(３)正しい。**感染が成立**し、**症状が現れるまでの人**をキャリア（保菌者）という。感染したことに気付かずに病原体をばらまく感染源になることがある。

(４)誤り。微生物を含む飛沫の水分が蒸発して、**乾燥した小粒子として長時間空気中に浮遊**し、**空調などを通じて感染**することを空気感染という。感染源の人が咳せきやくしゃみをして、唾液などに混じった病原体が飛散することにより感染することを飛沫感染といい、インフルエンザや普通感冒の代表的な感染経路である。

(５)正しい。インフルエンザウイルスにはＡ型、Ｂ型およびＣ型の３つの型があるが、**流行の原因**となるのは、主として、**Ａ型**および**Ｂ型**である。

問 34　正答（３）

〈解説〉(１)誤り。**単純骨折**とは、**皮膚の下**で骨が折れているが、**皮膚に損傷がない**ものをいう。骨にひびが入った状態ではない。

(２)誤り。**複雑骨折**とは、骨折にともない皮膚、皮下組織などが損傷し、**骨折した骨が外に出ているもの**をいう。骨が多数の骨片に破砕された状態ではない。

(３)正しい。完全骨折では、骨折端どうしが擦れ合う軋轢音、変形などが認められる。

(４)誤り。副子で固定するときには、**直近の関節部を含めた広い範囲を固定**し、副子の先端が手先や足先から少し出る程度にする。その先端が手先や足先から出ないようにするのではない。

(５)誤り。脊髄損傷が疑われる負傷者をやむを得ず搬送させる場合は、**硬い板の上にのせて搬送**する。なお、脊髄損傷が疑われる場合は、動かさないことが原則である。

〔労働生理〕

問 35　正答（４）

〈解説〉(１)正しい。血液は、血漿と有形成分からなり、血液の容積の55％程度を占める血漿中には、アルブミン、グロブリンなどの蛋白質が含まれている。なお、血漿中の蛋白質のうち、**グロブリン**は**免疫物質の抗体**を含む。

（2）**正しい。**血液の有形成分には、赤血球、白血球および血小板がある。**赤血球**は**酸素を組織に供給**し、**白血球**は体内への**細菌や異物の侵入を防御**し、**血小板**は**止血**の機能を有する。

（3）**正しい。赤血球の寿命**は、約120日で、**白血球の寿命**に比べて**長い**。なお、白血球の寿命は種類によって異なるが、一般に3～4日といわれている。

（4）**誤り。白血球**の一種であるリンパ球には、Bリンパ球やTリンパ球などがあり、**免疫反応**に関与している。**Bリンパ球**は、**抗体を産生**し、その抗体によって抗原を攻撃する。また、**Tリンパ球**は、細菌や異物を認識し、**直接**、抗原を**攻撃**する。

（5）**正しい。血液の凝固**は、血漿中の**フィブリノーゲン**（線維素原）が**フィブリン**（線維素）に変化する現象である。

問36　正答（3）

〈解説〉（1）**正しい。**三大栄養素のうち**糖質（炭水化物）**は**ブドウ糖（グルコース）**などに、**蛋白質**は**アミノ酸**に、**脂肪**は**脂肪酸**と**モノグリセリド**に、酵素により分解されて吸収される。なお、糖質（炭水化物）、蛋白質、脂質をまとめて三大栄養素と呼び、人間が生命活動を営むためのエネルギーとなる。

（2）**正しい。無機塩やビタミン類**は、酵素による**分解を受けない**でそのまま吸収される。なお、無機塩（ミネラル）の代表的なものに血液に含まれるナトリウムがある。

（3）**誤り。胆汁**は、**消化酵素を含んでいない**。また、トリプシンは、膵液中の消化酵素である。なお、胆汁がアルカリ性であるとする点は、正しい。

（4）**正しい。**胃は、塩酸（胃酸）やペプシノーゲン、粘液（ムチン）を分泌して消化を助ける。胃は、吸収機能はほとんどなく、水分の吸収は行わないが、アルコールは吸収される。

（5）**正しい。**吸収された栄養分は、血液やリンパによって肝臓に運ばれ、代謝により人体が利用できる物質（エネルギー源など）となる。

問37　正答（1）

〈解説〉（1）**誤り。**呼吸運動は、主として**肋間筋**と**横隔膜**の**協調運動**によって胸郭内容積を周期的に増減し、それに伴って肺を受動的に伸縮させることにより行われる。気管と胸膜の協調運動によるのではない。なお、呼吸に関与する筋肉は、延髄にある呼吸中枢によって支配されている。

（2）**正しい。**胸郭内容積が増し、内圧が低くなるにつれ、鼻腔、気管などの気道を経て肺内へ流れ込む空気が吸気である。

（3）**正しい。肺胞内の空気**と肺胞を取り巻く毛細血管中の血液との間で行われるガス交換を肺呼吸または**外呼吸**という。

（4）**正しい。**全身の毛細血管中の血液が各組織細胞に酸素を渡して二酸化炭素を受け取るガス交換を内呼吸または組織呼吸という。

（5）正しい。身体活動時には、血液中の**二酸化炭素分圧（濃度）**の上昇により呼吸中枢が刺激され、肺でのガス交換の量（1回換気量）および呼吸数が**増加**する。

問38　正答（3）

〈解説〉（1）正しい。肝臓は、脂肪酸の分解および**コレステロールの合成**をする。

（2）正しい。肝臓は、アルブミンなどの血漿蛋白の合成をする。

（3）誤り。肝臓には、赤血球の産生をする機能はない。赤血球は骨髄で産生される。なお、肝臓は、赤血球の分解物からビリルビンを合成して胆汁に排泄する。

（4）正しい。肝臓は、アミノ酸からのブドウ糖の合成をする。

（5）正しい。肝臓は、**グリコーゲンの合成**および**分解**をする。血糖値が上昇するとグリコーゲンを合成・貯蔵し、血糖値が低下すると、グリコーゲンを分解し、血中に放出する。

問39　正答（4）

〈解説〉　BMIの値は、次の計算式から算出される。

BMI＝体重（kg）÷（身長（m））²

本問では、170（cm）を1.7（m）に変換し、BMIを25とし、体重をXとして計算式に当てはめる。

$$25 = X \div (1.7 \times 1.7)$$
$$= X \div 2.89$$

ここで、体重Xを左辺に、他の数値を右辺に移す。

$$X = 25 \times 2.89 = 72.25$$

以上から、BMIが25となるのは、体重が72.25kgの場合であり、選択肢の中で「BMIが25未満となる最大の体重」は、71kgとなる。

したがって、選択肢（4）が正答となる。

問40　正答（5）

〈解説〉　A　正しい。ネフロン（腎単位）は、尿を生成する単位構造で、1個の腎小体とそれに続く1本の尿細管からなる。このネフロンという腎単位が1個の腎臓中に約100万個ある。

B　正しい。尿の約95％は水分で、約5％が固形物である。その成分が全身の健康状態をよく反映するので、尿検査は健康診断などで広く行われている。なお、尿検査のほか、腎臓の機能の検査として、血液中の尿素窒素（BUN）がある。

C　誤り。腎機能が正常な場合、**糖（グルコース）**は**ボウマン嚢中に濾し出され**、原尿となる。

D　誤り。腎機能が正常な場合、大部分の**蛋白質**は、糸球体からボウマン嚢中に濾し出されることなく**血液中に残る**。

以上から、誤っているものの組合せは、C、Dとなる。したがって、選択肢（5）が正答となる。

問41　正答（3）

〈解説〉（1）誤り。刺激の量は、人間が感じる**最小の刺激量を超える**と**感覚の強度は急に大きくなり**、**刺激の量が大きすぎる**と**変化を感じにくく**なる。つまり、物理化学的な刺激の量と人間が意識する感覚の強度とは、直線的な比例関係にはない。

（2）誤り。皮膚感覚の基本的なものには、触圧覚（触覚・圧覚）、痛覚、温度感覚（温覚・冷覚）などがある。これらのうち、皮膚に**広く分布**し、**密度が最も高い**のは**痛覚点**である。

（3）正しい。網膜には、明るい所で働き**色を感じる錐状体**と、暗い所で働き**弱い光を感じる杆状体**の２種類の視細胞がある。

（4）誤り。眼軸が短すぎるために、平行光線が**網膜の後方で像を結ぶ状態**は、**遠視（遠視眼）**である。近視ではない。なお、近視（近視眼）は、眼軸（眼球の長軸）が長すぎるために、平行光線が網膜の前方で像を結ぶ状態である。

（5）誤り。平衡感覚をつかさどっている**前庭**と**半規管**は、**内耳**にある。中耳ではない。なお、前庭が体の傾きを、半規管が回転の方向を知覚する。

問42　正答（3）

〈解説〉（1）正しい。神経系を構成する基本的な単位である神経細胞は、**ニューロン**ともいわれる。通常、１個の細胞体、**１本の軸索**および**複数の樹状突起**からなる。

（2）正しい。神経系は、肉眼的には**中枢神経系**と**末梢神経系**に大別され、**中枢神経系**は**脳**と**脊髄**からなる。

（3）誤り。大脳の**内側**の**髄質**は**神経線維の多い白質**であり、外側の皮質は神経細胞の細胞体が集合した灰白質である。

（4）正しい。**体性神経**には、感覚器官からの情報を中枢に伝える**感覚神経**と、中枢からの命令を運動器官に伝える**運動神経**がある。

（5）正しい。自律神経系は、交感神経系と副交感神経系とに分類される。また、交感神経系と副交感神経系は多くの臓器に対して相反する作用を有している。

問43　正答（2）

〈解説〉「体内に侵入した病原体などの異物を、A **リンパ球** が、B **抗原** と認識し、その B **抗原** に対してだけ反応する C **抗体** を血漿中に放出する。この C **抗体** が B **抗原** に特異的に結合し B **抗原** の働きを抑制して体を防御するしくみを D **体液性** 免疫と呼ぶ。これに対し、A **リンパ球** が直接、病原体などの異物を攻撃する免疫反応もあり、これを E **細胞性** 免疫と呼ぶ。」

したがって、選択肢（2）が正答となる。

問44　正答 **(5)**

〈解説〉(1)**誤り**。寒冷にさらされ体温が正常より低くなると、**皮膚の血管が収縮**して**血流量を減らし、皮膚温を低下**させる。これにより、皮膚温と気温の差が少なくなり、放熱が抑制される。

(2)**誤り**。暑熱な環境においては、**内臓の血流量は減少**し**体内の代謝は抑制**される。

(3)**誤り**。体温調節のように、外部環境が変化しても身体内部の状態を一定に保つ生体の仕組みを恒常性（ホメオスタシス）という。同調性ではない。また、**恒常性（ホメオスタシス）**は、おもに**内分泌系**と**神経系（自律神経系）**により調整されている。筋肉と神経系により調整されているのではない。

(4)**誤り**。体温調節中枢は、**間脳の視床下部**にある。小脳にあるのではない。なお、体温調節中枢は、熱の産生（産熱）と放散（放熱）とのバランスを維持し体温を一定に保つよう機能しているという点は、正しい。

(5)**正しい**。熱の放散は、放射（ふく射）、伝導、蒸発などの物理的な過程で行われ、蒸発には、発汗と不感蒸泄によるものがある。

切取線

過去問題　解答用紙

種別	第一種衛生管理者

氏名	

解答欄	問1	問2	問3	問4	問5	問6	問7	問8	問9	問10
	1	1	1	1	1	1	1	1	1	1
	2	2	2	2	2	2	2	2	2	2
	3	3	3	3	3	3	3	3	3	3
	4	4	4	4	4	4	4	4	4	4
	5	5	5	5	5	5	5	5	5	5

解答欄	問11	問12	問13	問14	問15	問16	問17	問18	問19	問20
	1	1	1	1	1	1	1	1	1	1
	2	2	2	2	2	2	2	2	2	2
	3	3	3	3	3	3	3	3	3	3
	4	4	4	4	4	4	4	4	4	4
	5	5	5	5	5	5	5	5	5	5

解答欄	問21	問22	問23	問24	問25	問26	問27	問28	問29	問30
	1	1	1	1	1	1	1	1	1	1
	2	2	2	2	2	2	2	2	2	2
	3	3	3	3	3	3	3	3	3	3
	4	4	4	4	4	4	4	4	4	4
	5	5	5	5	5	5	5	5	5	5

解答欄	問31	問32	問33	問34	問35	問36	問37	問38	問39	問40
	1	1	1	1	1	1	1	1	1	1
	2	2	2	2	2	2	2	2	2	2
	3	3	3	3	3	3	3	3	3	3
	4	4	4	4	4	4	4	4	4	4
	5	5	5	5	5	5	5	5	5	5

解答欄	問41	問42	問43	問44
	1	1	1	1
	2	2	2	2
	3	3	3	3
	4	4	4	4
	5	5	5	5

マークシート記入上の注意点

1．解答は必ずＨＢの鉛筆かシャープペンシルで記入してください。
2．マークシートからはみ出さないようにしてください。

良い例　　悪い例

3．解答は１問につき１つです。複数の解答を記入すると不正解となります。
4．解答を消すときは、柔らかい消しゴムで丁寧に消してください。
5．解答用紙は、折り曲げたり汚したりしないでください。

切取線

予想模擬試験　解答用紙

種別	第一種衛生管理者

氏名	

解答欄	問1	問2	問3	問4	問5	問6	問7	問8	問9	問10	問11	問12	問13	問14	問15	問16	問17	問18	問19	問20	問21	問22	問23	問24	問25	問26	問27	問28	問29	問30	問31	問32	問33	問34	問35	問36	問37	問38	問39	問40	問41	問42	問43	問44
	1	1	1	1	1	1	1	1	1	1	1	1	1	1	1	1	1	1	1	1	1	1	1	1	1	1	1	1	1	1	1	1	1	1	1	1	1	1	1	1	1	1	1	1
	2	2	2	2	2	2	2	2	2	2	2	2	2	2	2	2	2	2	2	2	2	2	2	2	2	2	2	2	2	2	2	2	2	2	2	2	2	2	2	2	2	2	2	2
	3	3	3	3	3	3	3	3	3	3	3	3	3	3	3	3	3	3	3	3	3	3	3	3	3	3	3	3	3	3	3	3	3	3	3	3	3	3	3	3	3	3	3	3
	4	4	4	4	4	4	4	4	4	4	4	4	4	4	4	4	4	4	4	4	4	4	4	4	4	4	4	4	4	4	4	4	4	4	4	4	4	4	4	4	4	4	4	4
	5	5	5	5	5	5	5	5	5	5	5	5	5	5	5	5	5	5	5	5	5	5	5	5	5	5	5	5	5	5	5	5	5	5	5	5	5	5	5	5	5	5	5	5

マークシート記入上の注意点

1．解答は必ずＨＢの鉛筆かシャープペンシルで記入してください。
2．マークシートからはみ出さないようにしてください。

良い例　　悪い例

3．解答は1問につき1つです。複数の解答を記入すると不正解となります。
4．解答を消すときは、柔らかい消しゴムで丁寧に消してください。
5．解答用紙は、折り曲げたり汚したりしないでください。